Geoffrey Blainey

UMA BREVE HISTÓRIA
DO CRISTIANISMO

Editora
FUNDAMENTO

2012, Editora Fundamento Educacional Ltda.
Reimpresso em 2025.

Editor e edição de texto: Editora Fundamento
Capa: Zuleika Iamashita
Editoração eletrônica: Duilio David Scrok
CTP e impressão: Gráfica Coan
Tradução: Capelo Traduções e Versões Ltda (Neuza Capelo)

Produzido originalmente por Penguin Group.
Copyright texto © Geoffrey Blainey, 2011.
Todos os direitos reservados.

Nenhuma parte deste livro pode ser arquivada, reproduzida ou transmitida de qualquer forma ou por qualquer meio, seja eletrônico ou mecânico, incluindo fotocópias e gravação de buckup, sem permissão escrita do proprietário dos direitos.

Dados Internacionais de Catalogação na Publicação (CIP)
(Câmara Brasileira do Livro, SP, Brasil)

Blainey, Geoffrey
   Uma breve história do cristianismo / Geoffrey Blainey; [versão brasileira da editora] – 1. ed. – São Paulo – SP: Editora Fundamento Educacional Ltda., 2012.

   Título original: A short history of christianity.

   1. Cristianismo 2. Cristianismo – História 3. Igreja – História I. Título.

12-02360   CDD-270

Índice para catálogo sistemático
1. Cristianismo : História 270
2. Igreja : História : Cristianismo 270

Fundação Biblioteca Nacional

Depósito legal na Biblioteca Nacional, conforme Decreto nº 1.825, de dezembro de 1907.
Todos os direitos reservados no Brasil por Editora Fundamento Educacional Ltda.

Impresso no Brasil

Telefone: (41) 3015 9700
E-mail: info@editorafundamento.com.br
Site: www.editorafundamento.com.br

Este livro foi impresso em papel Offset 90 g/m² e a capa em cartão supremo alta alvura 250 g/m².

CONTEÚDO

Prefácio   5
Mapas   7

PRIMEIRA PARTE

1. O Menino da Galileia   16
2. A Morte e a Ressurreição de Jesus   29
3. "Quem Pode Ser Contra Nós?"   41
4. Pão, Vinho e Água   54
5. Nas Mãos do Imperador   62
6. Um Grupo de Heréticos   69
7. Monges e Eremitas   77
8. A Ascensão do Islamismo   87
9. A Batalha das Imagens   97
10. Por Trás dos Muros dos Mosteiros Franceses   106
11. Granadeiros de Deus   115
12. A Magia do Vidro e da Tinta   125
13. Uma Estrela sobre Assis   131
14. Os Cruzados   143
15. Roma, Avignon e o Chifre de Ouro   149
16. Os Caminhos dos Peregrinos   162

SEGUNDA PARTE

17. Um Rojão Gigantesco	168
18. Destruição na Suíça e na Inglaterra	181
19. O Reino de João Calvino	193
20. Trento: uma Reunião sem Fim	202
21. Aos Confins da Terra	208
22. A Reforma Bem Explicada	217
23. Bunyan, O Peregrino, e Fox, o *Quaker*	223
24. Duas Vozes ao Vento: Wesley e Whitefield	231
25. Turbulência em Paris	240
26. A Era do Vapor e da Pressa	253
27. Gosto pela Tolerância	280
28. A Vinda da Luz e das Trevas	292
29. Guerra e Paz	298
30. Desafios	309
31. "Mais Populares do que Jesus"	322
Agradecimentos	333
Fontes Selecionadas	335

PREFÁCIO

Escrever a história do cristianismo é uma tarefa fascinante, frustrante e até perigosa. Fascinante devido ao modo como o cristianismo moldou a civilização ocidental e aos longos períodos durante os quais afetou o modo de viver das pessoas. Frustrante porque algumas partes da história estão envoltas em mistério e nos chegam sob a forma de parábolas, alegorias ou enigmas. E perigosa porque se trata de uma trajetória pontuada de controvérsias, em que as discussões – e lutas – de lados opostos se baseavam no que eram considerados argumentos irrefutáveis. Vou tentar ver ambos os pontos de vista com certa simpatia.

Alguns estudiosos afirmam que Jesus Cristo, o fundador da religião, nem sequer existiu, e que referências a ele, feitas durante o tempo em que viveu, são extremamente raras. Minha conclusão é de que, pelos padrões da época, sua história foi surpreendentemente registrada, já que ele só ficou conhecido nos últimos anos de vida e, assim mesmo, em uma região do Império Romano pouco desenvolvida e afastada. De todas as pessoas comuns daquela época, desconhecidas fora de sua terra, a vida e os ensinamentos de Jesus estão entre os mais documentados.

Existem numerosos folhetos ou evangelhos sobre ele, e quatro são famosos. Conhecidos como os evangelhos de Mateus, Marcos, Lucas e João, todos, exceto um, foram concluídos no período de 50 anos que se seguiu à morte de Jesus. Outros relatos e histórias foram escritos – à mão, é claro. O problema é a enorme quantidade de detalhes, gerando inconsistências e contradições. No decorrer de vários séculos, o mundo ocidental produziu mais livros, impressos ou manuscritos, sobre a vida de Jesus do que sobre qualquer outro tema. Quem quer que se proponha a escrever a respeito de sua curta vida e da longa história do cristianismo vai ter de examinar cuidadosa e repetidamente indícios conflitantes e inconsistentes. As fontes consultadas por mim são citadas nas longas notas encontradas ao fim da edição original ou da resumida deste livro.

Investiguei a história como historiador, não como teólogo. Queria me informar e deixar os outros mais informados. Supondo que muitos leitores possuam pouco conhecimento da teologia cristã, procurei evitar termos mais técnicos.

Embora adequada aos entusiastas, a edição original deste livro, com mais de 170 mil palavras, era longa demais para alguns leitores. Assim, reescrevi ou cortei trechos, eliminando cerca de 70 mil palavras. Mantive a ênfase em indivíduos influentes, tais como Paulo de Tarso, Francisco de Assis, Ulrico Zuínglio de Zurique, John Wesley da Inglaterra e dezenas de outros. Os céticos e racionalistas também têm lugar neste livro, pois fazem parte da multifacetada história do cristianismo.

Geoffrey Blainey
MELBOURNE | MARÇO DE 2012

MAPAS

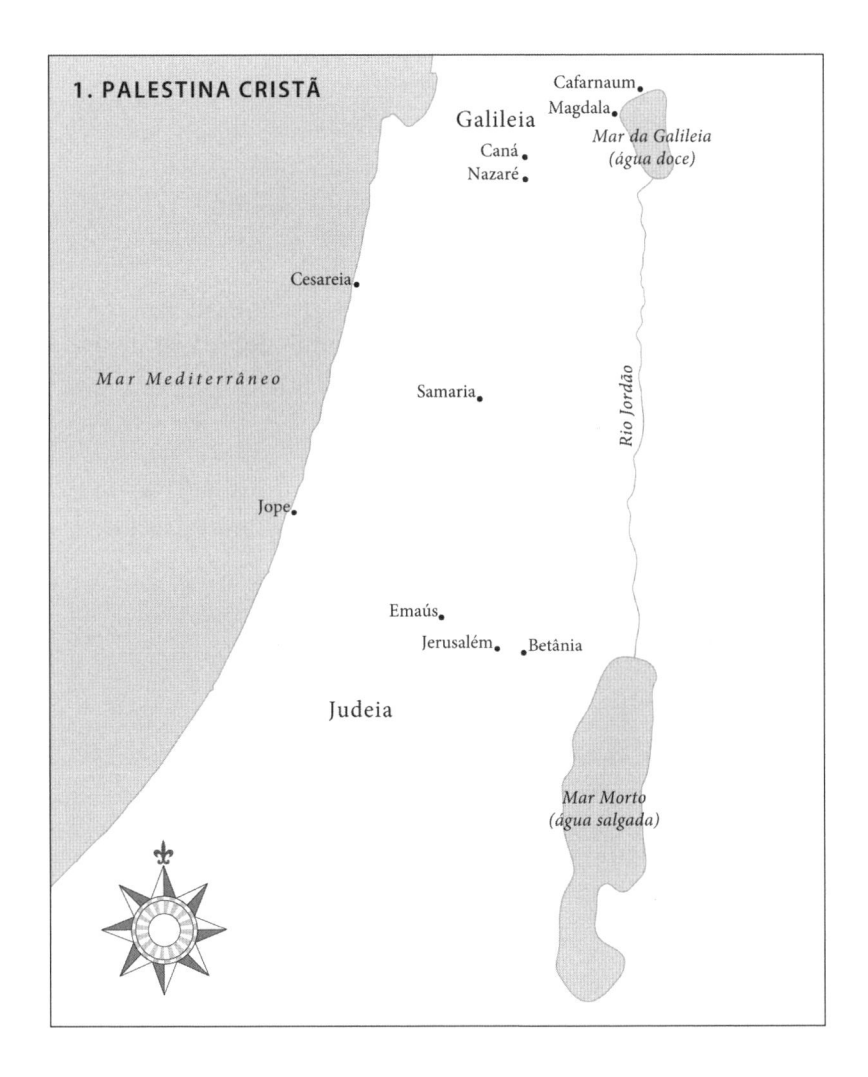

1. PALESTINA CRISTÃ

- Cafarnaum
- Magdala
- Galileia
- Caná
- Nazaré
- Mar da Galileia *(água doce)*
- Cesareia
- *Mar Mediterrâneo*
- Samaria
- *Rio Jordão*
- Jope
- Emaús
- Jerusalém
- Betânia
- Judeia
- Mar Morto *(água salgada)*

2. O MUNDO CRISTÃO NO ANO DE 330

Área conquistada pelo Islã em 945

3. O ISLÃ SE EXPANDE E O CRISTIANISMO SE RETRAI ENTRE 630 E 945

4. EUROPA MEDIEVAL: MOSTEIROS E PEREGRINAÇÕES

5. CONSTANTINOPLA EM 1400

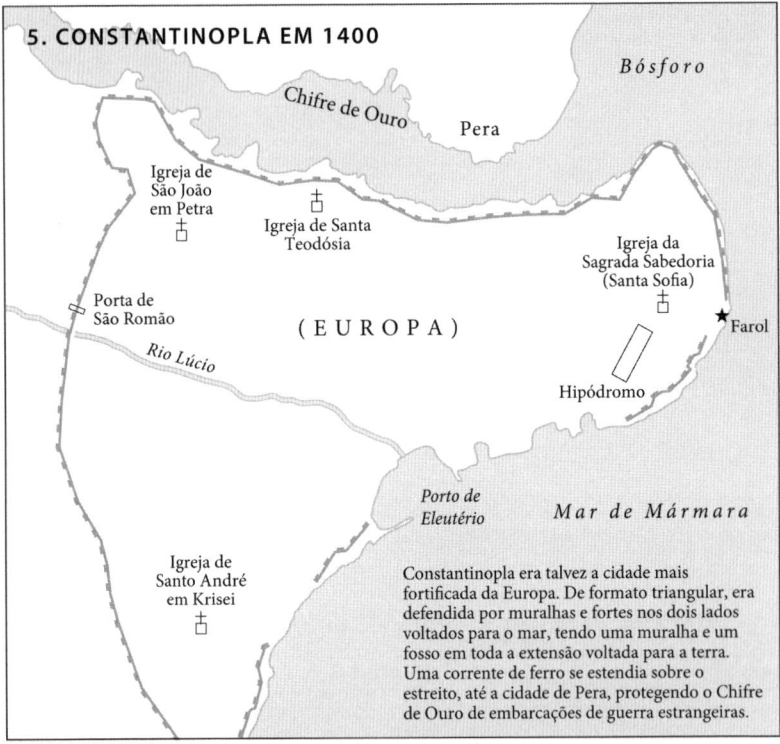

Bósforo
Chifre de Ouro
Pera
Igreja de São João em Petra
Igreja de Santa Teodósia
Igreja da Sagrada Sabedoria (Santa Sofia)
Porta de São Romão
(EUROPA)
★ Farol
Rio Lúcio
Hipódromo
Porto de Eleutério
Mar de Mármara
Igreja de Santo André em Krisei

Constantinopla era talvez a cidade mais fortificada da Europa. De formato triangular, era defendida por muralhas e fortes nos dois lados voltados para o mar, tendo uma muralha e um fosso em toda a extensão voltada para a terra. Uma corrente de ferro se estendia sobre o estreito, até a cidade de Pera, protegendo o Chifre de Ouro de embarcações de guerra estrangeiras.

6. A EUROPA E A REFORMA, 1550

Bergen
Estocolmo
Mar Báltico
Edinburgo
Mar do Norte
Copenhague
Oceano Atlântico
Dublin
Gdansk (Danzig)
Norwich
Amsterdã
Bremen
Wittenberg
Londres
Roterdã
Leipzig
Colônia
Zwickau
Cracóvia
Gante
Mainz
MORÁVIA
Paris
Reno
Worms
Nantes
Estrasburgo
Augsburgo
Viena
Baía de Biscay
Basileia
Geneva
Zurique
Lyon
Alpes
Trento
Veneza
Pirineus
Toulouse
Gênova
Florença
Camerino
Lisboa
Toledo
Roma
Mar Adriático
Nápoles
Sevilha
Cádiz
Mar Mediterrâneo

MAPAS

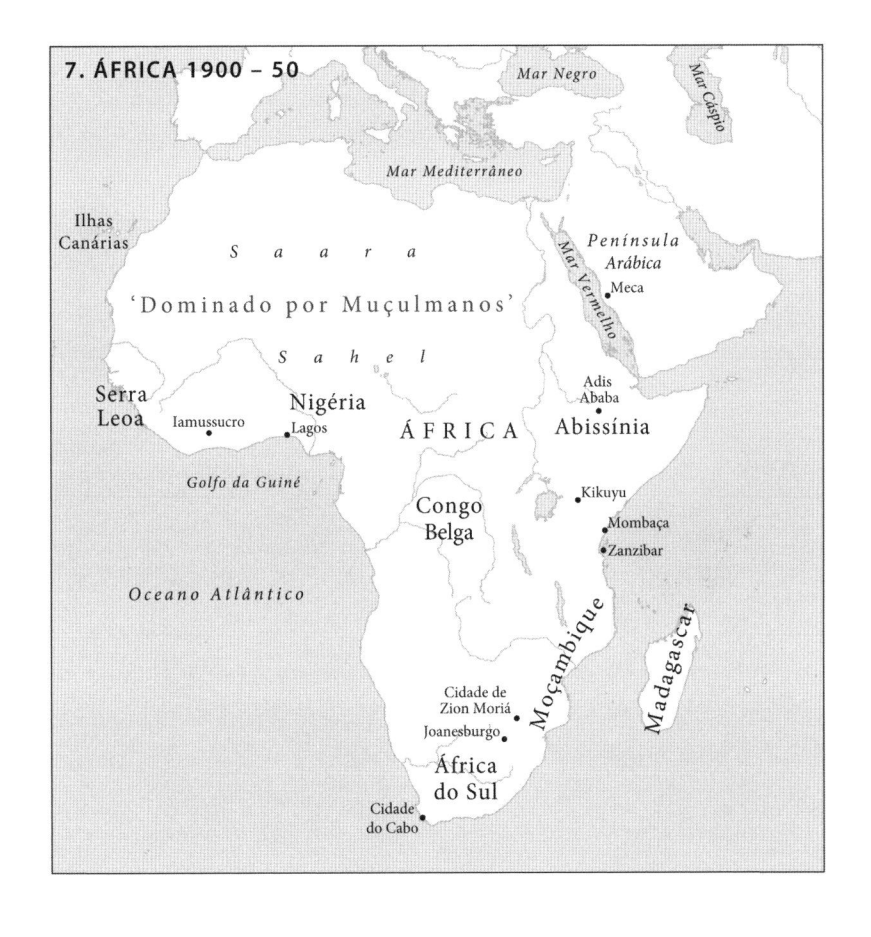

7. ÁFRICA 1900 – 50

- Mar Negro
- Mar Cáspio
- Mar Mediterrâneo
- Ilhas Canárias
- Saara
- 'Dominado por Muçulmanos'
- Sahel
- Península Arábica
- Mar Vermelho
- Meca
- Serra Leoa
- Nigéria
- Iamussucro
- Lagos
- ÁFRICA
- Adis Ababa
- Abissínia
- Golfo da Guiné
- Kikuyu
- Congo Belga
- Mombaça
- Zanzibar
- Oceano Atlântico
- Moçambique
- Madagascar
- Cidade de Zion Moriá
- Joanesburgo
- África do Sul
- Cidade do Cabo

8. O CRISTIANISMO NO MUNDO EM 2010

Em 1900, pelo menos oito entre dez países com população de maioria cristã ficavam na Europa. Em 2015, a Europa provavelmente não abrigará uma só das dez primeiras nações em número de cristãos. No entanto, se a União Europeia fosse considerada um país, ocuparia o primeiro lugar.

Oceano Ártico

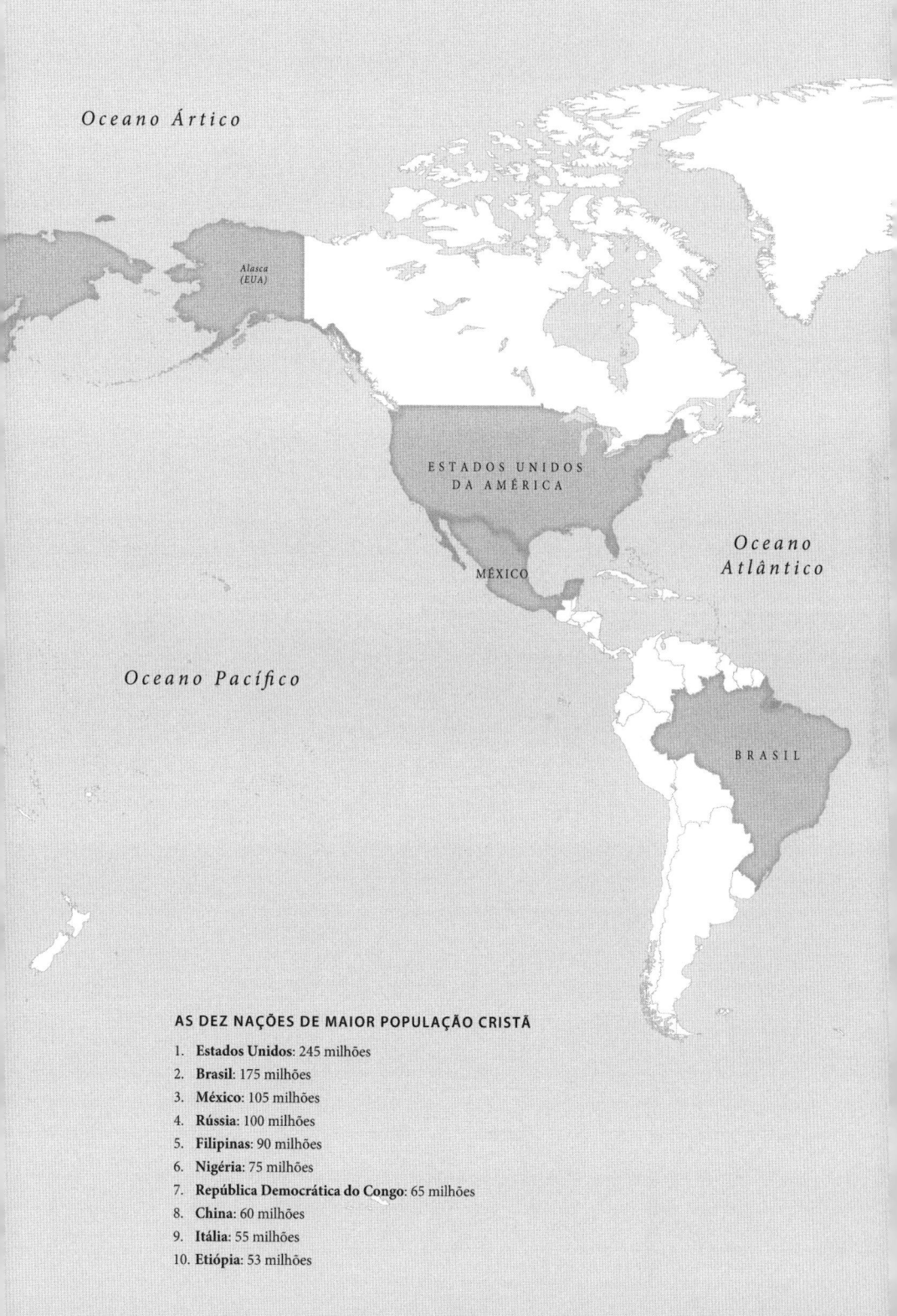

Alasca (EUA)

ESTADOS UNIDOS DA AMÉRICA

Oceano Atlântico

MÉXICO

Oceano Pacífico

BRASIL

AS DEZ NAÇÕES DE MAIOR POPULAÇÃO CRISTÃ

1. **Estados Unidos**: 245 milhões
2. **Brasil**: 175 milhões
3. **México**: 105 milhões
4. **Rússia**: 100 milhões
5. **Filipinas**: 90 milhões
6. **Nigéria**: 75 milhões
7. **República Democrática do Congo**: 65 milhões
8. **China**: 60 milhões
9. **Itália**: 55 milhões
10. **Etiópia**: 53 milhões

PRIMEIRA PARTE

CAPÍTULO 1

O MENINO DA GALILEIA

De todas as pessoas conhecidas, vivas ou mortas, Jesus é a mais influente.

Seu nascimento foi e ainda é considerado um acontecimento importante. Ao ser criada a cronologia atualmente adotada no mundo, escolheu-se o ano presumido desse nascimento como o primeiro. A decisão não foi muito precisa. Não se conhece o ano exato em que Jesus nasceu. Ainda hoje, vários aspectos da chegada de Jesus ao mundo, de sua vida e sua morte permanecem envoltos em mistério e divergência. No entanto, ele exerceu profunda influência sobre a história da humanidade.

Jesus era judeu, em raça, cultura e religião. O termo "judeu" vem de "Judá", território que ocupava metade da estreita faixa de terra à margem do Mar Mediterrâneo, há muito conhecida como Palestina. Os ancestrais de Jesus tinham vivido em outro lugar. Tradicionalmente conhecidos como hebreus, cujo significado é "povo que atravessou", eles eram em essência viajantes ou viandantes.

Os judeus, vivessem onde vivessem, consideravam Jerusalém a Terra Santa. No alto da montanha, com uma fonte permanente de água pura, podia ser facilmente fortificada. Depois de capturada para os hebreus pelo rei Davi, por volta do ano 1000 a.C., tornou-se o local do Grande Templo, a edificação mais suntuosa do mundo ocidental. Construído pelo rei Salomão, filho de Davi, transformou-se no centro da religião judaica. Ali, orações e sacrifícios podiam ser oferecidos a Deus, e palavras sagradas eram lidas em voz alta pelo Sumo Sacerdote e seus auxiliares. Como os judeus, ao contrário dos vizinhos, acreditavam em um só Deus, e o templo de Jerusalém era seu único santuário, é provável que não houvesse na Europa local de peregrinação impregnado de tanto respeito. Foi lá que teve origem a crise final da vida de Jesus – a rápida sucessão de eventos que culminou em sua morte.

Com a morte do rei Salomão, seu reinado foi dividido em dois: Israel ao norte e Judá ao sul. Em 587 a.C., os poderosos babilônios conquistaram Jerusalém, em um dos eventos traumáticos na longa história de um povo que suportou vários infortúnios e desastres. Muitos dos judeus mais influentes foram deportados para a Babilônia. No exílio, refletiram sobre suas desventuras, e se perguntaram se teriam ofendido tanto a Deus, para receber tal castigo.

Em menos de meio século, os persas tomaram a Babilônia, e a maioria dos judeus pôde retornar a sua terra, onde, por volta de 520 a.C., começou a reconstrução do templo. Em 142 a.C., depois de viver sob uma sucessão de soberanos estrangeiros e, afinal, sob um regime de cultura grega, o povo judeu recuperou sua terra. Durante quase 80 anos, gozou de independência, mas logo a perderia, voltando a ser independente apenas no século 20.

> JESUS ERA JUDEU, EM RAÇA, CULTURA E RELIGIÃO. O TERMO "JUDEU" VEM DE "JUDÁ".

A CONQUISTA DOS ROMANOS

Em 63 a.C., os romanos invadiram a Palestina. Donos do maior e mais diverso império do mundo, eles conferiam certa independência às colônias, desde que fossem submissas, obedientes e pagassem seus impostos. Os romanos escolheram um líder local, Herodes, a quem delegaram poder e deram o título de rei e concederam considerável liberdade religiosa aos judeus. Foi próximo ao fim do reinado de Herodes que Jesus nasceu, possivelmente em 6 a.C.

Com seu território ocupado por um pequeno exército romano, os judeus mantiveram cultura e religião. Na medida do possível, ignoravam os deuses romanos e dispensavam apenas um respeito formal ao distante imperador, cada vez mais adorado como um deus pelos que o cercavam. Em matéria de religião, os judeus mantiveram as próprias regras. O dia a dia deles era governado por poderosas tradições. Assim, os meninos tinham de ser cincuncidados pouco tempo depois do nascimento, e a desobediência a essa regra era considerada uma atitude profana e impura. Alguns alimentos, inclusive a carne de porco, não deviam ser consumidos em ocasião alguma. O *sabbath*, ou sábado, era dia de descanso e oração. Por causa desse preceito rígido os judeus tinham dificuldade em servir integralmente ao exército romano, embora alguns o fizessem.

Assim, um mundo judeu seguia à parte, dentro do Império Romano. Duvida-se de que outra região do império tenha sobrevivido como uma entidade cultural e religiosa tão diferente. Esse foi o milagre da religião judaica: uma incrível tenacidade, século após século. Essas foram a cultura e a religião herdadas por Jesus.

Deus dominava a cultura judaica. Era o Deus dos judeus, embora não exclusivamente. Chamado "O Eterno", era invisível e imortal, detentor de enorme poder e conhecimento e de uma imensa capacidade de sentir amor e raiva. Tendo criado o ser humano à sua imagem, e tendo-o dotado de livre-arbítrio, concedeu-lhe o direito de escolher entre o bem e o mal. Se obedecesse às leis de Deus, seria ajudado por Ele. Deus era o pai; os judeus, os filhos: os filhos de Israel. A maior parte dos hinos que eles cantavam – os salmos – tinham sido compostos durante o exílio na Babilônia e o triunfante retorno a Jerusalém. Por experiência própria, podiam afirmar confiantemente: "Deus é nossa força e nosso refúgio, um auxílio sempre presente na adversidade."

Segundo os hebreus, Deus estava em toda parte. Às vezes era visto no "templo sagrado", às vezes no céu, mas seu espírito, sua presença e seu conhecimento eram de tal ordem que ele podia estar em 10 mil lugares ao mesmo tempo. Conforme proclama o salmo 139, ninguém foge dele.

Quando o povo judeu seguiu para a Babilônia, encontrou Deus à espera. Quando chegou de volta a Jerusalém, Deus já estava lá. Deus sabia até "quando me deito e quando me levanto". Um salmo explicava que Deus conhece os pensamentos mais íntimos das pessoas, ainda que elas nunca os expressem.

A ênfase dos hebreus em um Deus perfeito e todo-poderoso caminhava lado a lado com sua opinião sobre a condição humana. A humanidade, ao contrário de Deus, era imperfeita, capaz de praticar o bem ou o mal. Empregava-se com frequência a palavra "pecado", mas seu significado não correspondia exatamente ao atual. Pecador era quem desobedecia à vontade de Deus – não apenas quanto a preceitos morais, mas também a regras formais e culturais formuladas por Moisés e registradas nos livros hoje chamados de Antigo Testamento. A descrença – ateísmo ou agnosticismo – era igualmente considerada pecado.

Hoje, muitos consideram subserviente a atitude dos judeus em relação a Deus. Para eles, porém, Deus era justo. Nada, sobre a face da Terra, se assemelhava a seu senso de justiça. Ele recompensaria fartamente os bons e os "justos". Seu amor ilimitado e eterno foi citado duas dúzias de vezes no salmo 136. Por outro lado, a vingança justa de Deus se abateria sobre aqueles que o desobedecessem gravemente ou infringissem as regras, sem se arrepender. Os judeus não aceitavam a ideia de um Deus injusto. Se seu mundo fosse arrasado por um desastre natural, ou um conquistador estrangeiro invadisse sua terra, eles acreditavam ter merecido.

Foram essas crenças judaicas que Jesus absorveu desde criança. Algumas ele reformulou mais tarde, quase ao fim de sua curta vida, mas aceitou instintivamente e seguiu sinceramente a maior parte delas.

UMA ESTRELA NO ORIENTE

No tempo em que Jesus viveu, as estrelas no céu noturno fascinavam mais as pessoas do que hoje. Acreditava-se que a aparição de uma estrela excepcionalmente brilhante anunciava a proximidade de acontecimentos importantes. Assim, Virgílio, o grande poeta romano, descreveu como uma estrela magnífica havia guiado o fundador de Roma até o local onde a cidade cresceu. O nascimento do fundador de uma religião também podia ter a própria estrela anunciadora.

De acordo com o evangelho de Mateus, três homens sábios, ou magos, que viviam em uma terra distante viram no céu noturno uma luz muito brilhante que parecia chamá-los na direção da Palestina. Acreditando ser aquele o sinal de um nascimento importantíssimo, recolheram alguns presentes e seguiram a estrela, na esperança – certeza, na verdade – de encontrar aquele bebê extraordinário: "Vimos a estrela no Oriente e viemos adorá-lo."

> OS TRÊS SÁBIOS SE TRANSFORMARAM EM TRÊS REIS. SOMENTE CERCA DE 500 ANOS MAIS TARDE, RECEBERAM NOMES.

Essa história ou alegoria fascinante foi mais tarde registrada por escrito, e contada e recontada, século após século. Com a repetição, alterou-se um pouco: a criança nascida era importante demais, e achou-se que os personagens mereciam maior prestígio. Assim, os três sábios se transformaram em três reis. Somente cerca de quinhentos anos mais tarde, receberam nomes.

Não se conhece ao certo o local do nascimento de Jesus. Marcos, o autor do primeiro evangelho sobre a vida de Jesus, não especificou. Os outros autores se referiram a Belém, uma cidadezinha da qual, para chegar-se a Jerusalém, bastava uma manhã de caminhada. Sendo a terra natal de Davi, o herói da história dos judeus, Belém representava um local apropriado ao nascimento de alguém que seria aclamado como o salvador de seu povo. Lucas disse que os pais de Jesus viviam em Nazaré, mas foram obrigados, por causa de um censo marcado para acontecer em seguida, a estar em Belém na época em que comprovadamente Jesus nasceu. Na verdade, segundo os registros, não houve censo naquele período e, se tivesse havido, as autoridades não obrigariam os habitantes a empreender longas jornadas, simplesmente para serem contados no local de origem de suas famílias.

A cidade de Nazaré, na Galileia, onde Jesus passou a maior parte da vida, é considerada por alguns outro possível local de seu nascimento. Na verdade, os seguidores de Jesus eram chamados de nazarenos, e o próprio Jesus é descrito no Novo Testamento como "o Nazareno". Mesmo depois de muitas pesquisas, vários modernos estudiosos da Bíblia afirmam apenas que ele era galileu: "Conclui-se que não se sabe onde ele nasceu."

Os pais de Jesus eram José e Maria, mas foi ela quem ficou mais famosa, com o decorrer dos séculos. De acordo com o evangelho de Marcos, Jesus tinha irmãos e irmãs mais jovens. Alguns estudiosos, porém, garantem que se tratava de primos ou outros parentes, criados juntos.

> DE ACORDO COM O EVANGELHO DE MARCOS, JESUS TINHA IRMÃOS E IRMÃS MAIS JOVENS.

José e Maria cuidavam da família, com certeza. Desde muito cedo Jesus frequentou a sinagoga e tomou conhecimento dos pontos principais dos livros atualmente conhecidos como Antigo Testamento. Aprendeu também a ler e escrever, o que não era comum na cidade onde vivia.

Conta-se que, aos doze anos, Jesus foi com os pais a Jerusalém, em uma caminhada de vários dias, para as festividades anuais da Páscoa, a data mais importante do calendário judaico. Era maravilhoso visitar a pequena cidade naquela época, na companhia de peregrinos vindos de locais próximos ou afastados. No templo, Jesus teve a oportunidade de ouvir a fala de vários mestres e a leitura de textos sagrados. Sua vontade de aprender era tanta que seus pais acabaram por perdê-lo de vista. Afinal, encontraram-no "sentado entre os mestres, escutando-os e fazendo perguntas." Com surpreendente autoridade, ele explicou assim seu desaparecimento: "Não sabem que devo estar na casa do meu Pai?"

Jesus se tornou carpinteiro, e aprendeu também um pouco do ofício de pedreiro. Presume-se que fizesse pequenas peças de madeira usadas nas casas, além de cangas para animais de carga, arados, portas, portões, cercados e celeiros espaçosos, para os agricultores da redondeza. O trabalho artesanal em pedra e madeira provavelmente lhe rendia ganhos superiores aos da maioria da população.

UMA VOZ VINDA DO RIO JORDÃO

Simultaneamente à carpintaria, Jesus estudava, e acumulou um vasto conhecimento sobre a religião. Frequentador assíduo da sinagoga, lugar de pregação e ensino, aprendeu sobre grandes reis, profetas e guerreiros judeus. Influenciado por discussões com os habitantes da vizinhança, desenvolveu opiniões sobre a ocupação de sua terra natal pelos romanos.

Por volta dos anos 27 e 28 d.C., a intimidade de Jesus com questões religiosas e políticas – as duas estavam intimamente ligadas – era intensa. Pessoas que compartilhavam ideias semelhantes começaram a segui-lo. Ao fim de algum tempo, eram doze – o mesmo número das tribos originais de Israel. Os seguidores, em sua maioria, viviam perto do Mar da Galileia, e vários tinham sido discípulos de um evangelista chamado João, que usava habitualmente uma túnica grosseira, de pele de camelo, e pregava ao longo do rio Jordão.

Multidões acorriam para ouvir João Batista. O próprio Jesus se deixou influenciar. Na verdade, os dois eram primos, de acordo com Lucas. Vivendo em uma região muito afastada das grandes cidades, João consumia os alimentos mais simples, inclusive mel silvestre e gafanhotos. Ele acreditava em uma antiga profecia, segundo a qual Deus enviaria um novo rei Davi para libertar a Palestina do domínio estrangeiro. Uma busca cuidadosa no Antigo Testamento, no qual se encontram referências esparsas a grandes expectativas, pode revelar previsões de eventos similares.

O Jordão era o único curso de água da Palestina que merecia ser chamado de rio. Ele atravessava um lago interior, o Mar da Galileia, e seguia, um pouco mais estreito, percorrendo um corredor de terras secas e rochosas, até alcançar o Mar Morto. Quando chovia ou quando a neve derretia nas montanhas, o Jordão corria mais depressa, chegando a transbordar do leito.

Admirado nos lugares por onde passava, João Batista seguia um ritual, para batizar seus seguidores. A terra arrastada das margens do rio davam à água uma cor meio marrom, mas aos olhos dos seguidores de João Batista tratava-se de um líquido sagrado, em especial nas cheias. O batismo lavava os pecados e aproximava o indivíduo de Deus, a quem ele passava a dedicar a vida.

Assim o próprio Jesus foi batizado, provavelmente por imersão total no rio, enquanto João proferia bênçãos sagradas. Testemunhas garantiram que se tratou de um evento milagroso. No momento do batismo, uma pomba pareceu descer do céu, de onde soou uma voz que dizia: "Este é meu filho amado, em quem me comprazo." Aquele foi um marco na vida de Jesus. Estava declarado que ele, e não seu primo João, era o filho amado de Deus.

Não se conhece o local exato do batismo de Jesus, mas o episódio em si seria lembrado por muito tempo. Em poucos séculos, com o avanço do cristianismo, o Jordão se tornou o mais famoso dos rios, na mente dos europeus. Não se percebia, no largo e majestoso Reno, a atmosfera de misticismo que cercava aquele rio estreito, correndo paralelamente ao mar. O nome do rio Jordão se tornaria, para os povos das Américas, mais inspirador do que o Mississípi ou o Amazonas.

UM JOVEM MESTRE E SUAS PARÁBOLAS

Jesus passou a ensinar e pregar, ao ar livre ou em sinagogas. Em um sábado, logo no começo do exercício de sua nova missão, foi à cidade de Cafarnaum, que ficava à beira de um lago. "E ficaram atônitos diante de seus ensinamentos, pois ele os transmitia com autoridade, e não como quem repete conceitos." Ali estava um jovem inexperiente fazendo os profissionais parecerem amadores.

Os registros das palestras de Jesus revelam claramente a história da vida rural na Palestina, onde pelo menos metade da população trabalhadora era composta por agricultores, donos de pomares e vinhedos, pastores de rebanhos, cavadores de poços e carregadores de água. Tarefas e utensílios ligados à lavoura são mencionados por Jesus com mais frequência do que ferramentas da carpintaria e da construção. Ele repetidamente retira da vida rural mensagens morais ou religiosas. Menciona um agricultor surpreso porque sua figueira não produzia, e outro que semeava os grãos à mão, mas logo descobriu que muitos eram comidos pelos pássaros, antes de germinar, enquanto outros caíam em solo rochoso, onde morriam por falta de terra e água. Pescadores – dos lagos, e não do mar alto – também aparecem em suas histórias e parábolas.

> Os registros das palestras de Jesus revelam claramente a história da vida rural na Palestina.

Ao passar pelos povoados, Jesus notou como eram fracas as colheitas. "O reino dos céus é como uma semente de mostarda", anunciou ao público. Ele se referia ao pagamento do dízimo – uma taxa – em forma de "hortelã, erva-doce e cominho". As sementes de cominho, uma erva com flores em branco e cor-de-rosa, serviam para aromatizar o pão recém-assado ou como ingrediente de fórmulas medicinais.

Jesus conhecia muito bem o campo, as plantações, os vinhedos e a criação de animais. Suas palestras descreviam a galinha protegendo os pintinhos e o galo cantando. Próximo ao fim da vida, ele fez uma triste profecia: que "esta noite, antes que o galo cante", seu discípulo Pedro não lhe seria leal, no exato momento em que precisaria desesperadamente de lealdade. Jesus falava de estradas, caminhos e recantos próximos; de pastores e ovelhas; e de vendedores ambulantes que caçavam e vendiam, por uma quantia ínfima, pardais para serem cozidos em sacrifício. Ele sem dúvida estava a par dos preços e de quanto se pagava por esta ou aquela tarefa.

O mês da colheita, quando o trigo tinha de ser cortado com a foice no tempo certo, era crucial para a vida da comunidade. "A safra é realmente abundante, mas os trabalhadores são poucos", Jesus disse. Determinado a mudar o pensamento das pessoas antes que fosse tarde demais, ele precisava urgentemente da ajuda de todos para aumentar a produção.

As palavras de Jesus surpreendiam ou encantavam. Ele parecia amar o mundo e o dia a dia da vida, mas ao mesmo tempo decidia-se aos poucos a subverter aquele mundo. Era uma sólida tradição judaica honrar pai e mãe, em especial quando da morte deles. Mas lá estava Jesus dizendo a um seguidor que não se preocupasse em comparecer ao enterro do pai: "Deixe que os mortos enterrem seus mortos." Aquela foi uma recomendação poética, mas provocativa, e o desrespeito pelos mortos não passou despercebido, nos círculos judaicos mais radicais.

Ele não respeitava o *Sabbath* da maneira rígida recomendada pelos religiosos de mais autoridade. Conforme argumentou: "o *Sabbath* foi feito para as pessoas, e não as pessoas para o *Sabbath*." Procurado por um homem que, havia 38 anos, não conseguia andar, Jesus não esperou pelo dia seguinte e curou-o imediatamente, no *Sabbath*.

> AS PALAVRAS DE JESUS SURPREENDIAM OU ENCANTAVAM. ELE PARECIA AMAR O MUNDO E O DIA A DIA DA VIDA.

Ao pregar em sua região natal, acompanhado de seus doze discípulos, Jesus proferiu um sermão hoje famoso. Chamado, em um dos evangelhos, de Sermão da Montanha e, em outro, de Sermão da Planície, transmite uma mensagem coerente com a maior parte dos outros ensinamentos de Jesus. Existe nele uma autoridade já percebida nas primeiras palavras:

> *Bem-aventurados os pobres em espírito, porque deles é o reino dos céus.*
> *Bem-aventurados os que choram, porque eles serão consolados.*

*Bem-aventurados os humildes, porque eles herdarão a terra.
Bem-aventurados os que têm fome e sede de justiça, porque eles serão saciados.
Bem-aventurados os misericordiosos, porque eles receberão misericórdia.
Bem-aventurados os puros de coração, porque eles verão a Deus.*

Foi provavelmente na mesma ocasião que Jesus ensinou aos seguidores o que ficou conhecido como "a oração do Pai Nosso".

*Pai nosso que estais no céu,
Santificado seja o vosso nome.
Venha a nós o vosso reino,
Seja feita a vossa vontade, assim na Terra como no céu.
O pão nosso de cada dia nos dai hoje.
Perdoai as nossas dívidas,
Assim como perdoamos os nossos devedores.
Não nos deixeis cair em tentação,
Mas livrai-nos do mal.*

A oração do Pai Nosso menciona o reino, um dos conceitos principais de Jesus – um reino governado pelo amor e pela misericórdia de Deus. A ideia já existia no coração de muita gente, tanto na Palestina como em outros lugares, mas representava também um tempo que estava por vir.

A pequena oração refere-se duas vezes a "céu", uma palavra também empregada para nomear o vasto firmamento, onde se veem o Sol, a Lua e as estrelas. Mas céu, para os primeiros cristãos, viria a representar mais do que a abóbada celeste, visível nas noites claras. Céu era uma série de sete regiões ou camadas, dispostas uma sobre a outra, de modo que apenas uma ficava visível por quem olhava de baixo. Dizia-se que, na camada mais distante, Deus reinava ao lado dos anjos.

Não se sabe ao certo quantas vezes Jesus mencionou o céu. Todas as versões conhecidas de seus discursos, sermões e parábolas foram registradas por escrito somente depois de sua morte, na maior parte por pessoas que não estavam presentes aos eventos. Suas palavras foram transmitidas principalmente pela tradição oral.

"ASSIM VOS DIGO"

Até então, o judaísmo era, sobretudo, uma religião para o povo judeu, embora referências ocasionais, encontradas nos Salmos, se estendessem a todos os seres humanos. O Livro de Jonas, escrito em uma época de forte união entre os judeus, deixa claro que Deus poderia salvar também os que não fossem judeus – os chamados gentios. Jesus deu sinais de concordar com essa abordagem mais ampla. No Antigo Testamento, o Livro dos Levíticos determina: "Ama o teu próximo como a ti mesmo." Eis aí uma prescrição radical, provavelmente baseada na suposição de que os próximos eram, em maioria, judeus. Jesus, por sua vez, tendia a considerar todas as pessoas como "próximos".

Jesus transmitia uma mensagem de amor. Todo mundo merecia ser amado: jovem e velho, mulher e homem, de todas as etnias. Romanos e judeus. Ele mesmo amou o doente, o deficiente e o saudável, o criminoso e o justo. Até os coletores de impostos que sustentavam o Império Romano tinham direito a receber amor. "Assim vos digo: amai os vossos inimigos, abençoai os que vos maldizem, fazei o bem a quem vos odeia." Esse era o modo como Jesus expressava sua benevolência – inimaginavelmente ampla, na visão da maioria das pessoas.

Ele repreendia os que buscavam vingança. Desprezava os que alimentavam maus sentimentos ou rancores tipicamente humanos. Falou do filho pródigo, que partiu para "aproveitar a vida na cidade" até o dinheiro acabar. Quando o filho voltou, toda a família se alegrou, menos o irmão, que dia após dia tinha trabalhado arduamente a terra. Ressentido pelo favoritismo, perguntava-se por que tantos abraços e beijos no filho pródigo. Como muitos de nós provavelmente sentiríamos o mesmo que sentiu o filho dedicado, ficamos um tanto surpresos pelo fato de Jesus não se solidarizar com ambos os irmãos. Mas sua compaixão sempre se voltava, em primeiro lugar, para os perdidos, em especial para os que se perdiam e buscavam a redenção.

Jesus desconfiava dos motivos que levavam algumas pessoas a revelarem as boas ações que praticavam. Era melhor agir com discrição, na hora de dar dinheiro para a sinagoga ou para os pobres. Deus ficava mais satisfeito quando uma viúva pobre doava uma quantia modesta do que quando um rico senhor de terras fazia a doação de uma quantia significativa.

Jesus considerava a riqueza pessoal um fardo e um perigo. "Ai daquele que é rico!", ele avisava. As riquezas materiais representavam uma ameaça moral, sinal de egoísmo e fonte de orgulho. Jesus, bem como os velhos profetas judeus, que ele tanto reverenciava, respeitava a humildade e desprezava o ódio. Ele rejeitava, em especial, a hipocrisia. Sua mensagem se baseava predominantemente na compaixão e no amor de Deus.

CAPÍTULO 2

A MORTE E A RESSURREIÇÃO DE JESUS

Jesus logo atraiu milhares de simpatizantes. Muitos deles, inicialmente apenas curiosos, tornaram-se seguidores fervorosos. Em sua maioria, pertenciam às camadas mais humildes da sociedade: pobres; doentes; os que viviam nas cidades em moradias precárias; agricultores que não produziam o suficiente para se sustentar; trabalhadores contratados para fazer a colheita e transportar os feixes até o local de debulha; e pessoas que carregavam mercadorias nas costas ou caminhavam ao lado de seus animais com cargas pesadíssimas. Jesus falava especialmente para aqueles que, por levarem uma vida errante ou irregular, não eram aceitos por sacerdotes e rabinos de alta posição.

As mulheres também se sentiam atraídas por Jesus e por seus ensinamentos. Não houve outra década, nos primeiros mil anos do cristianismo, em que as mulheres exercessem tanta influência quanto durante o breve ministério de Jesus. Ele conversou longamente com uma samaritana que lhe ofereceu água tirada do poço. Embora samaritanos e judeus não fossem habitualmente amigos, Jesus dirigiu a ela uma das mensagens mais conhecidas da Bíblia: "Deus é espírito. Aqueles que o adoram devem adorá-lo em espírito e em verdade."

Outras mulheres aparecem em episódios significativos da vida de ensinamentos de Jesus. Maria de Betânia passou nos cabelos dele um óleo precioso, e Maria Madalena, curada por ele dos "sete demônios", manteve-se lealmente a seu lado, na hora da morte. Ao curar os doentes, ele muitas vezes atendeu mulheres, entre elas a sogra do discípulo Pedro. Defendia com vigor as mulheres de má reputação e, certa vez, interferiu para salvar a vida de uma adúltera condenada à morte por apedrejamento. "Aquele que não tiver pecado atire a primeira pedra", ele desafiou. Como a posição das mulheres na Palestina não era de muito prestígio, a benevolência de Jesus em relação a elas nem sempre recebia aprovação das pessoas mais fortemente apegadas à tradição.

DENTRO DO NOVO TEMPLO

O templo erguido por Herodes, o Grande, era a maravilha da época, embora permanecesse inacabado. Maior do que o celebrado templo de Salomão, foi construído no mesmo local. O Talmud, a antologia da história dos judeus, refere-se com admiração ao tamanho da edificação em forma de quadrado. Com 250 metros de lado, ocupava uma área equivalente à de um estádio olímpico. "Quem não conhece o templo de Herodes nunca viu uma bela estrutura." Os jardins, prédios e pátios tornavam o conjunto ainda mais impressionante. A construção foi interrompida no ano 4 a.C., quando Herodes morreu, já que ninguém se dispôs a pagar pelo trabalho dos 10 mil homens envolvidos na tarefa.

> VINHA DE MUITO LONGE A TRADIÇÃO JUDAICA DE SACRIFICAR PÁSSAROS E OUTROS ANIMAIS EM HONRA A DEUS.

No centro do templo ficava o Santo dos Santos, aonde se chegava através de um santuário. Próximo, no Pátio dos Sacerdotes, havia celas suficientes para abrigar 38 deles. Outro local notável era o Pátio das Mulheres, onde elas, de uma galeria, podiam observar as cerimônias, embora sem delas tomar parte.

Vinha de muito longe a tradição judaica de sacrificar pássaros e outros animais em honra a Deus. Como era grande a quantidade de sacrifícios, o templo continha um matadouro, perto dos altares.

Os judeus que habitavam portos distantes do Mar Mediterrâneo, e locais ainda mais afastados, todo ano contribuíam financeiramente para o templo de Jerusalém. Assim, milhares de peregrinos cruzavam mar e terra para visitá-lo. A economia de Jerusalém cresceu muito, graças à fama do templo e à devoção e nostalgia dos judeus que viviam longe. Mas nem todo mundo venerava o templo, com suas procissões deslumbrantes, suas cerimônias religiosas e o som dos instrumentos musicais.

Alguns afirmam que Jesus visitou Jerusalém apenas uma vez, enquanto outros sustentam que foram três visitas. Pouco antes de morrer, ele com certeza esteve lá, quando ignorou os altos sacerdotes, que considerava cheios de empáfia, com seus mantos imponentes. Jesus rejeitava os ricos que faziam questão de depositar donativos na arca do templo, diante de todos, em uma atitude de ostentação. Preferia a viúva que tinha doado duas moedinhas de cobre. Aos discípulos ele explicou: "Em sua pobreza, ela ofereceu tudo que tinha, enquanto o outro entregou apenas uma fração ínfima de sua riqueza."

> AS AUTORIDADES DO TEMPLO [...] CONCLUÍRAM, ENTÃO, ESTAR DIANTE DE UM CRIADOR DE PROBLEMAS.

Jesus reprovava os que negociavam no templo. Na verdade, porém, aquelas pessoas nada faziam de novo; apenas trocavam dinheiro para os judeus recém-chegados de outras terras, que desejavam fazer uma oferta, ou atendiam à necessidade dos que precisavam comprar um animal que seria oferecido em sacrifício. Mas Jesus derrubou as mesas dos cambistas e virou de pernas para cima as cadeiras dos vendedores de aves. A atitude foi dele; os discípulos, se estavam presentes, não participaram.

As autoridades do templo ficaram atônitas ao verem reprimida uma prática comum havia décadas, embora talvez nunca antes tão ostensiva. Concluíram, então, estar diante de um criador de problemas. A intenção de Jesus foi chocar, mesmo. Para ele, o templo representava um local de adoração, e não era isso que via ali como atividade principal.

Os líderes judeus devem ter tido também notícias da dramática previsão de Jesus, de que um dia aquele templo, lugar sagrado para todo o seu povo, seria destruído. Outra previsão, ainda mais perturbadora, se seguiria àquela: de que o mundo, tal qual era conhecido, chegaria ao fim. Marcos assim disse: "O Sol escurecerá, e a Lua deixará de brilhar. E todos verão o Filho do Homem chegar entre nuvens, com grande poder e glória." Tais previsões exerceriam forte influência sobre os primeiros cristãos.

QUEM É ESTE HOMEM?

Os altos sacerdotes do templo questionaram as referências e intenções daquele pregador itinerante que fazia previsões de desastres. Na verdade, embora houvesse um caráter de revolução social na mensagem de Jesus, seu chamado não tinha como objetivo a derrubada dos líderes romanos ou judeus. As autoridades, porém, ficaram muito perturbadas com a notícia de que ele havia ressuscitado um amigo de nome Lázaro.

O episódio foi relatado ao Sumo Sacerdote que, perplexo e preocupado, resolveu agir. Ele temia que se espalhasse incontrolavelmente a fama de Jesus como portador de poderes sobrenaturais, tornando-o popular e poderoso demais.

Mais ou menos nessa época, Jesus jantava na casa de conhecidos, na cidade de Betânia, quando uma mulher teve um gesto próprio de um discípulo afetuoso. Ela quebrou um jarro de alabastro, onde se guardava um óleo caríssimo, pegou o fluido perfumado e aplicou na cabeça de Jesus. É possível que se tenha ajoelhado, para limpar com os próprios cabelos os pés dele, nos quais também aplicou óleo. Logo toda a casa rescendia ao perfume. Essa não foi a única ocasião em que Jesus recebeu a homenagem de uma admiradora.

Algumas mulheres que se sentavam à mesa reconheceram no gesto uma referência à unção dos reis de Israel e aplaudiram em silêncio.

Outras se indignaram. Referindo-se ao preço do jarro, exclamaram: "Por que o desperdício?" Emocionado, Jesus defendeu a primeira: "Ela praticou uma bela ação." E quando alguém sugeriu que o dinheiro deveria ter sido destinado aos pobres, respondeu com uma previsão que seria citada por séculos: "Os pobres sempre estarão aí, mas eu não ficarei para sempre."

NA ÚLTIMA CEIA

Sabendo que em breve seria preso, Jesus reuniu os discípulos para uma última refeição. Não se sabe com certeza se a reunião aconteceu na noite anterior a sua execução, ou se um ou dois dias antes, mas o grupo provavelmente celebrava a Páscoa judaica.

A última ceia foi comovente. Jesus e seus discípulos se acomodaram em uma sala do andar superior da casa. Enquanto comiam e bebiam, Jesus conversava, ensinava e fazia perguntas. Era um líder transmitindo sua derradeira mensagem. Judas Iscariotes, o traidor, estava entre eles. Para surpresa dos discípulos, Jesus anunciou: "Em verdade vos digo, um de vós me trairá."

Os discípulos ficaram apreensivos. Tinham percebido como era perigoso ser um dos seguidores de Jesus e, conscientes da própria fraqueza sob pressão, talvez temessem ser forçados a renegá-lo publicamente. Além disso, acreditavam que Jesus, muito mais poderoso do que eles, pudesse enxergar o que lhes passava na mente. Então, ao ouvir falar em traição, perguntaram ansiosamente, um após o outro: "Senhor, sou eu?"

Acontece que o discípulo Judas Iscariotes já se tornara um traidor, em troca de uma bela soma em dinheiro, prometida pelas autoridades. Na sua vez de falar, fingiu inocência e perguntou: "Mestre, sou eu?" Jesus sabia a resposta.

Jesus aliviou a tensão ao redor da mesa. Pegou o pão, benzeu e partiu em pedaços, entregando um a cada discípulo. Eles esperaram que Jesus falasse. As palavras foram simples: "Tomai, comei. Isto é meu corpo."

Assim que todos comeram, Jesus pegou um cálice de vinho, benzeu e passou aos discípulos, dizendo: "Bebei todos. Pois este é o sangue da eterna aliança."

A cerimônia carregada de emoção foi seguida de mais uma profecia do mestre: "Digo-vos que, a partir de agora, não mais beberei deste fruto da videira, até o dia em que convosco o beba de novo, no reino do meu pai." Os discípulos concluíram que Jesus falava de sua partida iminente para um lugar superior, o reino a que de vez em quando se referia.

Na Última Ceia, conforme foi pintado por grandes artistas europeus, pode-se reconhecer Judas Iscariotes. Não existe um halo sobre sua cabeça, e os cabelos são ruivos. Para a civilização ocidental, trata-se de uma das mais simbólicas refeições.

> Cristo significava "o ungido" – o Messias que transformaria Israel.

Terminada a ceia, depois do canto de alguns salmos, Jesus foi orar no jardim. E lá estava, quando Judas revelou sua presença às autoridades judias, e os soldados do templo o prenderam. Em suas pregações, ele jamais havia afirmado abertamente ser o profeta enviado para libertar os judeus do jugo romano. Naquele momento, porém, interrogado por altos oficiais, foi direto, deixando claro que a mão de Deus estava sobre sua cabeça. Quando o Sumo Sacerdote perguntou se ele era o Cristo, respondeu simplesmente "Sim". Claro que a palavra Cristo significava "o ungido" – o Messias que transformaria Israel. "Vós ouvistes esta blasfêmia!", o Sumo Sacerdote anunciou, triunfante.

Nas tristes palavras de Marcos, "todos os discípulos fugiram, desapareceram." Mesmo Pedro, que havia jurado seguir o mestre até a prisão ou a morte, não mais foi visto por ele. Interrogado oficialmente, Pedro afirmou – não uma vez apenas, mas três – que nada tinha a ver com Jesus. Nem durante o breve julgamento que se seguiu, o grupo de discípulos foi visto.

Jesus foi um líder político e religioso. Alguns consideram que ele defendia os pobres contra os ricos, a Galileia rural, contra a elite de Jerusalém e o povo judeu, contra os invasores romanos. O que se percebe claramente é que tanto as autoridades judias quanto as romanas o viam como um perigo para seu prestígio ou sua autoridade, e uma possível ameaça à governabilidade nas respectivas esferas. Pôncio Pilatos, o governador romano que condenou Jesus à morte por crucificação, sabia que a Palestina era um lugar potencialmente turbulento. Cerca de 35 anos depois, uma séria revolta realmente ocorreu.

Jesus tinha certeza da própria inocência, mas parecia convencido de que estava predestinado a morrer, de que seu nascimento e sua morte faziam parte de um plano divino. Os discípulos escolhidos vitoriosamente espalhariam seu credo, e ele assumiria seu lugar com Deus. Durante a provação a que começou a ser submetido logo depois da Última Ceia, Jesus se manteve calado pela maior parte do tempo. Segundo Marcos, naquele momento o mestre e pregador, o homem que falava em público incansavelmente, quase nada tinha a dizer.

> A MORTE POR CRUCIFICAÇÃO ERA UM CASTIGO APLICADO A ESTRANGEIROS, E NÃO A CIDADÃOS DO IMPÉRIO ROMANO.

A morte por crucificação era um castigo aplicado a estrangeiros, e não a cidadãos do Império Romano. Tratava-se de uma morte lenta, horrível e humilhante, imposta quando a intenção era transmitir uma advertência cabal. Depois de uma revolta no sul da Itália, cerca de seis mil escravos foram crucificados ao longo das estradas.

Assim, diante do povo, em uma sexta-feira de manhã, Jesus foi pregado pelas mãos e pelos pés. Dois culpados por crimes menores foram também pregados a cruzes, um de cada lado dele. Na cruz em que estava Jesus, via-se uma inscrição irônica, em hebraico, latim e grego: "Jesus de Nazaré, Rei dos Judeus".

Marcos e Mateus registram as mesmas palavras como tendo sido pronunciadas por Jesus, quando agonizante: "Meu Deus, meu Deus, por que me abandonaste?" Essas palavras, em aramaico, língua nativa de Jesus, intrigaram muitos leitores dos evangelhos. Mas o soldado romano que estava perto da cruz, e ouviu o lamento de Jesus indiretamente esclareceu a situação, ao comentar: "Realmente, este homem é filho de Deus." Em outro evangelho, o soldado não parece tão enfático, afirmando apenas que Jesus era inocente.

O evangelho de João também faz um relato emocionado daquelas últimas horas. Jesus, ainda consciente, olhou para baixo e viu, ao lado da cruz, sua mãe acompanhada de um discípulo cujo nome não é mencionado, "um discípulo que ele amava". À mãe, Jesus disse: "Mulher, eis aí o teu filho!" E ao discípulo: "Eis aí tua mãe!" O relato termina com as palavras do próprio João: "A partir daquele momento, o discípulo a levou para a casa dele." Estava em formação uma nova comunidade cristã.

Jesus, então perto da morte, disse finalmente: "Acabou." Outro evangelho, embora citando praticamente os mesmos detalhes, relata uma última frase mais positiva: "Pai, em tuas mãos entrego meu espírito."

Jesus morreu naquela tarde. Antes do anoitecer, teve o corpo envolto em tecido de linho perfumado e levado ao túmulo – uma espécie de caverna cuja entrada foi bloqueada por uma pesada pedra. O ano de sua morte foi, provavelmente, 30 d.C., embora estudiosos de renome apontem outras datas. No entanto, essa discordância ficou em segundo plano, ofuscada por algo que aconteceu dois dias depois.

"ELE NÃO ESTÁ AQUI"

No domingo seguinte à morte de Jesus, Maria Madalena resolveu prestar-lhe uma homenagem. Pretendendo untar-lhe o corpo com um óleo precioso, dirigiu-se a um homem que pensou ser o jardineiro. No entanto, para sua enorme surpresa, ele a chamou pelo nome, e a voz era a de Jesus. Segundo os evangelhos de Marcos e Lucas, outras mulheres – identificadas – estavam presentes àquele evento extraordinário. Os relatos diferem, mas concordam em essência.

Havia sinais de que a pedra tinha sido afastada da entrada da caverna, e o túmulo estava vazio, a não ser pela presença do rapaz – ou anjo – bem informado. Às mulheres que buscavam o corpo de Jesus, ele disse: "Não tenhais medo. Procurais Jesus de Nazaré, que foi crucificado. Ele ressuscitou. Não está aqui." Em uma reação instintiva, as mulheres fugiram, trêmulas e assustadas.

Naquela tarde, dois discípulos de Jesus iam de Jerusalém ao povoado rural de Emaús. O fato de se afastarem da cidade – do cenário do martírio – era um indício de que o movimento, antes inspirador, perdia a força. No caminho, receberam a companhia de outro viajante. Sem reconhecer que o recém-chegado era Jesus, continuaram a conversar. À noite, já no povoado, os três foram jantar juntos. Durante a refeição, o estranho começou a parecer familiar aos outros dois. Ele repetia os gestos da última refeição que tinham memoravelmente compartilhado algumas noites antes. De acordo com o evangelho de Lucas, ele tomou o pão, benzeu, partiu e deu aos outros dois. Presume-se que nenhuma palavra tenha sido dita. Ele foi reconhecido. E, de repente, desapareceu. Abalados, mas exultantes com o que acabavam de ver, os discípulos correram de volta para Jerusalém. Queriam transmitir aos outros as surpreendentes notícias.

Estavam descrevendo o milagroso encontro, quando Jesus reapareceu entre eles. Ciente da confusão e da dúvida que causava, mostrou as mãos e os pés, nos quais se viam feridas e furos causados pelos pregos. "Tendes o que comer?" – perguntou. Os discípulos ofereceram peixe grelhado, que ele comeu imediatamente. Em meio à escuridão, o grupo partiu para a Betânia. No caminho, Jesus incentivou os outros a pregar a mensagem de perdão "em seu nome a todas as nações". Então, erguendo as mãos e abençoando os discípulos, desapareceu.

Segundo Mateus, Jesus ressuscitado surpreendeu também os discípulos – menos Judas, que não estava entre eles – em uma montanha da Galileia, quando disse que deveriam assumir a liderança do movimento. A tarefa era ampla: "Fazei discípulos em todas as nações, batizando-os em nome do Pai, do Filho e do Espírito Santo, ensinando-os a seguir tudo que vos ensinei." Jesus encerrou a fala com palavras de conforto: "E, vede, estarei sempre convosco, até o fim dos tempos."

As aparições de Jesus não haviam terminado. Afirma-se que foi visto por muitas pessoas que o conheciam de vista ou tinham ouvido falar dele. Para elas – exceto as céticas – ele passou a ser o Messias tão aguardado, o salvador do povo judeu. Chegaria o tempo em que o rei dos judeus seria aclamado como o rei de todos.

Decorrida uma semana da crucificação, o número dos que realmente acreditavam no Cristo ressuscitado talvez não passasse de poucas centenas. A sobrevivência do pequeno grupo, sem a presença do líder, parecia improvável. Mas eles estavam dispostos a morrer por sua crença. Nos cinquenta anos seguintes, os centenas se multiplicaram, chegando a milhares. Que se tornaram milhões, um bilhão e mais. Nos registros da história do mundo, não existe nada parecido.

> JESUS CRISTO, DEPOIS DA MORTE, VOLTOU À VIDA E APARECEU BREVEMENTE NA TERRA, ANTES DE SUBIR AO CÉU.

O cristianismo dos primeiros tempos possuía três crenças principais, compartilhadas pela maioria dos seguidores. A primeira era a crença de que Deus existe e reina, e enviou seu filho, Jesus Cristo, ao mundo, para salvar quem merecesse ou atraísse sua misericórdia. Pela segunda crença, Jesus Cristo, depois da morte, voltou à vida e apareceu brevemente na Terra, antes de subir ao céu, para reinar permanentemente ao lado de Deus. Conforme a terceira, uma crença vital, embora não tão conhecida do povo em geral, Deus e Jesus juntos, sob a forma do Espírito Santo, podem habitar o coração e a mente dos cristãos. E quando o Espírito Santo desce sobre um cristão verdadeiro, ele se sente tomado pela proximidade de Deus e pela presença do próprio Jesus.

Desde os primeiros tempos o cristianismo enfrentou críticos que questionavam a ressurreição. Por ter se tornado multifacetada, a religião acabou por gerar ceticismo até entre os próprios seguidores. Adiante, ouviremos suas vozes.

EM CASA NA SINAGOGA

Na época em que Jesus era um jovem carpinteiro, as maiores cidades do Império Romano eram Roma e Alexandria. Alguns historiadores afirmam que a população de Roma chegava quase a um milhão de habitantes, mas um conceituado estudioso de Economia garante que não passava de um terço desse número. Alexandria, perto do delta do Nilo, no norte da África, abrigava uma população de cerca de 216 mil pessoas. O número de habitantes dessas duas cidades poderosas era superior à soma das populações das oito cidades do Império Romano que se seguiam a elas, em tamanho. Antióquia e Smirna, que atualmente ocupam território turco, eram provavelmente a terceira e a quarta. Não muito atrás vinha Éfeso, hoje em ruínas. Em matéria de população, Jerusalém tinha pouca importância.

Decorridos cinco anos da morte de Jesus, parecia inconcebível que, um dia, sua doutrina chegasse a Roma e Alexandria, tornando-se a religião dos governantes e dos habitantes do Império Romano.

> DECORRIDOS CINCO ANOS DA MORTE DE JESUS, PARECIA INCONCEBÍVEL QUE, UM DIA, SUA DOUTRINA CHEGASSE A ROMA E ALEXANDRIA.

O povo judeu, disperso pelo Império Romano, funcionou como a rede por meio da qual o cristianismo se espalhou – lentamente, a princípio. Na época em que Jesus viveu, os judeus exerciam forte influência em cidades da Espanha, Itália, Sicília, Grécia (inclusive as ilhas), costa norte da África, Arábia, Pérsia, Síria e de outras partes da Ásia Menor. Somente uma pequena parcela de judeus vivia na Palestina, e muitos tiveram de mudar-se de lá depois do fracasso de sua revolta contra os romanos, entre os anos de 65 e 70.

Em todos os cantos da região do Mediterrâneo, seja no litoral ou no interior, onde quer que os judeus se estabelecessem, logo fundavam uma ou mais sinagogas. Já no ano 200 a.C., era provavelmente mais fácil encontrar uma sinagoga em Alexandria, onde havia muitas, do que em certas regiões da Palestina. Centro social e religioso de vital importância, a sinagoga era casa de adoração, lugar para assembleias e reuniões sociais, escola para crianças e adultos, e uma espécie de tribunal.

Pouco antes do nascimento de Cristo, a frequência a muitas sinagogas não se restringia a pessoas de ascendência judaica. Eram bem-vindos os visitantes atraídos pelo código moral e pela atmosfera edificante. As estrangeiras se sentiam especialmente atraídas, e algumas se tornaram doadoras generosas. Os recém-chegados, conhecidos como "tementes a Deus", não costumavam ser tratados como iguais, já que não pertenciam a qualquer das tribos de Israel.

Como os primeiros cristãos eram judeus, compareciam às sinagogas e aproveitavam a oportunidade para disseminar sua mensagem particular. Por terem tanto em comum, as duas religiões conviviam bem na mesma casa.

Juntas, as pessoas ouviam a leitura do Antigo Testamento, entoavam salmos, rezavam orações formais, e seguiam os rituais e o calendário da religião judaica. De vez em quando, recebiam a visita de um dos discípulos de Cristo – então chamados de apóstolos – que falavam sobre os ensinamentos dele.

Mesmo quando uma congregação cristã se afastou da sinagoga, passando a organizar as próprias reuniões, manteve a atmosfera das tradições judaicas.

CAPÍTULO 3

"QUEM PODE SER CONTRA NÓS?"

Realmente, o Cristo e a sua vida curta foram extraordinários, e a crença em sua ressurreição favoreceu o movimento cristão. Mas não se pode garantir que a mensagem deixada por ele, por si só, bastasse para criar a instituição que se mantém há cerca de dois mil anos. Afinal, o Cristo em algum momento foi abandonado por boa parte de seus discípulos, embora todos, menos um, houvessem retomado a fé. Outros líderes corajosos tiveram de agir.

ASCENÇÃO SURPREENDENTE DE UM LÍDER

Paulo nasceu em Tarso, uma cidade localizada onde fica hoje o sul da Turquia. Até o norte do Mar da Galileia, eram 300 quilômetros. Tal como em muitas cidades da Ásia Menor, em Tarso havia uma próspera comunidade de judeus. Em uma rara combinação, Paulo era judeu e cidadão romano. Não se sabe em que época ele tomou conhecimento da existência de Jesus, mas sabe-se que teve dele uma opinião desfavorável quando foi a Jerusalém para ser instruído por um conceituado rabino.

Paulo se tornou um ferrenho oponente dos cristãos, que ainda lutavam para seguir em frente, depois da crucificação do líder. Ele estava determinado a destruir a influência do grupo. Quando uma multidão em Jerusalém apedrejou até a morte Estêvão, um discípulo de Cristo, Paulo estava lá, incitando os apedrejadores. Paulo também fazia parte de um pequeno grupo que prendeu e levou a julgamento cristãos que haviam desrespeitado a lei judaica. Um dia, porém, quando viajava com seus servos rumo à sinagoga de Damasco, para procurar pessoas suspeitas, Paulo viveu uma experiência extraordinária. O sol, que ia alto, escureceu de repente. "Desceu do céu sobre a estrada uma luz mais brilhante do que o sol, que envolveu a mim e aos que me acompanhavam." Alarmados, todos se jogaram ao chão.

Ouviu-se, então, uma voz que perguntava em hebraico: "Por que me persegues?" Paulo, muito assustado, fez outra pergunta: "Quem és tu?" A voz respondeu: "Sou Jesus de Nazaré, que tu persegues." Paulo ficou profundamente perturbado. Diz-se que por três dias não conseguiu comer, beber nem enxergar; tinha ficado temporariamente cego por causa da intensidade da luz. Seu consolo foi acreditar que, a partir de então e para sempre, seria um seguidor de Cristo.

> ESTUDIOSOS DA BÍBLIA QUESTIONAM A PRESENÇA DE PAULO NA ESTRADA DE DAMASCO.

Mais tarde surgiram dúvidas acerca da cegueira causada pela luz. Estudiosos da Bíblia questionam a presença de Paulo na estrada de Damasco na época, e a presença de outras pessoas durante a experiência. O fato é que, das pessoas que conheciam Paulo, nenhuma deixou de notar sua mudança de espírito e de personalidade. Esses momentos em que ocorre a forte sensação de um despertar são bem conhecidos de grandes inventores, inovadores, religiosos e indivíduos brilhantes, de grande inteligência e criatividade. Em uma fração de segundo, tudo muda.

Paulo se tornou um discípulo tão fervoroso e dedicado quanto nos tempos em que perseguia cristãos. Batizado, começou imediatamente a cumprir o que considerava suas obrigações de cristão. Passou três anos na Arábia, onde viviam grupos de judeus e de judeus cristãos, que provavelmente trabalhavam em portos ou centros de comércio. De sua estada lá, nada resultou, a não ser talvez, para ele, autoconhecimento e mais determinação.

Depois de muito hesitar, Paulo foi encontrar Pedro, Tiago e outros apóstolos, que viviam em Jerusalém. Eles logo se tornaram aliados. Os convertidos não eram uma novidade, mas Paulo se mostrava muito combativo. Nas sinagogas mais frequentadas e no templo de Jerusalém, as notícias acerca da mudança de comportamento de Paulo devem ter causado espanto. E ele sabia que os judeus mais severos, em sua maioria, jamais o perdoariam.

Como discípulo de Cristo, Paulo ainda se sentia ligado ao povo judeu e às tradições judaicas; considerava-se "um hebreu dos hebreus". Sendo judeu, provavelmente inclinava-se a pensar que romanos, gregos e outros convertidos ao cristianismo deveriam primeiro adotar o modo de vida dos judeus. Assim, evitariam comer carne de porco, mariscos e outros alimentos proibidos pela lei judaica, e deixariam de trabalhar aos sábados – o *Sabbath*.

O verdadeiro homem cristão deveria ainda submeter-se a uma importante cerimônia e a uma pequena cirurgia chamada circuncisão.

> FOI EM ANTIÓQUIA QUE SE EMPREGOU PELA PRIMEIRA VEZ O TERMO "CRISTÃO".

As discussões sobre essas questões vitais provavelmente aconteceram na cidade de Antióquia, não muito distante de Tarso, cidade natal de Paulo, e fizeram-no mudar de ideia. Ele passou a acreditar que o cristianismo não deveria permanecer como um ramo do judaísmo, mas ser visto como uma religião para todos, judeus ou não. Foi em Antióquia que se empregou pela primeira vez o termo "cristão". E foi Paulo quem apontou a reverência contida no nome "Cristo" ou na expressão "o ungido".

Na congregação de Antióquia, determinou-se que judeus e não judeus deviam ser livres para decidir as próprias regras acerca de dieta, circuncisão e casamento e que qualquer um seria bem-vindo, caso quisesse converter-se ao cristianismo. De maneira convincente, Paulo estabeleceu um credo para a igreja que dava os primeiros passos: "Não existe judeu nem grego, escravo nem livre, homem nem mulher, pois todos somos um em Jesus Cristo."

O iniciante movimento cristão começou a utilizar os talentos de Paulo. Ele sabia organizar, e assumia o trabalho quando não havia quem o fizesse; articulava ideias complexas e lidava bem com as palavras; estava disposto a viajar, pagando as despesas, para locais distantes aonde a mensagem cristã tivesse chegado e pudesse espalhar-se; e sua história, como ex-anticristão dedicado, fazia dele uma atração, ao falar em público.

Os indícios sugerem que Paulo não era casado na época, o que facilitava seu deslocamento entre as cidades. Podia também exercer a profissão de construtor de tendas – um ofício que empregava dezenas de milhares de operários – enquanto atuava como ativista cristão.

As cartas (ou epístolas) de Paulo são os primeiros documentos conhecidos, redigidos por um cristão. Ele vivia no porto grego de Corinto – então uma das maiores cidades da Europa – quando compôs a primeira epístola, dirigida aos cristãos que viviam na cidade grega de Tessalônica. Ele já havia pregado lá e escreveu ao povo, por volta do ano 51, expressando sua fé na volta de Jesus Cristo à Terra.

Em que ano Jesus Cristo voltaria? Paulo acreditava que veria isso acontecer, ou que aconteceria, no máximo, pouco depois de sua morte. Ele se impacientava, porém, com os cristãos de Tessalônica que, pensando ser iminente o retorno de Jesus, negligenciavam as tarefas e os deveres do dia a dia. Paulo lhes disse que fossem fortes, pois haveria sofrimento antes da alegria.

Em uma atitude cuidadosa, Paulo deu nova ênfase a certas partes dos ensinamentos de Cristo. Ele destacou, por exemplo, mais do que Cristo, a ideia do pecado original, ou herdado. Segundo Paulo, o pecado original fazia parte da natureza humana. Assim, ele repetia a história fortemente arraigada, depois transmitida de geração a geração, de que o primeiro homem e a primeira mulher – Adão e Eva – deram origem ao pecado, ao desobedecerem a Deus, no Jardim do Éden. Somente Cristo poderia tirar dos seres humanos o peso do pecado e o espectro da dor e da morte. Como Paulo escreveu, "Onde está, ó morte, o teu aguilhão?"

Em seu chamado para o amor e a caridade, Paulo estava mais próximo de Cristo que do judaísmo. Para ele, a caridade ia muito além das boas ações, estendendo-se ao modo de pensar e de sentir. "Ainda que eu reparta todos os meus bens e entregue o meu corpo para ser queimado, se não tiver caridade, nada me aproveita." Sendo humano, porém, não era tolerante com todo mundo. Desapontava-se ao encontrar fiéis que se fingiam receptivos ao Espírito Santo, mas na verdade "amam o mundo presente".

Paulo empreendeu três longas jornadas missionárias, com mais atenção à Ásia Menor e às regiões em torno do Mar Egeu. Nas cidades que visitava ou com as quais se correspondia, costumava deixar uma mensagem que, nos séculos seguintes, foi repetida de cor: "E a paz de Deus, que ultrapassa toda a compreensão, guardará em Jesus Cristo os vossos corações e pensamentos."

O SILÊNCIO DAS MULHERES

O feminismo moderno não teria lugar nas famílias romanas nem nas famílias judaicas da época. No entanto, o próprio Paulo insistia, já nos primeiros escritos, que homens e mulheres são iguais. Suas palavras devem ter surpreendido as mulheres que tomavam o primeiro contato com as ideias cristãs: "Não existe homem nem mulher, pois todos somos um em Jesus Cristo." Em uma forte afirmativa de igualdade, as mulheres participavam nas mesmas condições do que se chama Ceia do Senhor ou Eucaristia.

Isso não impede que alguns leitores das cartas de Paulo tenham a impressão de que ele considerava as mulheres inferiores. Ao escrever aos cristãos gregos de Corinto – gente que ele conhecia bem – advertiu: "Fazei com que as suas mulheres mantenham silêncio no templo, pois não lhes é permitido falar." Embora o silêncio fosse provavelmente a regra em muitas congregações, elas devem ter falado alto durante os serviços religiosos em Corinto, porque Paulo recomendou que colocassem o lenço sobre a boca, se precisassem dizer alguma coisa. Em suas cartas posteriores encontram-se esparsos comentários desfavoráveis às mulheres, o que levou alguns teólogos modernos a sugerir que ele tivesse recuado em suas posições por temer que suas atitudes radicais de solidariedade a mulheres e escravos, provocassem a desaprovação oficial das iniciantes igrejas cristãs. O debate sobre as ideias de Paulo em relação às mulheres não vai terminar.

Em algumas cidades, as cristãs eram ativistas. Apolo, um intelectual judeu que se tornou "poderoso nas escrituras", e quase um rival de Pedro, alcançou prestígio graças aos ensinamentos de Priscila, filha de um construtor judeu. Mencionada seis vezes no Novo Testamento, ela era originária de Roma e, ao lado do marido, talvez tenha sido fundadora de um importante grupo cristão em Corinto.

As mulheres também atuavam nos templos como diaconisas ou, até mesmo, financistas. Lídia, que vivia em Filipos, na Macedônia, trabalhava como vendedora de um material caríssimo chamado púrpura, e seu dinheiro deve ter sido de vital importância para a congregação iniciante. Na verdade, as mulheres se tornaram tão influentes que Porfírio, um filósofo não religioso, muito conceituado por volta do ano 300, comentou que elas atrapalhavam o cristianismo. Mas o período de forte influência feminina chegava ao fim. A hierarquia masculina de bispos e sacerdotes assumiria o controle.

> AS MULHERES ATUAVAM NOS TEMPLOS COMO DIACONISAS OU, ATÉ MESMO, FINANCISTAS.

"LUTEI O BOM COMBATE"

A lealdade de Paulo às novas igrejas cristãs era inabalável. Oficiais romanos nas províncias começaram a suspeitar de que, com isso, ele não prestaria lealdade ao imperador e muito menos aos deuses romanos. Paulo percebeu o perigo. Ao contrário de Jesus e da maioria dos líderes da nova religião, ele ao menos tinha as prerrogativas de um cidadão romano, e podia buscar a proteção da lei. Ainda assim, foi preso e açoitado. Por volta do ano 60, chegou preso a Roma, onde as acusações contra ele passaram por um longo processo.

Finalmente condenado à morte, Paulo foi executado perto da margem do Rio Tibre, durante a breve perseguição movida aos cristãos pelo imperador Nero. Na véspera da morte, Paulo teria razões para usar as próprias palavras: "Lutei o bom combate, terminei a carreira, mantive a fé."

Muitos teólogos – em especial protestantes alemães – afirmam que, em toda a história da igreja, Paulo foi a segunda pessoa mais importante, atrás apenas do Cristo. A respeito da forma de escrever de Paulo, um crítico literário inglês comentou que se tratava "do primeiro poeta romântico da História". Com a ajuda de tradutores fluentes, seus escritos permanecem atuais em muitas línguas. Uma frase sua em particular, tornou-se uma espécie de grito de guerra cristão: "Se Deus é por nós, quem será contra nós?"

> A DÉCADA ENTRE OS ANOS 60 E 70 MOSTROU-SE PERIGOSA PARA A NOVA IGREJA E SEUS LÍDERES.

A década entre os anos 60 e 70 mostrou-se perigosa para a nova igreja e seus líderes. Em 62, Tiago, irmão de Cristo e, na época, bispo de Jerusalém, foi morto por ordem do Sumo Sacerdote e do concílio oficial, o Sinédrio. Pedro, seu antecessor, tinha fugido de Jerusalém, mas acabou preso e condenado à morte em Roma. Essa cidade viria a crescer em importância, não só por suas ativas congregações cristãs, como por lá estarem sepultados os dois mais famosos mártires: Pedro e Paulo.

OS IDIOMAS DOS CRISTÃOS

Cristo transmitiu quase todos os seus ensinamentos em uma língua semítica chamada aramaico, atualmente usada por poucas pessoas em raras regiões do Oriente Médio. Ele falava um pouco de hebraico e um pouco de grego, mas o aramaico lhe vinha naturalmente. A palavra *"abba"*, que significa "pai", usada por Jesus quando orava no Jardim de Getsêmani, é do aramaico. Durante a crucificação, ele pronunciou várias frases em aramaico, mas esse idioma provavelmente pouco foi usado em igrejas cristãs fundadas nas primeiras décadas depois de sua morte.

Na maior parte das primeiras igrejas cristãs da Palestina, a pregação, os cânticos e orações eram feitos em hebraico, já que os judeus representavam a maioria de seus membros. Os judeus cristãos que se reuniam fora da Palestina rezavam em grego, a principal língua da metade oriental do Império Romano. Os quatro evangelhos que compõem a essência do Novo Testamento foram escritos em grego.

Atualmente, palavras gregas ainda são importantes nas igrejas católicas e na maior parte das protestantes, além, é claro, da igreja ortodoxa. "Cristo" e "Bíblia" são palavras gregas. "Anjo" tem origem grega, com o significado de mensageiro. Depois da morte de Cristo, os doze discípulos foram honrados com o nome grego de "apóstolos", e mais tarde Paulo e Barnabé – um judeu de Chipre – receberam o mesmo título. "Bispo" vem do grego, em que significa "inspetor". "Eucaristia", a principal cerimônia da igreja cristã, é a palavra grega para "ação de graças". "Pentecostes" também é do grego, e quer dizer cinquenta dias depois da Páscoa. Ainda hoje, em locais dispersos aonde chegou a doutrina cristã, ouve-se a oração "Senhor, tem piedade" em sua versão grega, *"Kyrie eleison"*.

Em Roma, a língua falada pelos primeiros cristãos era o grego. Vítor, um norte-africano morto em 198, foi o primeiro papa a abandonar o grego e escrever em latim. Perpétua, uma brava mulher que morreu no norte da África em 203, foi provavelmente a primeira cristã conhecida a escrever em latim. Esse acabou sendo o idioma dos cristãos ocidentais.

Para os primeiros cristãos, a palavra falada – e não a palavra escrita – foi de importância vital. Por vinte anos ou mais, depois da morte de Jesus, praticamente todos os ensinamentos deixados por ele foram transmitidos boca a boca, frequentemente por aqueles que o haviam escutado, em particular ou em público, e é possível que um ou outro significado tenha sofrido alterações durante o processo. Com o passar do tempo, não havia mais ninguém que tivesse conhecido Jesus pessoalmente. Quando morreu o último dos doze discípulos – não se sabe a data nem o local –, a notícia deve ter provocado nos centros cristãos uma intensa sensação de perda.

Tornou-se importantíssimo o registro por escrito dos ensinamentos de Jesus e da história de sua vida. Felizmente alguns relatos tinham sido anotados, e cópias eram levadas para os encontros de cristãos e lidas em voz alta. Por volta de 150, Justino, um estudioso renomado, descreveu assim os encontros: "No domingo, todos que viviam na cidade ou no campo se reuniam no mesmo lugar, para ouvir as memórias dos apóstolos ou os escritos dos profetas, que eram lidos por longas horas".

COMPARAÇÃO ENTRE OS LIVROS

O mais antigo registro conhecido feito por um dos primeiros cristãos é uma carta de poucas linhas, escrita por Paulo: a primeira epístola aos tessalônios. O manuscrito foi encontrado cerca de vinte anos depois da morte de Cristo. Nos cinquenta anos seguintes foram elaborados vários evangelhos, grandes e pequenos, contendo detalhes infinitamente mais numerosos do que Paulo conseguiu transmitir.

Dos quatro trabalhos mais importantes, o Evangelho Segundo São Marcos foi o primeiro a ser escrito. A quantidade de palavras encontradas nele não ultrapassa as que se contam em um jornal diário. Trata-se de um texto eloquente, vivo e ágil, que relata os últimos anos de vida de Jesus e começa com uma inscrição simples: "Início do evangelho de Jesus Cristo, o filho de Deus". A primeira história trata da sensação causada por João Batista, quando começou a batizar pessoas aos milhares, e a última descreve o momento em que três mulheres descobrem, ao encontrar o túmulo vazio, que Jesus ressuscitou. "As três mulheres nada disseram a ninguém, porque sentiam medo." Essas foram as últimas palavras de Marcos; assim ele terminou, com um ar de mistério, deixando sem resposta questões vitais.

Boa parte da vida de Marcos é desconhecida. Alguns afirmam que ele era uma espécie de secretário de Pedro, de quem teria utilizado as anotações, para redigir parte de seu evangelho. Sabe-se com certeza que Marcos era judeu e conhecia os primeiros líderes cristãos. Seu evangelho exerceu forte influência sobre o evangelho de Mateus. Este possuía tantos méritos literários, tanta clareza e segurança, que se tornou o evangelho mais conhecido, e era o mais lido nas igrejas. Alguns críticos, porém, sustentam que Mateus não foi o verdadeiro autor do evangelho.

Lucas, que escreveu o terceiro evangelho, não foi amigo pessoal de Jesus e, de acordo com alguns historiadores, não era judeu. Provavelmente médico, e com certeza amigo de Paulo, com frequência demonstrava simpatia por suas ideias, por vezes diferentes das ideias da maioria. Lucas começa sua história com a afirmativa de que "assistiu de perto aos acontecimentos" e vai dizer a verdade.

> LUCAS, QUE ESCREVEU O TERCEIRO EVANGELHO, NÃO FOI AMIGO PESSOAL DE JESUS.

O quarto evangelho foi escrito por João. Poucos negariam que a sua visão da vida de Cristo é única, afetuosa e, em alguns trechos, direta. Tendo surgido depois do ano 90, é um pouco mais recente do que os outros três evangelhos, e pouco diz sobre as parábolas que Jesus ensinou. Em 1924, um inglês estudioso da Bíblia causou certa agitação ao afirmar que o evangelho de João não foi escrito em grego, como os outros três, mas em aramaico, idioma falado por Jesus. Muitos cristãos preferem esse evangelho aos demais. O texto termina com a afirmativa categórica de que Jesus fez e disse muito mais do que foi registrado. João acreditava que, se tudo fosse traduzido em palavras, "os livros daí resultantes não caberiam no mundo."

Decorridos três séculos da morte de Cristo, ainda não se sabia quais evangelhos, memórias, epístolas e histórias podiam ser considerados os mais verdadeiros. Embora os quatro evangelhos se destacassem, outros trabalhos foram acrescentados, um a um, e as fontes de controvérsias, eliminadas. Roma e Constantinopla eram então os principais centros da igreja cristã. Por volta do ano 400, afinal, chegou-se a um acordo quanto ao que seria o Novo Testamento. Mais ou menos na mesma época, São Jerônimo aplicadamente traduzia para o latim os livros do Antigo e do Novo Testamento, mas a Bíblia resultante – a Vulgata – só foi reunida em um único volume no século sexto.

Muito antes da era moderna do ativismo agnóstico, mentes ricas em inteligência questionavam ou defendiam a precisão e a autenticidade dos primeiros manuscritos, para selecionar os melhores. Até o século 20, mais horas de estudo foram dedicadas à vida de Jesus do que à Física, à Química e talvez a todas as ciências combinadas. Em meio a tanta controvérsia, a maioria dos cristãos chegou a um acordo. Eles acreditam que um homem chamado Jesus viveu e morreu, e que sua vida e seu espírito transmitiram uma mensagem fascinante.

CRISTO SOB MUITOS ÂNGULOS

No ano 200, os cristãos tinham locais de reunião em boa parte do Império Romano, mas a quantidade de participantes era superada por vários rivais. Os adoradores dos deuses pagãos, além de muito mais numerosos, haviam erguido templos e monumentos grandiosos, em Roma e outras cidades. O judaísmo mantinha a popularidade, embora tivesse perdido muitos seguidores para o cristianismo.

Durante seus dois primeiros séculos de existência, o cristianismo enfrentou um obstáculo: competia com religiões criadas havia muito tempo. Os romanos tendiam a apreciar o antigo. Adoravam os deuses antigos. Sua admiração por Homero, Platão e Aristóteles devia-se, em parte, ao fato de serem antigos. Os romanos questionavam o seguinte: se o cristianismo continha uma verdade vital, por que essa verdade não foi descoberta pelos grandes homens do passado? Para vencer esse preconceito, os cristãos enfatizaram sua ligação com a religião judaica, muito mais antiga.

Das religiões que coexistiam no Império Romano por volta de 250, o cristianismo era provavelmente a mais criticada. Sua vitalidade e seu caráter inovador tornavam-na vulnerável. Celso (ou Celsus), um filósofo não religioso de Alexandria, foi o autor da primeira crítica importante ao cristianismo, por volta de 178: *A Verdadeira Palavra*. Ele desqualificava a figura de Cristo, que afirmava ser filho bastardo de um soldado romano, e seus discípulos, que chamava de bando formado por dez barqueiros e dois coletores de impostos. Celso considerava os líderes cristãos intolerantes demais, e temia que qualquer credo alheio ao Império Romano enfraquecesse sua coesão e sua natureza religiosa. Reconhecia méritos, porém, na ênfase que os cristãos davam à moralidade.

Nas fileiras do cristianismo ou em torno delas havia numerosos dissidentes. Desde o ano 70, mais ou menos, os seguidores do docetismo sustentavam que Jesus não tinha morrido; não poderia, portanto, ressuscitar. Alguns docetistas até se consideravam cristãos em espírito, mas se recusavam a receber a Santa Comunhão. Como iriam, argumentavam, receber o corpo e o sangue de Cristo celebrando uma morte que não havia ocorrido?

Outro oponente do cristianismo em seus primeiros tempos foi Manes ou Maniqueu, que elaborou uma sofisticada combinação de cultos orientais, para criar uma religião universal. Conhecido como o Apóstolo da Luz, Manes nasceu em 216 na Babilônia, situada no que é atualmente o sul do Iraque. De lá, viajou para a Índia e, depois, para a Pérsia, onde se estabeleceu. Sua religião se espalhou pelas rotas de comércio com mais rapidez do que o cristianismo em seus primeiros duzentos anos. Muitos de seus seguidores na Espanha, no norte da África e na Itália eram ex-cristãos.

Os maniqueístas – assim eram chamados os seguidores de Manes – guardavam um forte sentido da presença do mal. Eles sustentavam que o mundo tinha sido criado pelo demônio, e que os servos do verdadeiro Deus, o Reino da Luz, tinham de estar alertas para evitar o desastre. Os seguidores de Manes rezavam sete vezes por dia, à espera do dia do juízo, quando, segundo suas profecias, o mundo seria tomado por chamas que arderiam por 1.468 dias. O medo do fim do mundo se espalhou por muitos grupos ligados ao cristianismo, e as razões e a ocasião do evento tornaram-se temas de intensos debates.

Orígenes, nascido em Alexandria por volta do ano de 185, foi contemporâneo, durante parte da vida, de Manes e de Bardesanes – ou Bardaisan. Em seus extensos escritos, ele revelou a vasta gama de controvérsias que fervilhavam na igreja, àquela época, algumas criadas ou alimentadas por ele. Nas viagens pelo Império Romano, da Arábia a Roma, deixou atrás de si um rastro de argumentos e contra-argumentos. Ele contestou muitos dos principais ensinamentos da igreja à qual orgulhosamente pertencia: duvidava de que Cristo fosse tão importante quanto Deus e afirmava que um Deus de amor e misericórdia não permitiria aos fiéis sofrerem no inferno. Orígenes, como muitos cristãos, insistia em que razão e fé religiosa devem caminhar lado a lado. Na verdade, a religião hoje considerada não completamente racional enfatizava os aspectos racionais em numerosos debates do segundo e do terceiro século.

De certo modo, os estudiosos que hoje clamam por um mundo menos religioso repetem os argumentos empregados pelos críticos do passado. Alguns vão além, afirmando que Cristo não existiu. Estranhamente, os escritores antigos, com raras exceções, não duvidavam da existência de Jesus. Suas discussões giravam em torno da origem dele – humana, divina ou humana e divina ao mesmo tempo.

CAPÍTULO 4

PÃO, VINHO E ÁGUA

Como os primeiros cristãos se encontravam quase sempre em casas de família, as crianças estavam presentes e procuravam participar. Frequentemente batizadas no mesmo momento em que eram batizados os pais, elas se reuniam a eles em cerimônias importantes. E quando a família possuía escravos, eles também tomavam parte.

Os primeiros cristãos, em sua maioria, acreditavam que a segunda vinda do Cristo estava próxima. Quando ele finalmente aparecesse entre os fiéis, "em toda a sua glória", não haveria necessidade de igrejas. Assim, os líderes não se preocupavam muito em providenciar um local fixo para seus encontros. Os primeiros líderes de igrejas eram chamados de "bispos", palavra de origem grega, com o significado de inspetor. O bispo liderava as preces, orientava os membros em suas ideias e ações e ajudava a resolver conflitos. Mais tarde, com a adoção da formalidade, os bispos passaram a vestir-se de branco, a cor da pureza. Em matéria de atribuições e influência, eles foram pálidos predecessores dos bispos atuais.

A igreja iniciante não podia cair em mãos impróprias. Quem, então, seria escolhido como bispo? Diz-se que, segundo Paulo, o bispo ideal não devia ter se convertido recentemente nem ter se casado mais de uma vez. Em questões de conduta, devia ser "sensato, inteligente, honrado, receptivo e bom professor". Claro que, como "mordomo de Deus", devia ser capaz de transmitir mensagens sólidas da doutrina cristã e "ser bem visto por não cristãos". Obviamente não devia beber em público, ser violento, vaidoso ou agressivo. Tais preceitos sugerem que Paulo, em suas viagens, tinha encontrado alguns bispos problemáticos.

Presbíteros ou anciãos assistiam o bispo e lhe conferiam autoridade. Em 251, a igreja tinha em Roma 46 presbíteros. O número sugere que eles se espalhavam por várias congregações na cidade. Os diáconos atuavam também como oficiais. Quando indicados para servir na congregação de fiéis e ajudar a administrá-la, sete diáconos foram descritos assim: "homens com reputação de honestidade, cheios de sabedoria e do Espírito Santo." Os oficiais do início do cristianismo não se parecem com os bispos, diáconos, sacerdotes e presbíteros de hoje; suas atribuições e esfera de atuação mudaram muito.

DOMINGO, PÁSCOA E NATAL

Já que Cristo ressuscitou em um domingo, faz sentido que esse dia fosse adotado pelos cristãos como um dia sagrado. No entanto, como o domingo era dia útil no Império

> A MAIORIA DOS CRISTÃOS DIZIA REUNIR-SE PARA "DIVIDIR O PÃO".

Romano, os cristãos – a não ser os autônomos – tinham de deixar para rezar antes ou depois do horário de trabalho. O mais provável é que os serviços religiosos acontecessem quase sempre nos domingos à noite.

O serviço religioso incluía uma refeição. A maioria dos cristãos dizia reunir-se para "dividir o pão", e em algumas congregações criou-se o costume de servir uma refeição especialmente para os pobres. Os fiéis gostavam de encontrar comida e bebida, já que chegavam famintos, depois de um dia de trabalho árduo, geralmente braçal. Com o passar dos anos, porém, a refeição evoluiu de um meio de saciar a fome para algo simbólico, restrito a pão e vinho ou água, quando precedido de jejum. A intenção era evocar a última ceia, quando Jesus declarou que o pão era seu corpo, e o vinho, o seu sangue, determinando que os discípulos comessem e bebessem em memória dele. Conhecida como Santa Comunhão, a ceia do senhor, a missa ou Eucaristia era uma cerimônia profundamente mobilizadora para os participantes. Naquela "refeição jubilosa" sentiam a verdadeira presença de Cristo entre eles.

A Páscoa, a celebração anual da ressurreição de Jesus, não se tornou logo uma data especial para todos os cristãos. Os cristãos de Roma, por exemplo, demoraram a aceitá-la, preferindo lembrar a Páscoa todo domingo. Mais para o Oriente, a igreja começou a celebrar a Páscoa anualmente, no mesmo fim de semana em que os Judeus comemoravam o *Pessach*. A data variava de ano para ano, já que era determinada pelo equinócio de primavera no hemisfério Norte e pela lua cheia, caindo entre 22 de março e 25 de abril. Algumas igrejas cristãs chegaram até a celebrar a Páscoa com uma semana de diferença. Finalmente, em 525 foi alcançado um acordo, mas os mosteiros irlandeses não aderiram.

Os primeiros cristãos não comemoravam o Natal, e é compreensível que o nascimento do Cristo não seja considerado simbolicamente tão importante quanto a ressurreição. Em 245, o brilhante teólogo Orígenes desqualificou a ideia de celebrar o nascimento de Cristo "como se ele fosse um faraó". Um ano e meio mais tarde, os três patriarcas do Oriente – de Constantinopla, Alexandria e Antióquia – aceitaram 25 de dezembro como uma data especial. Tomaram como base o solstício de inverno no hemisfério Norte, a partir do qual os dias começam a ficar mais longos. Assim, os cristãos aproveitaram um dia já conhecido como feriado romano não religioso, "o aniversário do sol invencível".

Maria, a mãe de Cristo, exercia um fascínio cada vez mais intenso. Seu *status* aumentava, e um sentimento de profunda reverência por ela se espalhava pela costa leste do Mediterrâneo, Alexandria e Antióquia. Embora os evangelhos não fossem unânimes ao apontar a virgindade de Maria, quando deu à luz Jesus, a ideia de que ele era filho único ganhou credibilidade. Por volta de 432, estava de tal modo disseminada a certeza de que Maria tinha permanecido virgem, que foi afastada a noção, defendida por Marcos, da existência de irmãos e irmãs de Jesus.

Cada vez mais se acreditava que Maria, ao morrer, tivera o corpo levado da Terra ao céu. Conhecido na igreja ocidental como Assunção da Santa Virgem Maria, e na igreja oriental como Dormição ou Sono Eterno, esse conceito a coloca formalmente no céu, com Jesus. Em 594, o bispo Gregório de Tours abençoou o evento, e seu veredicto foi aceito. Com isso, as orações dirigidas a Maria adquiriram mais influência e afeto. O próximo passo para sua entronização só seria dado na Idade Média. No que se chamou Imaculada Conceição, ficou estabelecido que Maria, tal como o filho, tinha nascido sem pecado.

BATISMO: A ALEGRIA DA ÁGUA

O novo cristão se iniciava na igreja por meio da cerimônia da água – o batismo. O termo, de origem grega, significa "purificação". Tratava-se de uma cerimônia cristã, e não judaica. As pessoas batizadas eram, na maioria, adultas, e a imersão simbolizava o sagrado contato com Deus, que não devia ser rompido. O dia em que Jesus, ainda jovem, foi batizado no rio por João Batista, significou o início de sua vida como profeta e mestre, tal como seus seguidores, que apontaram o momento do batismo como o começo de uma nova vida.

Os primeiros líderes naturalmente preferiam um curso de água corrente, como o rio Jordão, para o batismo. Mas o cristianismo começou a ser praticado nas cidades, e havia poucos rios caudalosos disponíveis. Portanto, aceitava-se o que a geografia da cidade permitisse. Segundo o estudioso Tertuliano, a água é a única substância perfeita: alegre, simples, pura pela própria natureza.

Como a igreja cristã se espalhava por muitos locais relativamente isolados, os costumes variavam. Em Alexandria, batizava-se com a água do mar, e o horário preferido era o nascer do sol. Por volta de 259, a rotina estava bem estabelecida: "quando o galo cantar, a pessoa encarregada do batismo deve tomar posição junto à arrebentação, à água pura e sagrada do mar." Em muitas cidades do interior, as cerimônias de batismo, antes realizadas à beira dos rios, foram transferidas para o interior das igrejas. Daí surgiu a água benta.

Vários líderes cristãos argumentaram que as pessoas falecidas antes de serem batizadas não entrariam no reino dos céus, pois o pecado "original" – que toda criança traz ao nascer – não tinha sido apagado. Eles defendiam a prática de batizar os bebês, mas muitos cristãos discordavam. Segundo eles, o batismo era um ato consciente, o compromisso de dedicar a vida inteira a seguir Cristo; então, como poderiam bebês com uma semana de nascidos chegar a tal decisão? Esse foi um debate que não chegou a uma conclusão e foi retomado sob forte emoção, no século 16, na Alemanha e na Suíça.

> O BATISMO ERA UM ATO CONSCIENTE, O COMPROMISSO DE DEDICAR A VIDA INTEIRA A SEGUIR CRISTO.

Durante a cerimônia de batismo comumente praticada no ano 200, o bispo devia fazer uma advertência ao demônio: "Foge, pois o julgamento de Deus está perto!" Então, as pessoas que iam ser batizadas voltavam o corpo e o rosto em direção a oeste, para que o demônio saísse. Em seguida, voltavam-se novamente para leste e recitavam uma oração. É praticamente certo que em Roma, no século 2º, recitava-se o Credo. Ainda ouvida na maior parte das igrejas, a oração representa uma simples e ardorosa declaração de fé que termina assim: "Creio no Espírito Santo, na santa igreja católica, na comunhão dos santos, na remissão dos pecados, na ressurreição da carne e na vida eterna."

Seguindo a cerimônia, os cristãos eram ungidos com um óleo docemente perfumado. Vestidos com roupas brancas e talvez com uma coroa sobre a cabeça, estavam prontos para a bênção final. O bispo molhava o polegar em óleo perfumado e, com ele, fazia o sinal da cruz sobre cada sobrancelha de cada um, dizendo: "Em nome do Pai, do Filho e do Espírito Santo. A paz esteja contigo." Então, os recém-

-batizados seguiam em procissão pelo interior da igreja repleta de fiéis. Lá, participavam pela primeira vez da Santa Comunhão.

Houve um tempo em que a época considerada mais propícia ao batismo de adultos era a Páscoa. Nas cidades grandes, batizavam-se centenas de pessoas ao mesmo tempo. Para acomodá-las, às vezes eram projetados batistérios – uma construção circular ou octogonal, no centro da qual havia uma pia batismal, usualmente feita de mármore. Esses batistérios, em geral, eram altos, mas pouco espaçosos. Alguns estão entre os prédios mais suntuosos da Itália. Quem consegue esquecer uma visita ao batistério de Florença ou aos dois mais antigos de Ravena – o católico e o ariano – com suas cúpulas cobertas de mosaicos primorosos?

O JEJUM

O jejum, adotado pelo cristianismo, vem de um ramo do judaísmo. Os fariseus jejuavam nas segundas-feiras e nas quintas-feiras. O próprio Cristo, pelo que se sabe, não enfatizava a

> O PRÓPRIO CRISTO, PELO QUE SE SABE, NÃO ENFATIZAVA A PRÁTICA REGULAR DO JEJUM.

prática regular do jejum, embora tivesse jejuado enquanto meditava e orava no deserto. Ele compareceu a tantos casamentos, ceias e banquetes, que fica difícil vê-lo como um adepto do jejum extremo. Além disso, ele acreditava mais no espírito do que nas regras.

Depois da morte de Jesus, muitos de seus seguidores mais dedicados resolveram jejuar, de sexta-feira à tarde a domingo de manhã, em memória das quarenta horas que o corpo tinha passado no túmulo. Durante as semanas que precediam a Páscoa – o período conhecido como Quaresma – o jejum deveria durar quarenta dias, embora houvesse numerosas regras e exceções. A ordem de "jejuar" admitia várias interpretações. Em alguns distritos, todo tipo de alimento era permitido, desde que consumido em uma única refeição diária. A partir do ano 700, a carne foi totalmente banida durante a Quaresma.

Acreditava-se que o jejum expulsava demônios e curava doenças. Alguns dias de jejum precediam o glorioso dia do batismo, e nenhum alimento era consumido nas horas que precediam a Eucaristia. Como existia a crença de que o demônio gosta de habitar corpos bem alimentados, o jejum representava um meio de evitá-lo. Em certo sentido, isso não negava o valor do corpo, às vezes chamado de "templo do Espírito Santo".

A ASCENSÃO DO ESPÍRITO SANTO

O cristianismo não nasceu com doutrinas estabelecidas; elas evoluíram lentamente. Assim, as atividades do espírito foram discutidas mais frequentemente por volta do ano 250 do que no tempo de Cristo. Nas histórias do Antigo Testamento, o Espírito Santo inspirou profetas, concedendo-lhes sabedoria e entendimento. No Novo Testamento, o Espírito Santo aparece de formas mais dramáticas, durante a concepção e o nascimento de Jesus. No momento do batismo, o Espírito Santo abençoou Jesus, concedendo-lhe o poder de operar milagres.

Durante a comemoração de Pentecostes, o Espírito Santo apareceu diante dos discípulos – então chamados de apóstolos – reunidos em Jerusalém. Decorridas sete semanas da morte de Jesus, eles tentavam cumprir a determinação deixada por ele de conquistar novos seguidores. Sua intenção era aproximar-se das pessoas nas ruas, mas, em meio à diversidade de idiomas, viram-se impossibilitados de conversar com elas, e muito menos de convertê-las. Havia judeus chegados da Arábia, da região do rio Nilo e do norte da África, de Roma, das ilhas gregas e da Ásia Menor, todos falando a língua da terra que haviam adotado. Como poderiam os apóstolos de Cristo, homens simples, de pouca instrução, entender-se com eles? De repente, "veio do céu um som que lembrava uma forte rajada de vento", e todos os apóstolos foram "tomados pelo Espírito Santo". Segundo relatos, eles começaram a transmitir claramente a mensagem cristã em línguas que até então desconheciam.

A notícia desse acontecimento de Pentecostes rapidamente se espalhou, atraindo multidões. Terminada a fala dos apóstolos, muitos ouvintes – "três mil almas", ao todo – se arrependeram de seus pecados e foram batizados. Foi a primeira conversão em massa da história da nova religião. A capacidade de falar um idioma desconhecido – o chamado "dom de línguas" – tornou-se parte importante da tradição cristã.

O conceito de um espírito poderoso e incorpóreo – encontrado também no budismo e no hinduísmo – foi um modo simples de descrever um evento espiritual ao qual Deus estivesse presente, embora não fosse visto. Os líderes cristãos começaram mentalmente a colocar o Espírito Santo no mesmo trono ocupado por Deus, mas faltavam as palavras exatas para expressar isso. Eles enxergavam Deus como uma entidade ou substância que existia em três pessoas: Pai, Filho e Espírito Santo – três pessoas iguais, com o mesmo peso. Essa doutrina recebeu o nome de Trindade, uma denominação que aparece pela primeira vez em registros encontrados em Antióquia, por volta do ano 180.

Assim, resolveu-se o dilema de conciliar a antiga tradição judaica, segundo a qual existe apenas um Deus, com a nova crença de que Cristo reina no céu ao lado de Deus. Essas duas divindades receberam a companhia do Espírito Santo. Foi um longo caminho, desde Israel.

CAPÍTULO 5

NAS MÃOS DO IMPERADOR

Desde o ano de 64, quando Nero governava o Império Romano, empreendiam-se grandes campanhas de perseguição aos cristãos. Algumas eram mais amplas, mas a maior parte delas se concentrava em locais específicos, sob o comando de governadores de províncias. Não se sabe quantos cristãos foram executados no período de trezentos anos. O número de cristãos presos, então, é incalculável. Os crentes desafiadores, que se recusavam a renunciar ao seu Senhor, eram cruelmente torturados em público. Não se poupavam as mulheres: depois de terem o cabelo cortado ou raspado, como forma de humilhação, recebiam o castigo, ainda que tivessem dado à luz recentemente, estivessem grávidas ou fossem idosas.

A maior parte dos torturados se recusava a abandonar a crença. Em Cartago, no ano de 203, os sofrimentos de Perpétua, aos 22 anos, e de sua escrava Felicidade permaneceram por muito tempo na memória do povo. Nenhum outro mártir – exceto os apóstolos – foi mais reverenciado do que elas.

Apesar das perseguições, o número de cristãos cresceu rapidamente. Eles acreditavam, sem sombra de dúvida, que eram cuidados por Jesus. Sem essa crença, a religião cristã não se disseminaria tanto, mas houve influência de outros fatores.

POR QUE OS CRISTÃOS SE MULTIPLICARAM?

De início, o cristianismo aproveitou sua ligação com o judaísmo para alcançar terras distantes, por meio da rede de sinagogas. A busca vigorosa por novos fiéis, raramente empreendida pelos rabinos, e praticada pelos cristãos, representou uma vantagem adicional.

Parte do apelo do cristianismo estava na maneira prática de ajudar os pobres e os famintos, os doentes e os órfãos. Isso dava segurança aos fiéis, em uma época de dificuldades inimagináveis. A crença na vida após a morte atuava também como fator de atração. Por outro lado, porém, o Céu só estaria acessível depois que Cristo voltasse à Terra, e seu retorno, há tanto prometido, demorava a acontecer. Decorridos três séculos de espera – por volta do ano 300, portanto – milhões de cristãos se acreditavam guiados e guardados por Cristo. A vida no Céu, com seus diversos significados e tempos de espera, não era necessariamente a principal razão pela qual tantos se converteram.

> É PROVÁVEL QUE A EXPANSÃO DO CRISTIANISMO TENHA SIDO FAVORECIDA POR UM FATOR INESPERADO: AS EPIDEMIAS.

É provável que a expansão do cristianismo tenha sido favorecida por um fator inesperado: as epidemias. Enquanto as religiões pagãs raramente ofereciam algum tipo de ajuda quando os fiéis adoeciam, muitos cristãos – mulheres, em especial – se dispunham a cuidar dos enfermos e alimentá-los. Quando a varíola se espalhou, entre os anos de 165 e 180, e a baixa imunidade às infecções causou numerosas mortes, os cristãos foram valorizados pelo auxílio que prestaram. Cerca de setenta anos mais tarde, uma epidemia de sarampo matou milhares de pessoas a cada dia, em Roma.

Ao cuidar de doentes e moribundos sem exceção, qualquer que fosse a religião professada por eles, os cristãos conquistaram amigos e simpatizantes. Eles demonstravam uma excepcional confiança na cura pela oração e pela unção. Segundo o evangelho de Marcos, os discípulos de Jesus saíam aos pares, pregando "o arrependimento", e aproveitavam as viagens para "ungir com óleo e curar muitos doentes". Depois da morte de Jesus, o apóstolo Tiago, especificamente, instruiu os anciãos de sua igreja a usar o óleo santo para curar os doentes – "em nome do Senhor". Humildade, penitência e a busca do perdão de Deus eram partes vitais do processo de cura.

As pessoas que travavam um primeiro contato com o cristianismo impressionavam-se com os resultados. Era como se os cristãos evoluíssem, tornando-se mais respeitosos em relação aos estrangeiros, aos pais e aos idosos, e em relação às mulheres, o que não era comum no Império Romano. Além disso, ofereciam apoio aos escravos que aceitavam a fé e, acima de tudo, cuidavam dos doentes.

CONSTANTINO, O LIBERTADOR

Os líderes romanos, cuja tarefa era manter a unidade de um império onde se falavam várias línguas e que tinham consciência dos limites da força como único recurso, devem ter se impressionado secretamente com a habilidade dos cristãos em unir, na mesma congregação, tanto os escravos e as pessoas livres quanto os locais e os estrangeiros. O que com certeza não agradava àqueles líderes era o modo como os cristãos negavam os deuses romanos, tão longamente adorados. Em 250, o imperador Décio ordenou que todos os cidadãos do império oferecessem sacrifícios em honra dos deuses. Os cristãos mais fervorosos recusaram-se, pois acreditavam que somente Deus e Cristo deviam ser adorados. Em Roma, o papa Fabiano foi mandado para a prisão, onde morreu. E, oito anos mais tarde, o papa Sisto II foi preso durante uma homenagem aos mortos, nas catacumbas, e depois decapitado. Orígenes, até então possivelmente o mais importante estudioso da Bíblia, foi preso e torturado, morrendo na cidade de Tiro. Durante uma década, milhares de cristãos foram mutilados, feridos ou mortos. Então, a perseguição cessou. Mas seria retomada.

Um acontecimento notável favoreceria o cristianismo. Algumas das famílias mais influentes de Roma e de outras cidades grandes sentiram-se atraídas pelos ensinamentos de Cristo e pelos sacramentos e cerimônias da Igreja. Constantino, poderoso comandante militar, foi um dos simpatizantes inesperados. Depois de uma vitória sobre seu adversário Maxêncio (ou Maxentius) nos arredores de Roma, em 312, Constantino se tornou imperador da parte ocidental do Império Romano. Sua mãe era cristã, e o nome de sua irmã, Anastácia, vinha do grego, com o significado de "ressurreição". Diz-se que o próprio Constantino, embora não fosse batizado, carregava sempre um oratório, para que pudesse adorar Cristo durante as marchas com seus soldados.

A RELIGIÃO NÚMERO UM

Um ano depois de assumir o poder, Constantino se reuniu com Licínio, para discutirem uma política relativa às religiões. Seu Édito de Milão se referia de maneira favorável aos cristãos – ou católicos, como eram às vezes chamados. O édito estabelecia:

> O CRISTIANISMO [...] PODERIA FUNCIONAR COMO UM FATOR DE UNIFICAÇÃO EM UM TEMPO MULTIRRACIAL.

"Os cristãos e todos os outros devem ser livres para seguir a religião que preferirem, de modo que o Deus que habita o Céu possa ser propício a nós e aos que estiverem sob nossas ordens." Os cristãos, que por dez anos tinham visto suas igrejas confiscadas pelo capricho do imperador em exercício, alegraram-se com a notícia de que elas lhes seriam devolvidas. Constantino determinou também que o Estado desse um auxílio financeiro aos sacerdotes que trabalhavam no norte da África pela "legítima e sagrada religião católica".

Foi oficialmente reconhecido que o cristianismo, por ser aberto a todas as etnias, poderia funcionar como um fator de unificação em um império multirracial. O cristianismo, então uma religião de muitos adeptos, estava prestes a tornar-se a religião preferida da maioria. Constantino resolveu afastar adivinhos, oráculos, videntes e pessoas que diziam prever o futuro. Em 321, ele decretou que Roma devia reconhecer o domingo como um dia especial: "Todos os juízes, moradores das cidades e operários devem descansar no venerável dia de domingo." Os tribunais deviam permanecer fechados, em vez de julgar "rixas inconvenientes" naquele dia de respeito. Constantino agiu com praticidade, porém, ao permitir que os agricultores trabalhassem no domingo. "Frequentemente acontece de o domingo ser o dia mais adequado à semeadura de grãos ou ao plantio de vinhas."

Em 324, depois de outra vitória militar decisiva, Constantino se tornou o único imperador, governando todas as colônias romanas do mar Negro ao oceano Atlântico, e do rio Nilo à parte superior do rio Reno. Mais poderoso do que nunca, ele continuou a implantar sua religião. A morte por crucificação foi abolida, em um gesto de profundo significado para os cristãos. O sistema de cobrança de impostos começou a favorecer as igrejas e outras propriedades cristãs. A cruz, adotada como símbolo, passou a figurar nos escudos dos soldados romanos.

Antes uma religião praticada às ocultas, o cristianismo encontrou lugar nas ruas principais, graças a Constantino.

Ele não gostava de Roma, e até deixou de visitar a cidade. Decidiu, então, construir uma "nova Roma". Para isso escolheu a cidade de Bizâncio, fundada muitos séculos antes por alguns colonos gregos, exatamente na divisa entre Europa e Ásia. Aquela seria a nova capital do Império Romano. A partir de 330, Constantino começou a escolher terrenos bem situados, no alto de colinas, para construir igrejas. Com o nome mudado para Constantinopla, a cidade foi a primeira a ser planejada de modo que templos cristãos – e não templos pagãos – se destacassem contra o céu. Hoje, a cidade é chamada de Istambul, e seu criador é lembrado como Constantino, o Grande.

Constantino se aproximou da igreja em espírito durante a vida, mas parte dele permaneceu independente. Quando, afinal, pediu para ser batizado nas margens do rio Jordão, era tarde demais. Com dificuldade para fazer viagens longas, foi batizado no local onde estava. Por tantos anos colocou-se como protetor do cristianismo e transformador da Igreja, que se sentia quase um dos apóstolos de Cristo. Com essa ideia, escolheu o lugar de seu descanso final. Assim, quando morreu, em 337, foi sepultado junto ao altar da Igreja dos Santos Apóstolos, em meio às relíquias de São Pedro e outros santos.

Alguns líderes cristãos, considerando aquilo quase um sacrilégio, providenciaram a remoção do corpo de Constantino para um mausoléu. Ele havia proporcionado benefícios incomparáveis à igreja, mas não passara pelos sacrifícios de um santo.

A ALEGRIA DOS PEREGRINOS

Helena, uma cristã fervorosa, mãe de Constantino, passava dos 70 anos de idade quando resolveu fazer uma peregrinação a Jerusalém. Lá, diz-se que pôde ver restos da cruz de Cristo, o que estimulou o interesse dos cristãos pela cidade. Uma atração adicional era a crença de que, quando retornasse à Terra, Cristo apareceria primeiro em Jerusalém.

> OS OBJETIVOS DOS PEREGRINOS ERAM REZAR PELO FUTURO E AGRADECER PELO PASSADO.

No século quarto, estendia-se por todos os meses do ano o costume de empreender peregrinações a Jerusalém, a Belém – inclusive à Igreja da Natividade – e ao local do rio Jordão onde se acreditava tivesse acontecido o batismo de Cristo. As mulheres elegeram alguns locais da Palestina como seus preferidos: o túmulo de Raquel, não muito longe de Belém, e o poço, em Sicar, onde Jesus conversou com a samaritana. Os objetivos dos peregrinos eram rezar pelo futuro e agradecer pelo passado.

Egéria, uma peregrina, passou mais de três anos viajando, da França a Constantinopla, e de lá à Terra Santa. O Império Romano era ainda forte quando Egéria iniciou a peregrinação, em 381. Ela visitou em segurança uma sequência de sítios sagrados, em geral parando para descansar em hospedarias construídas para viajantes. Quando havia o perigo do ataque de ladrões escondidos à margem da estrada, soldados romanos acompanhavam os peregrinos. Nos locais citados na Bíblia, faziam-se paradas, e todos rezavam, liam passagens das escrituras e ouviam ou cantavam salmos apropriados.

Nos trechos mais difíceis da jornada, Egéria viajava de jumento ou camelo, ou era carregada por homens fortes em uma liteira, a não ser quando encontravam uma subida íngreme demais. Ao avistar o Monte Sinai – a chamada Montanha de Deus –, ela rezou e começou a subir em direção ao lugar onde, de acordo com Êxodo 24, "desceu a majestade de Deus". Durante a exaustiva subida, ela recebeu com alegria as preces dos monges que, vindos de um mosteiro próximo, juntaram-se ao grupo.

Em Jerusalém, que visitou mais de uma vez, Egéria se maravilhou com o que soube ser a plantação de macieiras de São João Batista. Juntando-se à procissão que seguia rumo à basílica cristã, ela disse ter sentido "uma enorme alegria, a mesma sentida na Páscoa".

CAPÍTULO 6

UM GRUPO DE HERÉTICOS

Ário foi um pregador egípcio que, em andanças pelas cidades, atraía multidões, no século quarto. Conta-se que, embora falasse baixo, era ouvido perfeitamente por todos. Impressionadas por seu modo de agir e sua sinceridade, as pessoas não esqueciam facilmente sua aparência: "alto, de fisionomia séria". Entre seus seguidores em Alexandria havia trabalhadores do cais e "setecentas virgens", quase todas ex-seguidoras de outros pregadores. As mensagens que Ário transmitia aos ouvintes não eram comuns no ano de 319.

Desafiando a ideia central do cristianismo, ele sustentava que Jesus, embora filho de Deus, não era igual a Ele. Ário colocava Cristo muito acima de qualquer ser humano que já tivesse pisado a face da Terra, além de acreditar que Deus e Cristo compartilhavam natureza e sabedoria. No entanto, afirmava que Deus, em sua majestade e perfeição, ocupava um degrau acima de Cristo na escada divina. Estudando o início da criação, Ário concluiu que Deus era eterno, mas Cristo não. Seus argumentos atacavam a doutrina cristã, segundo a qual Pai, Filho e Espírito Santo formavam uma trindade perfeita. Conforme o raciocínio de Ário, o poder que Cristo possuía de perdoar e salvar não era o mesmo de Deus.

Muitos bispos se opunham instintivamente às ideias de Ário. O cristão típico tinha sido ensinado a ver Cristo não somente como divino, mas como igual a Deus, e essa era uma das razões que tornavam o cristianismo tão atraente. O questionamento de Ário quanto à exata combinação de humanidade e divindade encontrada em Cristo caiu como uma bomba.

Ário presumia que as pessoas compreendiam e amavam Cristo com mais facilidade por vê-lo como ser humano. Ele se unira a coletores de impostos e prostitutas, a excluídos e oprimidos. E Ário acreditava que esse aspecto de humanidade devia ser mais enfatizado do que o aspecto de divindade. Em uma análise mais apurada, o centro da disputa parece estar em uma questão de intensidade. Em Teologia e em Política, porém, posições que estejam a 10 graus de diferença podem parecer, aos olhos de adversários, estar a 90 graus.

Para um observador externo, ambos os lados da disputa apresentavam argumentos válidos. Os adeptos da Igreja Ortodoxa acreditavam que Cristo e Deus eram iguais, e que discutir uma situação contrária só serviria para desmerecer Cristo. Ário acreditava que Deus era importantíssimo – em suas palavras, "supremamente único"; então, por que considerar Cristo como seu igual?

> OS ADEPTOS DA IGREJA ORTODOXA ACREDITAVAM QUE CRISTO E DEUS ERAM IGUAIS.

A discussão ultrapassou as fronteiras do Egito. Todo mundo parecia ter uma opinião sobre aquele tema tão controvertido. O imperador Constantino foi chamado a interferir, e a decisão tomada por um governante poderoso, que nem mesmo era batizado, a respeito de uma questão de alta teologia, representava uma enorme inovação na história do cristianismo. Até então, os líderes cristãos tinham procurado resolver entre eles suas desavenças.

Aos olhos de Constantino, as disputas constantes, além de inconvenientes, criavam uma fonte de divisão do império. Ele exigia unidade da Igreja da qual era protetor. Então, no verão de 325, decidiu reunir todos os bispos cristãos em Niceia – hoje Iznik – que ficava perto de Constantinopla.

Infelizmente, talvez pela surpresa do convite, somente compareceram os bispos da parte oriental ou das regiões próximas. Dos 250 presentes, apenas cinco vinham do Ocidente. Entre eles, incluíam-se dois diáconos enviados pelo próprio papa, incumbidos de apresentar a visão dele sobre o assunto, e bispos de Cartago e Milão, duas das cidades cristãs mais importantes da parte ocidental do Império Romano. O grupo dificilmente poderia ser considerado representativo da Igreja como um todo.

Jamais se saberá com certeza o que aconteceu nos bastidores das discussões sobre questões de tanta relevância, mas o resultado foi a rejeição da teoria de Ário. Os bispos reunidos declararam que "Cristo e Deus tinham a mesma matéria." Em resumo, Cristo podia ser considerado igual a Deus, para todos os propósitos e intenções. O imperador deve ter influenciado, para garantir a unanimidade – ele fazia questão de união –, mas o coração dos presentes não estava unido. A satisfação também não foi unânime entre os líderes cristãos que, não tendo participado do encontro, só souberam da decisão depois que a notícia atravessou terras e mares, para chegar a eles.

Ário não apenas foi derrotado, mas caiu em desgraça, sendo obrigado a partir para o exílio na Ásia Menor, assim como vários de seus poderosos simpatizantes. Quando afinal voltou a Alexandria, viu-se impedido de participar da Eucaristia por um de seus principais antagonistas, o bispo Atanásio.

> CONSTANTINO EXIGIA UNIDADE DA IGREJA DA QUAL ERA PROTETOR. ENTÃO [...] DECIDIU REUNIR TODOS OS BISPOS EM NICEIA.

Mas nem tudo estava perdido para o enfraquecido Ário. Ele conservava seguidores – alguns explícitos, outros discretos. O bispo que batizou o imperador Constantino no leito de morte, em 337, revelou-se simpatizante de Ário. Daí a alguns anos, o novo imperador, filho de Constantino, fez a mesma revelação, embora Ário já tivesse morrido.

OS BÁRBAROS E A BÍBLIA

Os seguidores de Ário – chamados por alguns de "grupo de heréticos" – mantiveram a atividade. Até conquistaram novos aliados, embora se deva reconhecer que não exatamente os aliados preferidos. Tratava-se dos godos, povo considerado inferior. Aos olhos dos verdadeiros filhos do Império Romano, os godos eram bárbaros.

Um ou dois séculos antes do nascimento de Cristo, os godos e seus aparentados, os vândalos, viviam na Escandinávia. Dispostos a encontrar terras mais quentes e a lutar para ocupar o espaço, eles cruzaram o mar Báltico e instalaram-se junto ao rio Vístula, nas planícies do norte da Europa. Em outra mudança, os godos orientais – ou ostrogodos – encaminharam-se para o sul, em direção à Ucrânia e ao rio Dnieper, de onde vieram a mudar-se novamente em direção a Constantinopla, em busca de terras ainda melhores. Mais ou menos na mesma época, os godos ocidentais transferiram-se para mais perto da França. Não se sabe ao certo quantos godos participaram dessa movimentação; provavelmente não chegavam a 250 mil.

Os godos possuíam idioma próprio, com vários dialetos, mas não tinham escrita. Um monge chamado Úlfilas, cuja intenção de oferecer àquele povo acesso à Bíblia, criou um alfabeto para a linguagem gótica, em que a maior parte das 27 letras foi tomada emprestada do grego clássico. Então, passou a traduzir a Bíblia.

Os godos e os vândalos eram simpáticos à versão ariana do cristianismo – a heresia de Ário, como ficou formalmente conhecida. Eles preferiam a simplicidade de um Deus poderoso do conceito oficial da Trindade, com todas as suas complicações e sutilezas. Depois do ano 400 as doutrinas arianas conquistaram mais adeptos entre os godos e os vândalos do que em outras regiões do Império Romano.

AGOSTINHO DO NORTE DA ÁFRICA

Na costa da África voltada para o mar Mediterrâneo, a igreja gozava de intensa vitalidade, com todas as controvérsias que isso frequentemente acarreta. Na região ocupada atualmente por Tunísia e Argélia, havia uma área de grande potencial econômico e estratégico, em especial em torno de Cartago, então uma das maiores cidades do mundo ocidental. No ano de 350, aquela região, rica em plantações de grãos e frutas, talvez tenha abrigado uma proporção maior de cristãos do que qualquer outro local do império, inclusive Roma.

Nenhum africano exerceu mais influência sobre o cristianismo do que Agostinho. Nascido onde se situa hoje a Argélia, em 354, quando o norte da África era uma espécie de caldeirão de povos, Agostinho descendia de bérberes, e tinha pai pagão e mãe cristã.

Por nove anos foi seguidor de Manes, o profeta do terceiro século que acreditava terem o bem e o mal origens e divindades separadas – um conceito geralmente chamado de dualismo. Os seguidores de Manes, conhecidos como maniqueístas, praticavam a austeridade e costumavam ser vegetarianos. Somente adultos eram batizados, pois tinham opinião própria e podiam prometer não ter relações sexuais.

Agostinho adotava muitas dessas ideias, mas não a restrição ao sexo. Quando jovem, em Cartago, tinha levado uma vida boêmia, até conhecer Una, a quem se uniu em concubinato por quinze anos, e com quem teve pelo menos um filho.

Em Roma, Agostinho tornou-se professor. Na vida privada, ainda seguia os preceitos de Manes, mas já não se sentia completamente satisfeito com eles. Aos 32 anos, depois de se mudar para Milão, experimentou a conversão religiosa. Enquanto lia uma frase da carta de São Paulo aos romanos, teve a sensação de estar nu. Em seguida, sentiu-se vestido com a graça de Cristo. "No exato momento em que acabei de ler a frase", ele recordou, "meu coração se iluminou com a certeza. Não restou nenhuma sombra de dúvida." Suas palavras remetem, estranhamente, a Martin Luther e John Wesley, mais de mil anos depois.

De volta à África em 391, Agostinho começou a pregar. Verdadeiro mestre das palavras, sua fala parecia música. Ele se tornou bispo da cidade de Hipona, onde se ocupava em presidir reuniões, transmitir ensinamentos aos jovens membros da congregação e arbitrar disputas religiosas. Teve tempo também para escrever longos manuscritos, cartas e sermões, inclusive os treze capítulos de suas *Confissões*. No entanto, como não escrevia em grego, pouco foi lido nas regiões situadas na parte oriental do mundo cristão. Agostinho refletia uma cisão que, aos poucos, se instalava na cristandade. Apesar de viver em terras africanas próximas a Roma, aquele cristão de ideias brilhantes e ousadas era com frequência ignorado no Oriente.

Agostinho contava com vários escrivãos para anotar os textos que ditava – às vezes tarde da noite –, enquanto caminhava pelo cômodo onde estivesse. Entre os conceitos teológicos elaborados por ele estava a predestinação, uma teoria que ficou bastante conhecida mais de mil anos depois, nos escritos de João Calvino, do primeiro grupo de pastores protestantes de Genebra. Agostinho acreditava que Deus sabia com antecedência o que aconteceria na vida de todos os cristãos – e no fim, em especial. Em essência, a infalibilidade de Deus previa quem iria para o céu ou o inferno, ao passo que nenhum bispo teria condições de prognosticar quais membros da congregação seriam salvos.

> OS ÚLTIMOS TRINTA ANOS DA VIDA DE AGOSTINHO FORAM REPLETOS DE ACONTECIMENTOS PERTURBADORES.

Os últimos trinta anos da vida de Agostinho foram repletos de acontecimentos perturbadores. O antes poderoso Império Romano desmoronava. Tornara-se extenso demais e não conseguia levantar recursos necessários ao patrulhamento de suas longas fronteiras. Muitos de seus soldados eram recrutados nas regiões fronteiriças a serem patrulhadas. Na verdade, para tentar defender suas fronteiras dos "bárbaros", o Império Romano integrava outros bárbaros a seus regimentos. Além disso, estava cercado por muitos povos nômades – vândalos, hunos, godos – que invadiam as regiões mais desprotegidas. Essas regiões vulneráveis viviam sob as ordens de Roma, e não de Constantinopla. Alarico, rei dos visigodos, invadiu a península da Itália, e em 410 chegou a Roma. A cidade onde Agostinho pregava e produzia seus escritos foi sitiada vinte anos mais tarde.

DE QUEM É O TRONO? CRISTO EM RAVENA

Os invasores que chegaram das margens distantes dos rios Reno e Danúbio não eram tão bárbaros quanto imaginavam os romanos. Embora tolerassem as ideias dos cristãos que habitavam a parte ocidental do Império Romano, os recém-chegados carregavam as opiniões arianas acerca de Deus e de Cristo. Dominando boa parte da França e da Itália e praticamente todo o território hoje ocupado por Espanha e Portugal, além das populosas partes centrais da costa norte da África, os ostrogodos, visigodos e vândalos pareciam a ponto de tornar dominante, na metade ocidental da Europa, sua visão do cristianismo.

Os arianos não eram missionários fervorosos, e quando seu domínio militar entrou em declínio, o mesmo aconteceu com sua influência religiosa. Godos e vândalos perderam a força quando sua doutrina ariana perdeu o controle das cidades e igrejas ocidentais. Criticados por quem apreciava a civilização romana e lamentava seu desaparecimento, foram chamados de blasfemadores pelos cristãos mais diligentes. Até suas obras de arte foram destruídas. Existe, porém, uma cidade italiana, Ravena, onde a visão ariana de Cristo milagrosamente sobrevive, em forma de arte.

> RAVENA HAVIA SUBSTITUÍDO ROMA COMO CAPITAL DA PARTE OCIDENTAL DO IMPÉRIO ROMANO.

Base naval de enorme importância desde os tempos de Cristo, Ravena havia substituído Roma como capital da parte ocidental do Império Romano, no início do século quinto. De 493 a 540, quando foi capturada por Teodorico, Ravena esteve sob a autoridade de monarcas e bispos arianos. Apesar de muito mais antiga do que Veneza e Florença, atualmente destinos preferidos por turistas e amantes das artes, Ravena recebe poucos visitantes. Relicário da arte produzida nos primeiros tempos do cristianismo, a cidade guarda mosaicos maravilhosos, criados durante os tempos áureos dos romanos, dos bizantinos e, sobretudo, dos arianos.

Na cúpula do pequeno, mas alto, batistério ariano, construído com material local por volta do ano 500, vê-se um mosaico brilhante, no qual Cristo é batizado por João Batista.

Na cena, Cristo está em pé, de frente e nu. Seu pênis fica meio escondido pelas ondulações da água. Ele aparenta ter entre 16 e 18 anos, forte, sem ser musculoso, e seus cabelos não são tão longos quanto nas imagens produzidas mais tarde por numerosos artistas ocidentais. O rosto sem barba e nada divino parece relaxado, tranquilo, bonito mesmo. Reunidos em círculo, logo abaixo, aparecem os apóstolos, bem-vestidos e de barba, todos transmitindo um ar de mais autoridade do que o Cristo – talvez por terem mais idade e experiência. O belíssimo mosaico, hoje com idade superior a mil e quinhentos anos, parece humanizar a figura de Cristo, como que sinalizando simpatia pela doutrina ariana.

Assim, na antiga Ravena, temos uma visão rápida da queda do Império Romano e da invasão dos arianos, tornando o cristianismo tradicional virtualmente prisioneiro. São raríssimos os lugares da Europa onde se pode ver Cristo à maneira de Ário.

CAPÍTULO 7

MONGES E EREMITAS

Os primeiros cristãos, em sua maioria, viviam em companhia da família e trabalhavam seis dias por semana. Seu cotidiano era absolutamente comum. Em 320, porém, um número crescente de cristãos eremitas habitava regiões isoladas da Síria ou vilarejos abandonados perto do rio Nilo.

Muitos viviam sós, em cavernas ou cabanas simples. Nos domingos, eles se reuniam a outros eremitas para rezar. Em seguida, retornavam a suas moradias com chão de terra batida. Alguns, porém, não suportaram o isolamento; além de se ressentirem da falta de atividade, eram vítimas de ladrões e assassinos. Estes eremitas, então, procuravam comunidades chamadas mosteiros, onde passavam a viver para sempre como monges.

A disciplina fazia parte do dia a dia dos monges. Vivendo sozinhos ou em grupo, seguiam fielmente regras rígidas e numerosas. Um mosteiro de uma dúzia de homens, por exemplo, sem regras, seria caótico, impraticável. Uma decisão importantíssima era quanto à admissão de novos membros, já que em tempos de carência de alimentos ou agitação popular – ou, ainda, de fervor evangélico – muita gente devia bater às portas dos mosteiros. O ingresso no mosteiro implicava renunciar ao mundo exterior e a todos os seus prazeres, e esquecer o passado.

A VIDA NO MOSTEIRO

O candidato à admissão devia saber de cor a oração do Pai-Nosso e alguns salmos, além de convencer o superior do mosteiro de que não era um criminoso nem estava fugindo de um antigo trabalho, para começar vida nova. As atitudes e a personalidade do candidato eram cuidadosamente analisadas, para que o espírito do mosteiro não fosse prejudicado pela admissão de monges que levassem para lá o egoísmo do mundo exterior.

Uma das primeiras listas de regras foi elaborada por um monge egípcio chamado Pacômio, fundador de um mosteiro em um vilarejo quase deserto, próximo ao rio Nilo, em 323. A regra de número 60, conforme aprovado por Pacômio, instruía os monges a não discutirem questões da vida mundana. As roupas eram lavadas aos domingos, mas sempre em silêncio. Os encarregados de preparar o pão diariamente não podiam conversar durante a tarefa; em vez disso, deviam recitar trechos da Bíblia. Presume-se que outras tarefas diárias, como preparar fibras para a fabricação de cordas ou folhas de palmeira para a fabricação de cestas trançadas, também fossem executadas em silêncio.

> O CANDIDATO À ADMISSÃO DEVIA [...] CONVENCER O SUPERIOR DO MOSTEIRO DE QUE NÃO ERA UM CRIMINOSO.

Os peregrinos ou os monges de outros mosteiros que estivessem em viagem eram tratados com generosa hospitalidade. Pacômio considerava as mulheres capazes de perturbar a paz do mosteiro. No entanto, se uma delas chegasse ao anoitecer, "seria crueldade mandá-la embora". Assim, acomodava-se a viajante em um aposento para hóspedes, separado por um muro ou uma cerca.

As palavras "convento", "mosteiro" e "claustro" já tiveram o mesmo significado. "Convento" era sinônimo de mosteiro, mas passou a ser usado para instituições femininas. Atualmente, "claustro" corresponde às arcadas e aleias internas da construção, mas na era medieval designava o prédio inteiro. Na peça *Medida por Medida*, de Shakespeare, um dos personagens diz: "Hoje minha irmã vai entrar para o claustro."

Em épocas de fome e pobreza, o monastério oferecia uma segurança incomum. Era fornecido até um uniforme, em duas versões: de gala e de uso diário. Os 3 mil homens que ocupavam os cerca de nove monastérios administrados por Pacônio usavam uma túnica de linho ou pele de cabra, cinto, lenço no pescoço e um capuz com a insígnia do mosteiro e, às vezes, da seção em que viviam.

Alguns cristãos concluíram que tanto era possível viver como eremita em uma cabana do deserto quanto junto a uma estrada movimentada. Simeão Estilita, nascido em Cilícia por volta de 390, perto do atual território da Síria, deixou o mosteiro e resolveu construir uma coluna – "*stylos*" é pilar em grego – e viver sobre ela. A coluna, várias vezes aumentada, chegou a uma altura equivalente a um prédio de seis andares. Alimento, água e mensagens eram enviados a ele, lá em cima. Ano após ano, verão e inverno, ele viveu sobre a coluna, cercado por uma grade de madeira, para evitar uma queda. Pregador cativante e gentil, transmitia uma mensagem duas vezes por dia, quando incentivava os ouvintes a olharem para o céu e "imaginar o reino esperado", depois que a famosa coluna não estivesse mais habitada.

> O CORPO PRECISAVA SER DOMADO, PARA PERMITIR QUE O ESPÍRITO E A ALMA TRIUNFASSEM.

Simeão Estilita refletia uma tendência à meditação e à mortificação encontrada no cristianismo. Acreditava-se que os apetites do ser humano representassem um perigo. O corpo precisava ser domado, para permitir que o espírito e a alma triunfassem. Era essa a mensagem transmitida por ele aos que se reuniam junto à coluna para ouvi-lo.

Enquanto homens vivendo no alto de colunas atraíam multidões, os monges e os eremitas ficavam ocultos. De início, viviam apenas no Oriente – as palavras "eremita" e "monge" vêm do grego. No ano

400, novos mosteiros foram projetados ou construídos, da Arábia e da Abissínia à França e ao sudoeste da Escócia.

O primeiro mosteiro da Europa ocidental só foi fundado em 361, perto de Poitiers, no atual território francês. Martinho, o fundador, era um ex-soldado, e o sucesso foi tal, que ele veio a ser bispo de Tours, em 372. Mais de mil e cem anos depois, em homenagem a ele, uma criança recebeu o nome de "Martinho". Era Martinho Lutero, que seria o primeiro protestante.

UM DILEMA CONSTANTE: ENFRENTAR OU RECUAR?

A grande quantidade de eremitas e mosteiros foi surpreendente. A vida de Jesus pouco indicava que viessem a existir cristãos afastados do mundo. Embora tivesse passado quarenta dias e noites no deserto, preparando-se para a nova vida de evangelista, nos anos seguintes Jesus preferiu estar acompanhado, na cidade ou no campo. Ele gostava de celebrar, de ensinar e conversar. Embora rezasse com frequência, não costumava dedicar a maior parte do dia à oração ou à leitura de textos sagrados. Comer em silêncio e afastar as mulheres com certeza eram ideias que não o atraíam.

O objetivo do ministério de Cristo era levar sua mensagem ao mundo, enquanto monges e eremitas geralmente buscavam o isolamento. Cristo, ao percorrer a Galileia, preocupou-se porque "a safra é realmente abundante, mas os trabalhadores são poucos." Então, se o mundo precisava de mais mestres e pregadores, por que permitir que homens e mulheres devotos procurassem o silêncio e o isolamento de mosteiros e conventos? Suas vozes eram necessárias nas estradas, nas sinagogas – onde quer que houvesse pessoas reunidas.

Os reclusos eram quase todos homens, mas cada vez mais mulheres – solteiras e viúvas, em geral – desejavam formar grupos. Elas se uniam para cuidar de membros da congregação que adoecessem. No Império Romano, poucas mulheres eram alfabetizadas, mas muitas se interessaram em aprender a ler, para transmitir a Bíblia às amigas. No *sabbath*, elas organizavam corais e, quando havia necessidade de mais pompa, procissões. As mulheres passaram a usar roupas semelhantes, bem simples.

Aquele foi um passo na direção de reunir as devotas na mesma casa, como monjas. Sendo as mulheres mais numerosas do que os homens nas congregações cristãs, não foi difícil recrutar novas monjas. Enquanto no Antigo Testamento a mulher sem filhos despertava piedade, o cristianismo adotava uma atitude diferente. Alguns líderes cristãos acreditavam que as jovens serviam melhor a Deus quando não eram casadas. Um defensor desse ponto de vista foi o reconhecido teólogo Jerônimo, que diligentemente produzia a Bíblia Vulgata, o texto oficial dos católicos, pelos mais de mil anos seguintes. Ele insistia que as mulheres deviam viver em mosteiros exclusivamente femininos, evitando assim os momentos em que "o desejo excita os sentidos", e exaltava as mulheres solteiras de rosto pálido e aparência frágil, "por causa do jejum". Já naquele tempo a anorexia tinha seus adeptos.

A administração de um mosteiro representava uma tarefa angustiante para mulheres e homens sérios. Basílio, o Grande, nascido em 330 na Capadócia, na Turquia central, pretendia tornar-se professor de retórica, mas foi tocado por Macrina, sua irmã, fundadora de um mosteiro nas terras de propriedade da família. Depois de visitar eremitas e monges que viviam no Egito, ele fundou o próprio mosteiro – o primeiro, perto do que havia sido criado pela irmã – que foi usado como base de seu trabalho filantrópico. Basílio seria o fundador espiritual de uma longa linha de mosteiros que se espalhou pela Rússia e por outras terras eslavas.

CASAMENTO: SIM OU NÃO?

Os líderes do Império Romano tendiam à promiscuidade. Os cristãos, como reação, tomaram o caminho do puritanismo. Os primeiros monges do Egito evitavam o sexo, e muitos cristãos esperavam que seus bispos e sacerdotes vivessem castamente. Mas o cristianismo iniciante, tal como o judaísmo, não proibia o casamento. A questão mais importante era com quem eles se casavam.

Por volta de 305, uma década antes de Constantino passar a proteger e apoiar a Igreja, líderes cristãos, espanhóis em maioria, reuniram-se em Elvira, no sul da Espanha. Sua disposição era clara: eles defendiam a respeitabilidade e a castidade. Os sacerdotes já casados deveriam abster-se do sexo. Se a partir de então tivessem filhos, seriam afastados. No entanto, esses eram ideais, e não regras absolutas.

O influente Concílio de Niceia, reunido em 325, de modo geral repetiu o clamor espanhol por moderação. Somente aos escalões inferiores do clero seria permitido o casamento – uma regra ainda seguida pela Igreja Ortodoxa, onde os padres de paróquias são casados.

No Ocidente, o comportamento do clero não era tão rigidamente imposto.

> NA FRANÇA, NOS CEM ANOS SEGUINTES AO ANO DE 942, HOUVE TRÊS BISPOS CASADOS, COM FILHOS.

Na França, nos cem anos seguintes ao ano de 942, houve três bispos casados, com filhos, e até alguns papas tiveram filhos ilegítimos.

As regras da Igreja eram infringidas com tanta frequência no Ocidente, que alguns reformistas consideravam o casamento dos sacerdotes uma solução conciliatória. Outros observadores, também pragmáticos, discordavam; achavam que devia ser evitado a todo custo o casamento formal de bispos ou padres, porque eles poderiam transferir para os filhos parte das riquezas da Igreja.

O CHAMADO DOS BENEDITINOS

Bento foi talvez o membro mais importante da Igreja, em seu tempo, e a influência exercida por ele ainda aumentou muito depois de sua morte. Nascido em Nórcia, na Itália central, uma cidade de planície, famosa por produtos de carne de porco e *funghi*, utilizados na culinária italiana, mudou-se para Roma, por causa dos estudos. Por volta do ano 500, abandonou o que chamava de "males de Roma", e foi viver como eremita em uma caverna perto de Subiaco. Com cerca de vinte anos, possuía a força interior de um líder natural. Seu primeiro passo para exercer essa liderança foi deixar de ser eremita.

Bento foi assumindo a administração de pequenos mosteiros, até chegar a dez, cada um com doze monges. Como preferia liderar pelo exemplo, manteve a vida contemplativa, em vez de organizar e dar ordens constantemente. Sua última moradia foi o mosteiro que fundou por volta de 529 em Monte Cassino, entre Roma e Nápoles. Pouco afeito a conferências, reunia-se uma vez por ano à irmã, Escolástica, que administrava um convento nas proximidades, para discutirem questões ligadas ao espírito. Ela morreu antes dele, e os dois foram enterrados no mesmo túmulo.

Bento havia aos poucos desenvolvido uma combinação própria de ideias acerca da vida monástica, incluindo aí conceitos defendidos por monges e bispos de locais distantes, como o Egito e a França. Depois da morte de Bento, alguns monges incluíram ainda outras regras, em nome dele.

> "Os monges devem praticar o silêncio em todos os momentos, mas em especial nas horas noturnas."

Muitas eram semelhantes às adotadas pelos primeiros mosteiros do Egito, embora mais elaboradas. Os beneditinos apreciavam ter um abade firme, devoto e paciente, de preferência eleito pelos colegas.

A organização adotada por Bento não permitia a propriedade privada nem as conversas, que ele considerava desperdício de tempo. "Os monges devem praticar o silêncio em todos os momentos, mas em especial nas horas noturnas", determinava a regra de número 42. Nos mosteiros administrados conforme as determinações, até as refeições aconteciam em silêncio, pois os monges deviam dedicar total atenção à leitura das escrituras, feita enquanto comiam. A cada semana um monge era indicado como leitor oficial. Antes que ele começasse a ler, todos diziam três vezes esta oração: "Abre, Senhor, os meus lábios, e minha boca entoará o teu louvor." A oração se espalhou pelo mundo, sendo recitada por milhões de cristãos.

Havia sempre um monge experiente à porta do mosteiro, inclusive durante a noite, pois alguns viajantes se perdiam e chegavam lá em meio à escuridão. Quando o recém-chegado era um peregrino ou um "servo da fé", os monges acorriam humildemente à porta para bem recebê-lo. A regra 53 lembrava que o abade devia unir-se aos outros para cumprir o sagrado dever, "lavando os pés de todos os hóspedes".

Uma das habilidades inusitadas dos beneditinos – pelo menos até o ano de 1100 – era a de fazer cirurgias. Eles fundaram hospitais e enfermarias, plantaram ervas medicinais e tornaram-se os principais cuidadores da saúde dos habitantes da região em torno do mosteiro. Tal como Cristo, seus servos deviam curar os enfermos.

A invasão do sul da Itália pelos lombardos afetou diretamente os primeiros beneditinos. O mosteiro de Monte Cassino, o principal, foi atacado em 577, e permaneceu abandonado por cerca de 140 anos. Depois de alvo de sucessivas invasões, sofreu com ataques dos sarracenos e dos normandos, além dos danos causados pelas armas pesadas da Segunda Guerra Mundial, mas passou por várias reconstruções.

Enquanto isso, os beneditinos se expandiam. Tornaram-se poderosos na França, Alemanha e Holanda, onde fizeram um trabalho importante entre arianos e pagãos, em especial. Das dezessete catedrais que havia na Inglaterra na Idade Média, sete eram controladas por beneditinos, inclusive as de Canterbury (ou Cantuária) e Winchester. A Abadia de Westminster, onde são coroados os monarcas ingleses, era também beneditina.

UMA LUZ NA ESCURIDÃO

Os beneditinos não sentiram necessidade de se estabelecer maciçamente na Irlanda, já que lá os mosteiros prosperavam, ao contrário da maior parte dos mosteiros da Europa, que enfrentavam dificuldades. Em 560, entre os mosteiros ativos, talvez o de Bangor, perto do Mar da

Irlanda e da atual cidade de Belfast, fosse o que estava situado mais ao norte. Fundado por Comgall, o estilo de vida austero do mosteiro, os longos períodos de jejum e os cantos e orações que ocupavam noite e dia atraíam os monges locais. Aquela se tornou a maior casa religiosa da Irlanda, ou talvez das Ilhas Britânicas.

Da Irlanda, os monges partiram para espalhar sua mensagem em regiões onde o cristianismo não era conhecido ou lutava para sobreviver. Columba deixou a Irlanda para fundar um mosteiro e uma igreja na ilha de Iona, na costa oeste da Escócia, enquanto Columbano partiu de Bangor com doze companheiros, para fundar mosteiros na França.

A versão do cristianismo exercida pelos beneditinos era peculiar: para determinar a data em que seria comemorada a Páscoa, utilizavam cálculos diferentes dos empregados em Roma; os monges mais instruídos mantinham o conhecimento do idioma grego, mesmo muito tempo depois que a liturgia em latim passou a ser adotada em regiões a oeste e ao norte de Roma; os abades irlandeses não aceitavam os bispos – uma forma de administração que pertencia às tradições romanas; adoravam uma cruz desenhada por eles – a cruz celta, que guarda alguma semelhança com a cruz copta.

Por algum tempo a Europa ocidental viveu duas migrações simultâneas de monges. Os que saíram da Irlanda com a intenção de fundar novos mosteiros rumaram para leste, percorrendo as regiões onde se situam atualmente Escócia, Inglaterra, França, Suíça, Itália e Áustria. Os que viviam em Roma pretendiam fundar instituições próprias em regiões próximas ao Mar do Norte e à costa sul do Mar Báltico. Assim, em 595, seguindo as instruções do papa Gregório I, Agostinho cruzou o Canal da Mancha e chegou a Canterbury, onde fundou a abadia beneditina que se tornou a mais famosa igreja da Inglaterra.

UM AVISO NO CÉU

Beda foi um monge beneditino que viveu pela maior parte da vida em Jarrow, a nordeste da Inglaterra. Sua vestimenta habitual era um manto de pele de carneiro. Muito curioso acerca do mundo e criterioso na análise do que via e ouvia, escreveu à mão, em latim, um livro sobre o cristianismo, que completou em 731. Seguindo o exemplo de Isidoro de Sevilha, Beda organizou uma lista do que considerava os eventos mais significativos do mundo moderno, a começar pelo nascimento de Cristo. Diz-se que foi o melhor livro do gênero escrito na Europa, na época.

Com uma simplicidade encantadora, o livro de Beda começa assim: "A Britânia, antes conhecida com Álbion, é uma ilha no oceano."

Beda apreciava o clima da Inglaterra e da Irlanda, notando como as videiras floresciam em ambas as ilhas. Realmente, os habitantes das terras frias do norte da Europa devem ter recebido bem aquele período de aquecimento global, na Idade Média. Ele relatava que, ao contrário da Irlanda, havia muitas serpentes na Britânia. Recusando-se a aceitar o mito de que São Patrício eliminava as serpentes da Irlanda, Beda ingenuamente explicou que as serpentes levadas nos navios "morriam ao respirar o ar irlandês". O livro termina com uma prece "a ti, nobre Jesus", e com a esperança de poder "viver na tua presença para sempre". Em uma nota de esclarecimento, Beda se refere aos "que possam ouvir ou ler esta história". Ouvir ou ler? A sequência de palavras mostra que os seguidores de Beda eram, em maioria, analfabetos, e dependiam de alguém que lesse o livro para eles em voz alta.

Aquele foi um tempo perigoso para todos os cristãos. Em janeiro de 729, um evento agitou a região: dois cometas surgiram no céu, e por duas semanas puderam ser vistos como "tochas incandescentes", conforme as palavras do próprio Beda. As pessoas deviam acorrer para olhar, porque cometas eram considerados mensageiros de más notícias – possivelmente calamidades. No mesmo período, os muçulmanos conquistaram a Palestina, a Síria e as terras do litoral norte da África, e avançavam para a Espanha. Significariam aqueles cometas que os muçulmanos estavam prestes a obter uma vitória maciça sobre o cristianismo? Talvez Itália, França e Inglaterra fossem tomadas. Segundo Beda, os cometas aterrorizaram os ingleses.

CAPÍTULO 8

A ASCENSÃO DO ISLAMISMO

No ano de 600, na metade ocidental da Europa, o cristianismo lentamente se recuperava do declínio de Roma e do colapso do Império Romano ocidental. Na metade oriental da Europa, o cristianismo se mostrava mais poderoso. Constantinopla crescia em esplendor e em população. Seu domínio sobre terra e mar permanecia intacto, e lá estavam quatro das cinco cidades cristãs mais importantes do mundo e seus bispos, então conhecidos como patriarcas. Ao mesmo tempo, porém, a região era cenário de controvérsias religiosas e territoriais, o que a tornava vulnerável, mesmo antes do surgimento do islamismo.

DA CALCEDÔNIA À CHINA

No Oriente cristão, a controvérsia acerca do *status* relativo de Deus e de Cristo não havia desaparecido. Levantado vigorosamente no século quarto por Ário, o talentoso pregador de Alexandria, o debate envolveu batalhões de teólogos. As ideias de Ário, que tinham sido derrotadas, reapareceram com nova roupagem; eram importantes demais para serem descartadas definitivamente. Mais uma vez as cidades rivais, Alexandria e Constantinopla, foram os cenários dessa recorrente controvérsia.

O bispo Nestório, ex-monge, era o patriarca de Constantinopla desde 428. Como a capital do Império Romano estava instalada na cidade, sua voz podia ser ouvida em quase toda a região do Mediterrâneo. Repetindo Ário, ele afirmava que Cristo não era igual a Deus. Segundo Nestório, Cristo possuía duas naturezas distintas – uma divina, outra humana – que coexistiam lado a lado. As implicações e sutilezas de tal proposta, que escapam ao entendimento de muitos de nós, eram aceitas por devotos sérios da época. Ainda que não a compreendessem perfeitamente, os cristãos, em sua maioria, sentiam-se emocionalmente atraídos por um dos lados.

Nestório foi acusado de blasfemar, pois contradizia a visão corrente da Igreja, segundo a qual Cristo, sendo igual a Deus, possuía apenas a natureza divina. A discordância afetou também o *status* de Maria, cada vez mais reverenciada como a mãe de Deus pelos bispos que seguiam a tendência de então. Se Cristo não era tão importante quanto fora proclamado anteriormente, Maria também não era.

> TODA A IGREJA FOI CONVOCADA PARA UM CONCÍLIO EM ÉFESO, NA ÁSIA MENOR, EM JUNHO DE 431.

Toda a Igreja foi convocada para um concílio em Éfeso, na Ásia Menor, em junho de 431. Hoje em ruínas, praticamente uma cidade-fantasma, Éfeso era uma cidade grandiosa. Depois de sérias discussões e certa manipulação política, o patriarca Nestório foi condenado. O estudioso e pregador, antes tão poderoso, viu-se banido de Constantinopla pelo imperador. Primeiramente exilado em Petra, na Arábia, mais tarde teve de mudar-se para o Grande Oásis, no sul do Egito, onde, longe dos antigos amigos e admiradores, morreu.

Outro concílio se reuniu na Calcedônia, vinte anos depois. Havia mais de quinhentos bispos presentes, mas apenas dois vinham de Roma e da Europa ocidental. Na verdade, o concílio não deu razão a nenhum dos lados da disputa. Com a aprovação final do imperador, em Constantinopla, e do papa, em Roma, chegou-se, em um acordo delicado, à conclusão de que Cristo tinha duas naturezas indivisíveis e imutáveis, unidas quase milagrosamente em uma só pessoa. Tal doutrina é aceita oficialmente até hoje pelas Igrejas Católica e Ortodoxa, mas nos séculos quinto e sexto era grande o número de cristãos descontentes com a solução. Alguns chegaram a chamar os participantes do concílio de indecisos. Na verdade, nenhum texto, ainda que adornado de belas ideias, satisfaria pessoas de opiniões tão diferentes.

A controvérsia e o tratamento dado a essa doutrina tiveram más consequências. Em Constantinopla, sucessivos governantes buscaram a coesão e a unidade do império, mas, sem querer, acabaram promovendo o contrário.

Nestório havia deixado muitos seguidores entusiasmados; suas ideias não desapareceriam facilmente. Eles formaram uma seita à parte, com um patriarca próprio, que foi se espalhando em direção à Arábia. Lá, conta-se que um de seus monges, de nome Sérgio, ensinou a Maomé sobre o cristianismo. Na Ásia central fundaram congregações em Samarcanda e Harat, que foram provavelmente as posições cristãs mais a leste, na época.

> EM CONSTANTINOPLA, SUCESSIVOS GOVERNANTES BUSCARAM A COESÃO E A UNIDADE DO IMPÉRIO.

Alguns dos bravos seguidores de Nestório – talvez comerciantes da longa rota da seda, que cortava a Ásia – estabeleceram-se em Xian, na parte oeste do território da China. Sob a denominação de Igreja do Oriente, mantiveram-se com dificuldade, e no século 11 haviam estabelecido locais de reuniões e templos em apenas quinze cidades chinesas. Sua influência chegou ao jovem Gêngis Khan, que tinha entre seus patronos um nestoriano batizado.

UMA ONDA DE INSATISFAÇÃO

Os simpatizantes da doutrina tradicional – diferentemente dos nestorianos – acreditavam em igualdade de posições entre Deus e Cristo. Eram conhecidos como monofisistas. O prefixo "mono", como se sabe, significa "um". Eles se mantinham firmes. Havia redutos deles na cidade de Alexandria e, ainda mais numerosos, nas áreas rurais do Egito. Suas crenças chegaram ao Sudão, onde o rei, um núbio, se convertera recentemente ao cristianismo. Os monofisistas dominaram a antiga e isolada Igreja Cristã da Etiópia e chegaram a ser populares por algum tempo em vários portos de comércio da Arábia. Na Síria, onde a cidade de Antioquia apoiava os nestorianos, foram poderosos, mas não dominantes. Próximo ao Mar Negro, sua doutrina se manteve popular no antigo reino cristão da Armênia e também, por algum tempo, na adjacente Geórgia.

Com isso, grande parte do Império Bizantino e algumas regiões do entorno seguiam uma doutrina não aprovada pela capital, Constantinopla. A cisão era, ao mesmo tempo, étnica, política e religiosa. Enquanto em Constantinopla falava-se o grego clássico, idiomas estrangeiros, como o armênio, o siríaco, o etíope e o copta predominavam nos locais e congregações dissidentes.

De todas essas regiões, o Egito deve ter sido a mais persistente fonte de dissidência. Um século e meio mais tarde, a insatisfação ainda atormentava a maioria dos cristãos egípcios. Um sinal disso era a preferência por cerimônias e serviços religiosos na língua copta nativa, em lugar do grego tradicional. Sentindo-se oprimidos por Constantinopla e por uma religião oficial, esses fiéis ficavam tentados a receber bem um novo governante, caso surgisse. E na mesma época, por acaso, surgiu. Do outro lado do Mar Vermelho, dizendo ter criado uma nova religião. Era o islamismo.

A ASCENSÃO DE MAOMÉ

Maomé nasceu na Arábia em 570. A península, superpopulosa, abrigava tribos feudais e era oprimida por dois impérios rivais: o persa em uma extremidade e o bizantino em outra. Somente quando os dois impérios entraram em guerra e enfraqueceram-se mutuamente, a Arábia pôde ocupar o espaço de que necessitava. Seus vastos desertos abrigavam rotas comerciais importantes, e Maomé, quando jovem, viajava em caravanas de camelos para mercados distantes. Ao conviver com cristãos e judeus, ele absorveu muitos de seus preceitos e histórias bíblicas. Então, sob a influência de experiências religiosas, começou a formular uma teoria islâmica própria, que revelou ao público pela primeira vez aos 46 anos de idade, quando se sentiu maduro para fundar uma religião importante.

Maomé combinava intensas visões religiosas a ambiciosos objetivos militares. Para estabelecer uma base segura na Arábia central, empregou o poderio bélico na conquista de Meca, em 630. Ele morreu dois anos depois. Seus seguidores muçulmanos, orgulhosos nacionalistas árabes, interessados ao mesmo tempo em progresso religioso e econômico, ampliaram suas vitórias. O sucesso veio rapidamente, em parte porque avançaram sobre as pegadas das recentes conquistas dos persas em muitas regiões da Ásia Menor e do Egito. Os habitantes de várias dessas regiões preferiam os muçulmanos aos persas. Até certos setores do cristianismo receberam relativamente bem os exércitos muçulmanos.

Decorridos apenas três anos da morte de Maomé, a cavalaria muçulmana capturou Beirute e Damasco. Jerusalém, no entanto, não foi conquistada tão facilmente.

As forças bizantinas que defendiam Jerusalém só se renderam em 638, depois de um ano de forte resistência. As condições da tomada, porém, não foram das mais cruéis. A igreja do Santo Sepulcro, tida como o local onde Cristo foi sepultado, permaneceu um santuário cristão, enquanto posteriormente uma mesquita islâmica, a Cúpula da Rocha, foi erguida no espaço vazio que antes abrigava o Grande Templo dos judeus. Ninguém poderia prever que Jerusalém permaneceria em posse dos muçulmanos durante 11 dos 13 séculos seguintes.

A antiga cidade cristã de Antioquia e o porto de Basra, perto do Golfo Pérsico – distantes cerca de 1,2 mil quilômetros um do outro – foram também capturados em 638. Dali a quatro anos, a maior parte do território egípcio era finalmente tomada, dessa vez por um pequeno exército muçulmano. Quase todo o extenso litoral norte da África foi conquistado antes de 675. O chamado do islamismo alcançou até o silêncio do anoitecer e do amanhecer na periferia do deserto do Saara.

A perda do norte da África foi um golpe devastador para o cristianismo, que florescia na região costeira, com seus oásis e vales férteis. As cidades de Alexandria, Cartago e Hipona abrigavam provavelmente mais criativos e atuantes teólogos da época, enquanto o rio Nilo e o deserto próximo viam nascer mosteiros e cabanas de eremitas. O norte da África não possuía um lugar sagrado, como Roma, mas produziu mentes capazes de discutir o que realmente significa "sagrado".

A conquista do Egito com tanta facilidade representou um triunfo para os pequenos exércitos do Islã. A farta produção de grãos nas margens e no delta do rio Nilo era escoada por uma verdadeira procissão de navios de carga, responsáveis pela alimentação da maioria dos habitantes de Constantinopla. Com o sistema de tributação implementado pelos árabes, o Egito se tornou uma ótima fonte de renda, mas houve também aumento do poderio naval: estaleiros bizantinos em Alexandria foram invadidos; navios de madeira foram fabricados em grande quantidade; e as forças muçulmanas, antes fortes em terra e fracas no mar, tornaram-se cada vez mais vitoriosas. Em 674, Constantinopla se viu cercada por navios muçulmanos.

> A PERDA DO NORTE DA ÁFRICA FOI UM GOLPE DEVASTADOR PARA O CRISTIANISMO, QUE FLORESCIA NA REGIÃO COSTEIRA.

Ao fim do século, a extensão do território muçulmano era notável. A história do mundo não registrava até então um avanço tão rápido. Ironicamente, os invasores às vezes eram saudados em silêncio por judeus, samaritanos e até por cristãos dissidentes, insatisfeitos com o domínio religioso e político de Constantinopla.

Gibraltar, a porta para o oceano Atlântico, caiu em 711. A Espanha, terra de tantos mártires do cristianismo, com certeza tentou defender seus mosteiros, conventos, catedrais, escolas, instituições beneficentes, e igrejas urbanas e rurais, mas em dez anos praticamente todo o seu território, bem como o território de Portugal, estavam sob controle muçulmano. Partes do sul da França foram também capturadas. Somente dali a setecentos anos aquela região da Europa voltaria às mãos de governantes cristãos.

Seria possível que Roma sucumbisse ao avanço das forças muçulmanas? A cidade se tornara quartel-general de uma religião, não mais de um exército. Não contava sequer com muros para sua defesa. Em 846, cerca de quinhentos cavaleiros muçulmanos, depois de desembarcar na foz do rio Tibre, entraram em Roma, onde pilharam tesouros e as sepulturas sagradas de São Pedro e São Paulo.

Enquanto isso, na Ásia Menor, exércitos árabes avançavam. Tomaram a Pérsia, o território hoje ocupado pelo Iraque, e ainda a maior parte do oeste da Turquia e da Armênia cristã. Quase todo o atual Paquistão se tornou província do Islã, e até Sind, na Índia, foi ocupada brevemente. Na Ásia central, na costa ao sul do Mar Cáspio e mais a leste, antigos templos pagãos se transformavam em mesquitas, enquanto mesquitas novas eram construídas.

VISÃO DO ISLAMISMO SOBRE A VIDA E A MORTE

Os milhões de cristãos e judeus que viviam nas terras recém-ocupadas logo aprenderam os pontos básicos da nova religião. Tal como os cristãos e os judeus, os muçulmanos acreditavam na existência de um Deus único, sem rivais ou semelhantes. O islamismo não reconhece a equivalência de Deus e Cristo. Em seu livro sagrado, o Corão, "Jesus, o Nazareno" é mencionado quatorze vezes e descrito como um profeta notável, embora não tão sábio quanto Maomé. O Corão insiste que Cristo não pode ser filho de Deus. Só existe um Deus, chamado Alá, "elevado demais para ter um filho".

Tal como os cristãos, os muçulmanos se referiam ao "dia do juízo", com uma estrada levando ao inferno e outra ao paraíso. No entanto, talvez seu paraíso fosse mais atraente, e seu inferno mais assustador do que o paraíso e o inferno guardados na mente da maioria dos cristãos.

A estrada que levava os muçulmanos ao paraíso era guarnecida de obrigações. Uma delas, se houvesse necessidade, era participar de uma guerra santa.

Em tempos normais, o islamismo era uma religião exigente. Os praticantes deviam adorar Alá sete vezes por dia, em atitude de concentração, sendo a primeira ao amanhecer. Todo ano, durante o mês sagrado do Ramadã, eles se abstinham de comer e beber, entre o nascer e o pôr do sol. A sexta-feira, e não o domingo, era o dia sagrado. A música desviava a atenção, e a arte sacra representava um sacrilégio. Durante a adoração, eles ficavam quase o tempo todo sentados ou curvados sobre um tapete. O costume de rezar sobre um tapete provavelmente foi copiado dos mosteiros cristãos.

No século sétimo, o islamismo apresentava mais semelhança com a corrente radical do protestantismo – um movimento que surgiria muito depois – do que com o cristianismo de Roma. O islamismo tinha certa tendência à austeridade, visível na proibição do álcool e na simplicidade das cerimônias religiosas. A austeridade, porém, desaparecia por completo no paraíso, que anunciava prazeres proibidos no céu dos cristãos. Um estudioso francês assim comentou a posição de Maomé diante da sexualidade: Com uma atitude ousada, Maomé resolveu sumariamente "esta incômoda questão da prática sexual correta, que para os cristãos – e para os católicos em especial – é a parte mais difícil da moralidade." O islamismo permitia que o homem com condições financeiras possuísse várias mulheres e amantes.

Os escritos de Maomé, reunidos depois de sua morte, não resultaram em um texto tão longo quanto a Bíblia dos cristãos. Produzidos por uma única pessoa, tinham mais unidade e não deram origem a tantas discussões teológicas.

A VIDA NAS TERRAS CONQUISTADAS

Os cristãos, em sua maioria, sofreram com as invasões, pois cabia a eles e aos judeus fornecer, por meio do pagamento de impostos, a receita exigida pelo governante árabe. Houve ocasionais conversões compulsórias ao islamismo, mas era proibido aos cristãos tentar converter os invasores ao cristianismo. Quando um cristão se convertia ao islamismo, não podia mais voltar à religião antiga. Ciro de Harran foi executado em 770 por essa imperdoável ofensa. Novos templos cristãos podiam ser construídos, desde que com autorização oficial e de modo que não ultrapassassem a altura de alguma mesquita próxima. Além disso, os sinos tinham de soar suavemente, para não abafar as orações na mesquita. Os cristãos eram proibidos de cavalgar, provavelmente porque um cavalo veloz poderia ser utilizado como arma.

A maioria dos cristãos aceitou parte da cultura dos invasores. Muitos mosteiros ortodoxos passaram a rezar em árabe. Com o passar dos séculos, as congregações cristãs remanescentes decidiram conduzir os serviços religiosos em árabe, mas continuaram a rezar o Pai-Nosso em grego, aramaico ou qualquer que fosse o seu idioma original.

No ano de 800, mais da metade dos cristãos do mundo conhecido vivia sob o Islã.

A proporção de muçulmanos nas terras por eles conquistadas cresceu lentamente. Para acomodar os novos fiéis, os muçulmanos confiscaram as maiores igrejas cristãs, convertendo-as em mesquitas. Durante as reformas, praticamente todos os mosaicos e pinturas foram eliminados. Os danos à arte sacra devem ter sido colossais.

AS INVASÕES DOS *VIKINGS*

Enquanto os muçulmanos ocupavam permanentemente uma vasta extensão do litoral do mar Mediterrâneo e as terras do interior, pressionando os cristãos, outro adversário – os *vikings* – pressionava os cristãos nas regiões frias do norte da Europa. Assim, o cristianismo perdia terreno em duas frentes.

Os *vikings*, com suas longas embarcações, começaram a atacar as Ilhas Britânicas. Um dos locais mais sagrados da Inglaterra era Lindisfarne, mais tarde conhecida como Ilha Sagrada – *Holy Island* – onde havia um mosteiro e uma igreja dedicada a São Cuthbert. Em 793, a igreja ficou "manchada com o sangue dos sacerdotes de Deus" pelos *vikings* que lá desembarcaram. Até o altar foi escavado, em busca de ouro e prata. O historiador inglês Simeão de Durham descreveu a tragédia com cores fortes: "Mataram alguns, puseram outros a ferros e levaram embora. Outros ainda foram expulsos, nus, insultados, enquanto alguns foram simplesmente jogados ao mar." A Ilha Sagrada seria invadida novamente em 875.

Mais tarde, os *vikings* atacaram a costa da França, com rápidas incursões a Bordeaux e Toulouse, abordando navios e portos nos territórios onde se situam atualmente Portugal e Espanha. Alcançaram o Mar Mediterrâneo, onde encontraram embarcações dos muçulmanos. Os *vikings* chegaram como invasores, mas muitos se estabeleceram como colonizadores.

Enquanto conquistavam pelas armas, os *vikings* eram conquistados pelas ideias, e muitos de seus líderes aceitaram uma nova ideia chamada cristianismo. O mais notável foi o rei Canuto, que, ansioso por novas conversões, enviou missionários à Dinamarca e à Noruega, e chegou a fazer uma peregrinação a Roma. Ao se tornarem cristãos, a maioria dos escandinavos não teve escolha, a não ser obedecer aos governantes.

CAPÍTULO 9

A BATALHA DAS IMAGENS

As duas Igrejas e seus impérios clericais tomaram caminhos diferentes. O papa, que vivia em Roma, não se encontrava com o patriarca, que vivia em Constantinopla. Eles raramente faziam com que delegações atravessassem os mares para discutir pessoalmente divergências ou questões de interesse comum. Mercadores de Veneza, de outras cidades italianas e de Constantinopla encontravam-se frequentemente nos lugares onde aportavam, mas, quando queriam rezar, procuravam igrejas diferentes.

Na Igreja do Oriente, as orações eram feitas em grego; no Ocidente, em latim. As posições diante do casamento e do celibato também diferiam: na Igreja Ocidental os padres não podiam casar; no Oriente, os padres e religiosos dos mais baixos escalões eram casados. Em um típico vilarejo cristão na Ásia Menor ou nos Bálcãs, o padre vivia com a esposa e a família, e todos faziam parte da rotina do lugar. Em contraste, na Itália e na França o padre não tinha esposa, embora às vezes tivesse amantes. A semelhança entre Oriente e Ocidente estava no fato de os bispos e outros líderes serem celibatários. Se um padre ortodoxo era promovido a bispo, tinha de deixar a mulher, que geralmente entrava para um convento.

No ano de 900, a diferença entre alguns rituais resultava de decisões bem pensadas e, às vezes, dolorosas. Assim, a Igreja Ortodoxa se concentrava nos cânticos, e compositores talentosos, inclusive imigrantes italianos, compuseram hinos magníficos. No entanto, os instrumentos foram banidos. Nas igrejas católicas, usava-se, para a celebração da Eucaristia, pão sem fermento, achatado e fino como um biscoito. Nas igrejas rivais o pão era pequeno e alto, fermentado; seu crescimento simbolizava o poder inspirador do Espírito Santo.

Nenhuma questão ilustra melhor os contrastes entre as duas Igrejas do que as imagens. De início, no cristianismo, tal como no judaísmo, não havia figuras ou imagens de profetas ou santos – nem de Cristo. Símbolos e sinais, porém, eram permitidos. Cristo às vezes era representado por um peixe ou um pastor; a Igreja, como um navio; e Jonas e a baleia simbolizavam a morte e a ressurreição. Decorridos alguns séculos, esses símbolos foram substituídos, tanto no Oriente quanto no Ocidente, por pinturas fiéis de Cristo e dos santos. A partir de então as pessoas passaram a encontrar nas igrejas, pintadas no teto, na parede ou compostas em mosaico, figuras humanas que pareciam observá-las diretamente. No ano 600, as imagens cristãs eram muitas. Feitas de prata, ouro, marfim ou pedras preciosas, frequentemente representavam cenas da vida de Cristo.

> DE INÍCIO, NO CRISTIANISMO, TAL COMO NO JUDAÍSMO, NÃO HAVIA FIGURAS OU IMAGENS DE PROFETAS OU SANTOS.

O Antigo Testamento justificava essa reverência diante de meros símbolos ou pinturas? O Livro do Deuteronômio e seus éditos advertiam que as pessoas não devem fazer imagens nem prostrar-se diante de estátuas. O édito vinha do alto, sob a forma de uma voz solene: "Eu, o Senhor teu Deus, sou um Deus ciumento." Adorar uma representação era claramente uma prática questionável. Valorizar uma representação simplesmente como um elemento auxiliar da adoração e da reza, porém, era com certeza uma prática razoável. E começou a discussão.

Em religião, tal como na culinária ou no vestuário, existem modas e tendências. No Oriente, as imagens começaram a provocar críticas. Lá, pinturas e mosaicos em catedrais, igrejas e residências eram cada vez mais considerados heresia, e um desafio ao próprio Cristo.

O imperador bizantino e as autoridades responsáveis pela defesa do império tinham uma visão contrária. Nas primeiras décadas de existência da cidade de Constantinopla, acreditava-se que seu território estivesse a salvo de ataques por ter os muros protegidos por uma pintura ou imagem da mãe de Deus. Mas alguém notou que os muçulmanos, em sua recente conquista das terras cristãs do Mediterrâneo, tinham cuidadosamente evitado exibir pinturas e estátuas. Quem sabe seriam as vitórias muçulmanas parcialmente resultantes de sua recusa em adorar símbolos? Em 717, mais uma vez as forças cristãs tiveram de defender Constantinopla de um perigoso ataque dos muçulmanos. Talvez Deus, ao ver seus mandamentos obedecidos, favorecesse os muçulmanos.

Generais e almirantes – e até o próprio imperador – tinham então uma razão para opor-se à adoração de imagens em Constantinopla e no Império Bizantino. Os bispos também tinham suas razões: queriam converter judeus e muçulmanos ao cristianismo, e ambas as religiões rejeitavam imagens. Assim, a conversão seria mais fácil se o cristianismo abandonasse a reverência às imagens. Além disso, na Ásia Menor as dezenas de milhões de cristãos ortodoxos recentemente dominados pelos muçulmanos não ofenderiam tanto os novos governantes se suas igrejas deixassem de exibir imagens.

> EM CONSTANTINOPLA, NO ANO DE 730, O IMPERADOR LEÃO III CONDENOU A TRADICIONAL REVERÊNCIA A IMAGENS.

Os adversários da utilização de símbolos sentiram-se vitoriosos. Por outro lado, os monges, em especial, admiravam as imagens, e muitos dos fiéis comuns encontravam a paz interior, por manterem em lugar de destaque na casa uma simples representação de Cristo.

Em Constantinopla, no ano de 730, o imperador Leão III condenou a tradicional reverência a imagens e aconselhou que fossem destruídas. Esse movimento reformista, conhecido como iconoclasmo ou iconoclastia, pode parecer uma cruzada contra a arte, mas não foi. As igrejas continuavam a ostentar nas paredes mosaicos com cenas do paraíso; só não se via o rosto de Cristo.

A morte de Teófilo, em 842, precedeu o fim da destruição das imagens. No ano seguinte, no primeiro domingo da Quaresma, a Igreja Ortodoxa ou Bizantina destacou pela primeira vez uma data ainda celebrada em seu calendário: o triunfo da ortodoxia. As imagens reapareceram. No entanto, a dúvida sobre se seria sensato ou pecaminoso venerá-las representava um aspecto poderoso e emocional, e não desapareceu. Uma nova campanha envolvendo as imagens surgiria cerca de sete séculos depois, com o advento do protestantismo.

As imagens, então reabilitadas, tornaram-se mais importantes para a Igreja Oriental do que tinham sido na Igreja Ocidental. As pessoas passaram a usar no pescoço, presas a uma corrente comprida, pequenas representações de Cristo, de Pedro e de outros apóstolos, além de seus santos preferidos. Medalhas um pouco maiores às vezes guardavam inscrições, como "Senhor, socorre o teu servo".

A bela imperatriz Zoé pôde ser vista dirigindo-se carinhosamente a uma imagem favorita. "Eu mesmo", escreveu um observador, "a vejo com frequência em momentos de grande aflição, pegar e contemplar o objeto sagrado, falando com ele como se estivesse vivo, em uma sucessão de palavras amorosas."

PADRE, PATRIARCA E MONGE

Para a maioria dos cristãos bizantinos que viviam em vilarejos e cidadezinhas por volta do período entre 1100 e 1200, o padre local era muito importante. Ele rezava pedindo chuva nos períodos de seca e costumava abençoar: a casa, antes de ser ocupada pela família; a semeadura de grãos ou o plantio de um vinhedo; a colheita e a armazenagem de grãos; os bichos-da-seda instalados nos quintais das propriedades; e as redes, nos barcos de madeira, em regiões que dependiam da pesca.

Nos vilarejos, a igreja era um importante local de reunião. Rapazes e moças faziam lá suas cerimônias de noivado formal e casamento, quando era celebrada a Eucaristia. Os funerais aconteciam também na igreja, de onde os amigos e parentes enlutados iam para o cemitério, onde o corpo era sepultado envolto em uma mortalha, sem a proteção de um caixão. A cabeça do morto, geralmente apoiada em um travesseiro de pedra, ficava voltada para o leste, de modo que ele pudesse ver o sol nascer e admirar a tão esperada manhã em que Cristo retornaria à Terra.

A cidade de Constantinopla era palco de elaboradas cerimônias religiosas, mais esplendorosas do que as de Roma. O imperador e o patriarca se postavam juntos diante do altar, sentados ou de pé sob a cúpula da basílica de Santa Sofia, uma igreja grandiosa dedicada à Sagrada Sabedoria de Deus. O imperador indicava o patriarca, a quem era superior. Em raras ocasiões o patriarca foi destituído pelo imperador.

A cidade grande e o mosteiro nem sempre se mostravam compatíveis. O mosteiro precisava de silêncio e solidão, enquanto a cidade servia como centro de comércio e convivência. Nos primeiros tempos da cidade de Bizâncio ou Constantinopla, não era permitida lá a instalação de mosteiros. Com o tempo, porém, a proibição foi relaxada, e construíram-se mosteiros dentro e nos arredores da cidade. Em algum momento da era cristã, eles chegaram a somar 344, pelo menos.

Os mais notáveis mosteiros surgiram em um promontório estreito, de terreno acidentado, onde fica atualmente a Grécia – o monte Athos ou Montanha Sagrada, ainda hoje um local procurado por monges. O pico branco do monte Athos contempla de cima o mar Egeu, margeado pelos rochedos que ligavam os grandes mosteiros a pequenos povoados e às moradias de muitos eremitas. Das embarcações que cortam o mar Egeu é possível ver, ladeira acima, as edificações cercadas por altos muros.

O primeiro dos grandes mosteiros, o Grande Laura, foi inaugurado na década de 960, praticamente transformando a montanha em uma zona de quarentena para o espírito. Em 1045, uma determinação aprovada pelo imperador baniu da região todas as mulheres. Nem animais do sexo feminino poderiam viver lá. Logo o monte Athos se tornou uma espécie de república religiosa de governo autônomo, mas subordinada a Constantinopla. Decorridos três séculos, guardavam-se lá valiosos manuscritos produzidos no início do cristianismo, e havia quase quarenta mosteiros, representando as diferentes pátrias da Igreja Ortodoxa – Sérvia, Geórgia, Rússia, Grécia, Bizâncio. Encontrava-se até um mosteiro ligado ao porto italiano de Amalfi. Nem na França se via tal concentração de mosteiros em uma área tão reduzida.

Os mosteiros com vista para o mar tanto podiam servir como fonte de novas ideias, como encontrar em seus muros barreiras que impediam a disseminação de tais ideias. Às vezes, cabia a eles a tarefa de resolver disputas teológicas. Imperadores costumavam visitar os mosteiros, e até se hospedavam lá por algum tempo.

> UMA DETERMINAÇÃO DO IMPERADOR BANIU TODAS AS MULHERES DOS MOSTEIROS.

Milhares de mosteiros e conventos se espalharam pelo império governado por Constantinopla. Muitos ofereciam ajuda financeira e apoio moral, administravam orfanatos e hospitais, alimentavam os famintos que batiam à sua porta, e cuidavam de bibliotecas de textos religiosos e coleções de relíquias sacras.

"FICARAM PARA TRÁS OS PRAZERES ENGANADORES"

Talvez um em cada quatro mosteiros ortodoxos estivesse sob o comando de mulheres. A superiora mantinha as regras criadas pelos fundadores, cuidando da disciplina e da moral. Vendo-se como mãe e guardiã, mestra e consoladora dos que viviam dentro dos muros do mosteiro, assumia as tarefas de verificar se, na capela, as velas eram repostas e acesas, se as monjas desempenhavam suas funções e se o coro cantava os salmos corretamente. Ela às vezes sentia a solidão da posição que ocupava, pois muitas vidas ficavam a seu cuidado.

A partir de 810, foi evitada a localização muito próxima de conventos e mosteiros. As visitas masculinas passaram a ser rigidamente controladas. Em Constantinopla, um convento determinou que lá só seriam recebidos padres eunucos. Até o médico chamado para tratar doentes graves tinha de ser eunuco ou muito idoso. Em 1200, as regras já estavam mais brandas: o convento que recebesse necessitados tinha de permitir que as monjas se misturassem ao povo, às vezes homens e mulheres.

Algumas monjas eram viúvas que haviam procurado o convento logo depois da morte do marido. Teodora, sobrinha de um imperador, entrou para um convento em 1285. Era então uma viúva de 25 anos, com dois filhos pequenos, que teve de deixar do lado de fora, e uma filha que, segundo esperava, viria a ser "noiva de Cristo".

> A PARTIR DE 810, FOI EVITADA A LOCALIZAÇÃO MUITO PRÓXIMA DE CONVENTOS E MOSTEIROS.

Teodora assim descreveu o sacrifício de abandonar a vida mundana, de que tanto gostava: "Ao desprezar todo o deleite e abandonar de coração os prazeres enganadores desta vida deliciosa e divertida, eu me entreguei a este convento." O consolo era estar na companhia da filha – "a alegre e encantadora luz dos meus olhos, meu mais doce amor, a chama do meu coração, meu ar e minha vida, a esperança da minha velhice."

Um convento típico, a dez dias de viagem de uma cidade grande, costumava conter banheiros, dormitórios, cozinha, padaria, celeiro, lavanderia, oficina de tecido e couro, pomar, jardim, estábulo, depósito de material, caixa de esmolas e – em lugar de honra – capela e cemitério.

O salão de jantar refletia a seriedade do dia a dia. Um texto religioso era lido em voz alta por uma monja enquanto as outras comiam. Nenhum outro som quebrava o silêncio.

À superiora de um convento bizantino cabia uma tarefa muito séria. No dia do juízo, quando as almas dos mortos seriam julgadas por Deus, ela deveria falar em nome das monjas, explicando os defeitos e as virtudes de cada uma, dessa forma "prestando contas" ao próprio Cristo. Conclui-se que um convento medieval, no Oriente ou Ocidente, representava uma hospedaria na estrada espiritual; a estrada era muito mais importante do que o local de parada.

VLADIMIR DE KIEV, O SOL RESPLANDECENTE

Durante séculos, a Igreja Ocidental, baseada em Roma, foi o ramo mais fraco do cristianismo. Foi também a que menos se expandiu. Seus bispos não percebiam o vigor do avanço dos missionários ortodoxos pelo interior da Europa oriental, em direção à Sibéria.

Na década de 860, Basílio levou com algum sucesso a mensagem cristã a cazários, morávios e búlgaros. Ao mesmo tempo, dois irmãos, Cirilo e Metódico, originários do porto de Tessalônica, atuavam entre os povos eslavos. Como seu idioma, o grego, não era entendido em quase toda aquela parte da Europa oriental e central onde pregavam, eles traduziram os documentos e liturgias principais para a língua eslava, inclusive criando um alfabeto. Tornaram-se, assim, os virtuais fundadores da literatura eslava.

Em 988, a Rússia e as regiões próximas lentamente começavam a adotar o cristianismo. O príncipe Vladimir, às vezes chamado de Sol Resplandecente, governava o importante estado de Kiev, cortado pela rota comercial que ligava o mar Báltico ao mar Negro. Sua conversão representou uma vitória para o cristianismo. Ele havia cogitado tornar-se judeu, mas foi conquistado pela beleza e grandiosidade dos serviços religiosos da Igreja Ortodoxa. Seus leais súditos tiveram de segui-lo, e foram batizados no rio Dnieper.

Decorridos cinquenta anos, a catedral de Santa Sofia foi construída em Kiev, e por dois séculos foi mais importante do que qualquer igreja de Moscou. Parte da influência de Kiev vinha dos mosteiros fundados por Antônio, um monge vindo de Monte Athos. Afinal o cristianismo avançava devagar rumo ao Oriente, e aos poucos uma cadeia de igrejas ortodoxas se estendeu dos montes Urais ao oceano Pacífico.

CAPÍTULO 10

POR TRÁS DOS MUROS DOS MOSTEIROS FRANCESES

No ano 1000, era geral a expectativa pela tão aguardada segunda vinda de Cristo, e manifestou-se um despertar da religiosidade. Mosteiros e conventos se multiplicavam, cheios de determinação. Um número cada vez maior de eremitas tentava levar uma vida espartana e solitária. As montanhas da Itália central e as florestas da França eram os locais mais procurados.

Roma custou a despertar. Não se escolhia o papa por mérito, mas com base nas pressões dos donos de terras italianos e nas ameaças de imperadores germânicos. Os resultados eram previsíveis. Dificilmente um homem santo seria indicado papa e, caso isso acontecesse, ele provavelmente teria vida curta. Em 1012, a história então recente dos papas era impressionante: seis papas assassinados no espaço de 140 anos. Um deles, Leão V, foi morto pelo homem que o sucedeu. Outro, João XII, eleito aos 18 anos para função tão importante, morreu nos braços de uma mulher casada, nove anos depois. Entre esses acontecimentos surpreendentes, porém, houve décadas em que o papado transcorreu em um clima de decência, pelo que se sabe.

Enquanto Roma se recuperava de um longo período de desonra, a França caminhava para tornar-se o centro da cristandade. Essa energia não vinha apenas das catedrais erguidas nas cidades, mas também dos mosteiros de Cluny, Cister e Claraval, isolados nas partes central e oriental do território francês. Ali, o conceito de mosteiro ganhou vida nova. Ali, também, construía-se um monumento extraordinário, cercado por árvores e campos.

"TAMANHA ERA A FAMA DO MOSTEIRO DE CLUNY"

O mosteiro de Cluny foi fundado por volta de 910 pelo duque Guilherme, o Pio, de Aquitânia. Situado perto de Mâcon, na Borgonha, o mosteiro começou a atrair jovens devotos, tanto de famílias nobres quanto de famílias humildes. Um atrativo era o fato de lá se elegerem líderes fortes que, uma vez alçados ao cargo, raramente aceitavam honrarias vindas do mundo eclesiástico exterior. Em uma época de mosteiros pequenos, Cluny era enorme e tentava controlar os muitos outros a que dera origem – os cluníacos. Seus monges formavam um ramo bastante severo dos beneditinos, a antiga ordem italiana.

Espalhou-se aos poucos o hábito de chamar os mosteiros beneditinos de "abadias", e seus superiores de "abades". O abade de Cluny tornou-se um importante líder da cristandade,

> DIFICILMENTE UM HOMEM SANTO SERIA INDICADO PAPA E, CASO ISSO ACONTECESSE, ELE PROVAVELMENTE TERIA VIDA CURTA.

subordinado apenas ao papa. Desde que em harmonia com as leis de Deus e as regras dos beneditinos, ele podia resolver qualquer problema relativo à sua ordem; somente se fosse uma questão mais abrangente, devia pedir orientação. No caso da indicação de um novo abade, os monges tinham a palavra final. Depois de assumir o posto, o abade indicava os religiosos que ocupariam posições superiores. Entre estes, estavam os responsáveis pelos noviços, pela compra e armazenagem das provisões e pelos monges que guardavam o portão de entrada, administravam a casa de hóspedes ou cuidavam dos doentes.

O dia a dia dos monges era repleto de obrigações. O primeiro serviço, ainda na quietude da noite, acontecia às 2 horas, ou às 3 horas no verão. Mas havia prazeres também.

No início da tarde, era servida a refeição principal, acompanhada de uma porção de vinho. Alguns mosteiros insistiam em que os monges trabalhassem ao ar livre durante o verão; era preciso armazenar a colheita, cortar o feno, colher as uvas e preparar o vinho.

Os monges atendiam os famintos que batiam à porta do mosteiro e ajudavam os pobres da vizinhança. Às vezes, o alimento distribuído precisava ser racionado, para que os próprios monges não passassem fome. Para os pedintes, a cozinha do mosteiro preparava regularmente uma dúzia de tortas enormes, além de distribuir pão e sopa quente. Na abadia de Beaulieu, distribuía-se alimento aos pobres três vezes por semana, e havia acomodações para treze necessitados, de modo que não passassem a noite ao relento. Das pessoas em boa condição física que recorriam regularmente aos mosteiros, esperava-se que retribuíssem a ajuda recebida em forma de trabalho.

Cluny espalhou filiais ou mosteiros administrados por priores. Em meados do século 12, havia em várias partes da Europa cerca de mil instituições desse tipo, sob a proteção ou o controle do abade de Cluny. Por ser a preferida das famílias francesas mais ricas, a abadia costumava receber polpudas doações em terras, animais, livros e outros bens. Com isso, a riqueza e o conforto aumentaram. Os monges não podiam possuir bens particulares, mas os grandes mosteiros precisavam de recursos, em especial para ajudar os pobres e enfermos.

Tamanha era a fama do mosteiro de Cluny, que fiéis o visitavam regularmente, para participar de uma forma de serviço religioso longo, elaborado e cheio de cores. Uma nova igreja, a basílica de São Pedro e São Paulo, teve de ser projetada para acomodar a congregação e abrigar as extensas procissões. A partir de 1088, pedreiros e carpinteiros tiveram quarenta anos de trabalho árduo. Com mais de 160 metros de comprimento, a basílica ocupava um espaço correspondente à arena de um estádio olímpico moderno.

A basílica de São Pedro e São Paulo permaneceu como a maior igreja da Europa e da Ásia Menor, até ser erguida em Roma, quatro séculos mais tarde, a nova basílica de São Pedro. Infelizmente a maior parte da abadia de Cluny desapareceu, restando apenas a grandiosa torre octogonal que sustenta os sinos.

NAS PEGADAS DOS EREMITAS

Numerosos monges deixaram a rede de mosteiros de Cluny para se tornarem eremitas. Esperavam encontrar Deus na solidão da floresta ou nos promontórios rochosos. Um desses eremitas foi São Romualdo, que se cansou da rotina da abadia cluníaca de Santo Apolinário, em Classe, perto da região de mangue de Ravena, e foi em busca de uma vida de sacrifício, tal como sabia ter acontecido no início do cristianismo. Por volta de 1022, ele fundou o mosteiro de Camaldoli. Daquele rigoroso campo de treinamento espiritual os monges partiam para as montanhas, onde construíam cabanas e viviam em silêncio. Como única peça de vestuário levavam um manto, que usavam mesmo no inverno, quando subiam e desciam descalços as encostas íngremes.

Com o passar do tempo, alguns monges de Camaldoli incluíram a Botânica entre seus interesses. Uma peculiaridade da História da Austrália é o fato de uma de suas árvores mais conhecidas, o eucalipto vermelho, ter no mosteiro de Camaldoli a origem de seu nome oficial. Sementes foram levadas a Nápoles como amostra, e um exemplar da árvore – observado em um jardim particular próximo ao mosteiro de Camaldoli – foi descrito pela primeira vez por um destacado botânico napolitano em 1832. A denominação *Eucalyptus camaldulensis* ficou para sempre.

A ASCENSÃO DOS CISTERCIENSES BRANCOS

São Roberto, nascido de família nobre, tal como muitos dos mais conhecidos monges franceses, entrou para um mosteiro próximo a Troyes quando tinha 15 anos. Líder natural, atraente e prático, foi indicado abade de um mosteiro, e em seguida de outro. Quando em dificuldades, os eremitas recorriam a ele. Em 1074, foi procurado por sete eremitas, e criou em Molesme um mosteiro simples, especialmente para eles. Mais tarde, ao ver prejudicadas a disciplina e a devoção, Roberto conduziu seus mais fiéis seguidores para uma região de mangues, perto de Dijon. O lugar era chamado de Cister – a denominação latina era *Cistercium* – e os monges ficaram conhecidos como cistercienses. Depois de construir cabanas, estabeleceram-se nelas para uma vida monástica frugal, mesmo depois que um nobre francês construiu para eles um novo mosteiro.

Estevão Harding, um inglês de "conversa agradável", era abade do mosteiro erguido em terras alagadas, em Cister, quando, unindo-se a outros religiosos, resolveu admitir monjas. O primeiro convento foi fundado perto de Langres, e eles chegaram a administrar um número maior de conventos do que de mosteiros. Ele ainda era o abade em 1112, quando chegou outro grupo de monges beneditinos insatisfeitos. Bernardo, o jovem líder dos recém-chegados, vinha acompanhado de parentes do sexo masculino. Dali a três anos, Bernardo foi encarregado de administrar um novo mosteiro cisterciense em Claraval, perto da famosa cidade comercial de Troyes. Lá, como Bernardo de Claraval, criou uma das mais conhecidas instituições da França.

> ESTEVÃO HARDING ERA ABADE DO MOSTEIRO ERGUIDO EM TERRAS ALAGADAS QUANDO RESOLVEU ADMITIR MONJAS.

Bernardo de Claraval era alto e magro, muito magro. Ele se tornaria uma celebridade, embora a proporção de cristãos que na época o conheciam não passasse de um em mil. Mas quem leu *Inferno*, de Dante, pode ter uma ideia de como era seu rosto, descrito em um longo poema como tendo os olhos cheios de alegria.

Bernardo atraía seguidores e sabia como organizá-los. Jovens e velhos acorriam, querendo tornar-se "monges brancos", já que as roupas brancas eram a marca dos cistercienses. A santidade de sua vida no mosteiro e a visível sinceridade de seu discurso, quando em trânsito, atraíam todos os que o viam ou escutavam.

O dia do juízo, quando todos teriam de prestar contas dos atos da vida espiritual e física, ocupava lugar de destaque em suas ideias. Bernardo considerava importantíssimo que as pessoas se preparassem mental e espiritualmente para a morte. Ao encontrar um jovem estudioso tão envolvido com a leitura a ponto de negligenciar a vida espiritual, ele assim falou, com muita firmeza: "O que vais responder, no temível tribunal?" Papas, reis e príncipes gostavam de ouvir seus conselhos. Ele nunca chegou a bispo. Não havia necessidade.

Bernardo, mais do que ninguém, pregou uma segunda cruzada contra os turcos. Por outro lado, não concordava com a perseguição aos judeus. Nessas questões, seus companheiros não opinavam, a não ser que ele demonstrasse querer ouvir uma opinião. Em sua tranquilidade, era uma pessoa irresistível. Bernardo creditava às constantes orações e aos momentos de contemplação a auto--confiança e sua presença de espírito: Deus fez dele o que ele era.

> MONGES E MONJAS VINHAM DE TODOS OS SEGMENTOS DA SOCIEDADE.

Os cistercienses estimulavam a imaginação dos jovens. Monges e monjas vinham de todos os segmentos da sociedade – pessoas tão diferentes quanto construtores, artesãos, camponeses e intelectuais. Por serem reconhecidos pela generosidade, os cistercienses atraíam também um tipo de monge errante. Na verdade um turista profissional, hospedando-se nos mosteiros pelos quais passava, chegava ao anoitecer e ficava por três ou quatro dias – até que a recepção calorosa esfriasse. Em geral a decisão de partir era tomada logo que o abade o convidava a ajudar no carregamento da colheita ou na poda das árvores.

Os cistercienses tinham o objetivo de evitar as tentações mundanas, mas sua opção pelo afastamento das cidades devia-se também à intenção de ocupar terras não cultivadas, florestas e mangues, ampliando as áreas de cultivo. Nas regiões despovoadas que escolhiam para implantar novos mosteiros, o trabalho braçal era necessário, se quisessem garantir o próprio sustento. Trabalho árduo e suor, segundo eles, são o alimento da alma. Na Inglaterra, os cistercienses encontraram vales e morros inexplorados. Ainda hoje os turistas se encantam com o que sobrou de suas edificações – algumas já sem cobertura, mas ainda belas, com paredes claras, feitas de pedra. Em 1798, dois séculos e meio depois de a abadia de Tintern ter sido destruída por ordem de Henrique VIII, o jovem poeta William Wordsworth percorreu a pé as ruínas e dedicou a elas um de seus mais admiráveis poemas.

Os monges valombrosanos, estabelecidos nas montanhas próximas a Florença, tinham admitido irmãos leigos, e os cistercienses copiaram a ideia. Nos mosteiros maiores, chegaram a empregar trezentos deles, a maioria oriunda de lares humildes. Os irmãos viviam em alas separadas, com enfermaria, sala de refeições e dormitório próprios. Para rezar, ficavam restritos a uma parte da igreja, quase sempre o lado esquerdo da nave. Os irmãos leigos eram facilmente reconhecidos, pelas roupas especiais e pela barba, não usada pelos monges.

Com o tempo, os irmãos leigos foram assumindo a maior parte do trabalho pesado.

Os visitantes se impressionavam ao encontrar nos mosteiros uma das mais recentes invenções: a roda-d'água – um recurso de vital importância para diminuir o trabalho braçal, até ser inventada, nas Ilhas Britânicas, a máquina a vapor. Em muitos mosteiros um curso de água natural acionava a grande roda de madeira, fornecendo energia para tarefas como moer o trigo e curtir o couro.

Criadores inteligentes, os monges serviam de exemplo aos moradores da vizinhança. Como precisavam de lã para tecer as próprias roupas, eles se esforçavam ao máximo para melhorar a criação de ovelhas. Quando a Inglaterra assumiu a liderança na exportação de lã para toda a Europa, os melhores produtos vinham dos rebanhos dos cistercienses. Em Yorkshire, só no mosteiro de Fountains, havia 18 mil cabeças. A criação de ovelhas se justificava perfeitamente, pois a pele tratada fornecia o pergaminho usado para a cópia de textos religiosos.

A GALERIA SUSSURRANTE

Decorrido pouco mais de meio século da fundação do primeiro mosteiro cisterciense, outros 250 tinham sido criados. Em 1200 havia mais de quinhentos, e um século mais tarde já eram mais de setecentos mosteiros cistercienses. Embora a França continuasse a ser sua localização principal, eles se estendiam de Irlanda e Portugal, a oeste – o rei Afonso I, de Portugal, era um doador regular – a Polônia e Hungria, no leste, e à Sicília, no sul.

Como podia a administração central controlar tantos mosteiros distantes entre si? Um encontro anual costumava acontecer em Cister, começando em 13 de setembro, Dia da Cruz Sagrada. Aquele era um modo de resolver um problema que teria de ser enfrentado, mais de seis séculos depois, pelos gigantes do capitalismo internacional: administrar várias filiais.

Todo ano os abades cistercienses chegavam, de perto e de longe, para elaborar novas regras. Eram portadores das últimas notícias: talvez uma vitória militar contra os muçulmanos na Espanha ou o surgimento de uma epidemia em Praga. Um historiador chamou esses encontros regulares de "mercado de notícias – a galeria sussurrante da Europa", referindo-se a um fenômeno arquitetônico que pode ocorrer sob a cúpula das catedrais, quando o que se fala baixo de um lado é ouvido por quem está do outro lado.

A estratégia deu certo, e foi copiada pelos mosteiros de Cluny.

Os cistercienses, em seu apogeu, eram um dos triunfos do cristianismo. Focados na simplicidade, enquanto outros se sentiam tentados pelo luxo, acreditavam mais no espírito da religião do que em seus textos. Práticos, eles ensinaram as famílias europeias a aproveitar melhor as pequenas propriedades, afastando a fome. Suas caldeiras e forjas, especialmente na Borgonha e na atual República Checa, estavam entre as melhores da Europa. No entanto, tal como outras instituições religiosas, eles foram prejudicados pelo próprio sucesso.

Muitos de seus monges foram se tornando negligentes. Depois de uma farta refeição, alguns pegavam no sono na igreja, e seu ressonar competia com as orações. Séculos mais tarde, na França, surgiu um novo tipo de monge: os trapistas, conhecidos pelo silêncio. Seu objetivo era recuperar, pelo silêncio e pela oração, a simplicidade perdida.

CAPÍTULO 11

GRANADEIROS DE DEUS

No início da era medieval, a Igreja parecia oprimida por seu longo passado, mas as coisas começavam a mudar. Algumas reformas drásticas foram iniciadas por mulheres, mais atuantes do que nunca.

Por dez séculos Jesus foi representado como um jovem herói que pregava e operava milagres. Às vezes personificando o rei dos reis ou o juiz supremo, raramente aparecia pregado à cruz, o que seria considerado degradante para a figura principal de tanta grandiosidade e injusto em relação ao próprio cristianismo. Ao observar a talha encomendada a um artista por Gero, arcebispo de Colônia, por volta de 969, pode-se ter uma ideia da mudança de atitude. Jesus aparece pregado a uma cruz de madeira. Suas feições são fortes, mas ele parece abatido. Preso e humilhado, tem os olhos fechados. Em pouco mais de um século essa representação triste do Cristo crucificado se tornaria bastante comum.

A cruz de madeira e o Cristo moribundo, imagens cada vez mais presentes, transmitiam uma mensagem acerca da morte, inevitável, e dos horrores do inferno. A própria era medieval parecia carregada de nuvens escuras de pessimismo.

A DESCOBERTA DO PURGATÓRIO

Os primeiros cristãos não costumavam pensar no inferno; o paraíso estava garantido para eles. No entanto, nos últimos séculos antes do ano 1000, o inferno surgiu como tema frequente na arte e nos sermões. Enquanto os cristãos virtuosos, que tinham buscado o perdão, um dia se encontrariam no céu com Deus, os maus não arrependidos, ainda que cristãos, estariam provavelmente destinados ao inferno – um lugar de "fogo inextinguível", como Cristo descrevia raramente, mas com cores fortes.

Entre céu e inferno o contraste era enorme. E se a pessoa fosse reprovada por uma margem estreitíssima? E se os pecados do morto fossem leves, mas precisassem de punição? Havia necessidade de uma terceira opção, e assim foi sugerido o purgatório. Embora enfatizado por antigos líderes, como Agostinho e Gregório, o Grande, a ideia não foi logo aceita amplamente. A palavra "purgatório" só surgiu no vocabulário dos europeus entre 1170 e 1180.

O purgatório era uma sala de espera rigorosa, onde os pecados seriam purgados, de modo que a alma purificada pudesse entrar no reino dos céus. O tempo passado no purgatório podia ser longo, mas o conceito representava uma esperança. Os cristãos sabiam que a salvação final era possível.

> O PURGATÓRIO ERA UMA SALA DE ESPERA RIGOROSA, ONDE OS PECADOS SERIAM PURGADOS.

Uma vez oficialmente aceita, a ideia do purgatório foi ampliada pela Igreja: o sofrimento das almas no purgatório e o tempo de permanência lá podiam ser reduzidos pelos vivos. Para isso, contribuiriam as orações, as boas ações praticadas em nome dos mortos e as doações feitas a mosteiros ou igrejas, em dinheiro ou terras. Assim, vivos e mortos, unidos pelo ato de rezar, formavam uma vasta, ativa e unida comunidade cristã.

A Igreja, então, começou a vender indultos que prometiam encurtar o tempo de permanência da alma no purgatório. Mulheres e homens enlutados acorreram, dispostos a comprar o perdão para os entes queridos já falecidos. Os teólogos radicais, porém, tinham dúvidas. Teria o simples pagamento de uma quantia em dinheiro o poder de aliviar o sofrimento de uma alma? Como a venda de indultos proporcionava à Igreja uma boa receita, a prática custou a ser abandonada.

Talvez este tenha sido o período em que o habitante comum da Europa mais rezou, e várias inovações podem ter contribuído para isso. Uma delas foi a firme crença na existência do purgatório; outra foi a intensificação do culto à Santa Virgem Maria, a supersanta, cada vez mais conhecida como "a mãe de Deus".

EM HONRA DE MARIA

Na Igreja, praticamente todos os personagens principais – de Deus, Cristo e apóstolos ao padre do povoado – eram homens. No entanto, consideravam-se algumas virtudes cristãs, como humildade, fé, esperança e caridade, mais femininas do que masculinas. E ainda existe outro aspecto: muitas religiões orientais adoravam deusas. No Egito, cultuava-se a deusa Ísis, por exemplo. Talvez essa ausência feminina na hierarquia cristã devesse ser corrigida, já que na maior parte das congregações havia mais mulheres do que homens.

No primeiro século da era cristã, o culto à Santa Virgem Maria era praticamente desconhecido, e estendeu-se mais ao Oriente do que ao Ocidente. Em 431, porém, a veneração de Maria estava suficientemente difundida, para que o Concílio de Éfeso lhe concedesse o título de Mãe de Deus. Com o passar do tempo, a concepção de Maria passou a ser celebrada com um dia festivo, embora a crença em uma concepção pura – ou "imaculada" – levasse doze séculos para ser reconhecida oficialmente.

> No primeiro século da era cristã, o culto à Santa Virgem Maria era praticamente desconhecido.

A veneração da Santa Virgem Maria cresceu muito no século 12. A oração da "Ave Maria" se tornou popular: "Ave Maria, cheia de graça, o Senhor é convosco. Bendita sois vós entre as mulheres, e bendito é o fruto do vosso ventre, Jesus." Formou-se na Europa o hábito de fazer soarem os sinos das igrejas três vezes por dia – de manhã, de tarde e de noite – para lembrar os fiéis de rezar a Ave-Maria. Esse hábito levou ao uso do rosário, um fio de contas ou pedras semipreciosas que indicava a ordem e a quantidade das orações.

Muitos padres, monges e monjas viam uma representação simbólica da expressão do amor de Maria por Jesus na "Canção de Salomão", o que fez do texto um dos mais conhecidos do Antigo Testamento. Nas orações, Maria se tornou a intermediária preferida, quando os fiéis queriam chegar a Deus. Ao fim do século 12, ela passou a ser chamada de Senhora das Flores.

A partir de então, muitas igrejas foram construídas em honra a Maria. No século 15, no rio Tâmisa, da nascente ao estuário, ouvia-se o nome dela. Uma escola inglesa só para meninos, hoje famosa, recebeu a denominação de College of the Blessed Mary of Eton. Mais tarde, porém, foi reduzida para Eton College. No centro de Londres, a catedral de Southwark era chamada de Santa Maria Overie, que quer dizer "sobre o rio". Na Ilha dos Cães, rio abaixo, havia uma capela em homenagem a Maria, onde as pessoas rezavam pelos marinheiros de partida ou pelos que se perdiam no mar.

No século sexto, outra santa – Maria Madalena – entrava em evidência. Infelizmente as referências a ela nos evangelhos são terrivelmente escassas. Sabe-se que Jesus a livrou de sete demônios, que ela esteve presente à crucificação e que foi a primeira a falar com Cristo ressuscitado. Querendo descobrir mais sobre ela, os cristãos começaram a tentar adivinhar. E se outras mulheres que tiveram contato com Jesus fossem, na verdade, Maria Madalena? A desconhecida que lavou os pés dele na casa de Simão... Maria de Betânia, em cuja casa ele foi tão bem recebido... Não seriam todas elas a mesma Maria Madalena?

No início do século 13, o monge dominicano Jacó de Voragine escreveu *Lenda dourada*, um dos mais populares livros religiosos da época. Reunindo vários relatos, ele discorreu de maneira lírica sobre o relacionamento de Cristo com Maria Madalena. "Esta", ele disse, "foi a Madalena a quem Jesus conferiu tão grandes graças e a quem dispensou tantas demonstrações de amor."

Esse retrato pintado com paixão tinha sido aceito pela primeira vez por Gregório, o Grande, no fim de século sexto, e a partir do século oitavo passou a ser festejado o dia de Maria Madalena. Hoje, a teoria não é mais aceita pela Igreja Católica, mas a veneração de que Maria Madalena foi alvo representa mais um sinal da posição elevada das cristãs naquela época.

O MISTÉRIO DO PÃO E DO VINHO

Em 1215, depois de um encontro de bispos no Palácio Laterano, em Roma, o papa Inocêncio III fez uma declaração de importância vital acerca do sacramento conhecido por várias denominações: santa comunhão, ceia do senhor e Eucaristia. Foi estabelecido que o pão consagrado, consumido solenemente pelos fiéis e pelo sacerdote, era o verdadeiro corpo de Cristo, e o vinho consumido pelo sacerdote era o verdadeiro sangue de Cristo. Essa doutrina, conhecida como transubstanciação, viria a ser a principal causa de divergência três séculos mais tarde, com o advento do protestantismo. Quando ouvida pela primeira vez, a palavra "transubstanciação" pode parecer complicada e abstrata. É difícil também de pronunciar, com dezessete letras, mas a ideia por trás dela era nítida e enriquecedora para os cristãos.

A nova doutrina conferiu mais importância a bispos e sacerdotes, os responsáveis pela cerimônia de consagração, em que pão e vinho instantaneamente se transformam na "matéria integral" do corpo e do sangue de Jesus. A mesma resolução determinava que o vinho, o verdadeiro sangue de Cristo, devia ser ingerido apenas pelos sacerdotes que presidissem a celebração. De certa maneira, as pessoas comuns que antes recebiam o pão e o vinho tinham sido rebaixadas.

A nova ênfase na natureza milagrosa da Eucaristia afetou a disposição interna do prédio das igrejas. A cerimônia passou a ficar parcialmente escondida da congregação. O altar e os assentos reservados ao clero – o santuário interno – eram protegidos por uma tela em metal, madeira ou treliça. Essa separação provavelmente fez com que aumentassem o mistério e a solenidade da cerimônia. As igrejas ortodoxas mantêm essa disposição, mas nas igrejas católicas a tela deu lugar a uma grade.

A NOVA COMEMORAÇÃO DE *CORPUS CHRISTI*

Em algumas regiões católicas, ainda acontece uma procissão na segunda quinta-feira depois de Pentecostes ou domingo de Pentecostes. Foi escolhida a quinta-feira porque nesse dia a última ceia de Cristo. Em uma feliz coincidência, começa nessa época a primavera, no hemisfério norte. No fim da Idade Média, a procissão representava um momento especial para milhões de cristãos. Alguns consideravam a ocasião mais mágica do que a véspera de Natal. Era a comemoração de *Corpus Christi* – o corpo de Deus.

Nos Alpes Suíços, junto de um rio que corta um vale profundo, fica uma pequena cidade chamada Kippel. Há várias gerações, muitos de seus habitantes fazem parte da guarda do papa, em Roma. Toda primavera, na manhã da quinta-feira determinada, o silêncio do lugar é quebrado apenas pelo tilintar, ao longe, dos sinos no pescoço das vacas. Todos os prédios permanecem fechados, menos a igreja, para onde se dirigem os moradores.

> No fim da Idade Média, a procissão representava um momento especial para milhões de cristãos.

Quando não há mais lugar para sentar, as pessoas se distribuem entre as sepulturas e os canteiros de flores do pequeno cemitério vizinho. Um corpo de guarda formado por velhos soldados usando chapéus cobertos de pele – os Granadeiros de Deus – se mantém em posição de sentido na porta da igreja. Quando termina o serviço, e começa a procissão, o grupo segue pelas ruas estreitas, acompanhado por uma orquestra de instrumentos de metal. As mulheres usam uma roupa tradicional e carregam uma Bíblia. Algumas levam também um broto de alecrim.

O sacerdote lidera a procissão, caminhando sob uma cobertura sustentada por quatro homens, moradores locais, enquanto meninas que acabaram de receber a primeira Eucaristia seguem atrás, vestidas de branco, como noivas. A procissão faz algumas paradas, quando a música é interrompida, e o recipiente trabalhado onde é levada a hóstia – o pão consagrado que se acredita seja o verdadeiro corpo de Cristo – é erguido. Os sinos da igreja soam, e a procissão continua.

Na maior parte dos países católicos a mesma cerimônia acontece no domingo seguinte ao Domingo da Trindade.

Quem teve a ideia dessa grandiosa procissão, na era medieval, foi uma monja belga agostiniana chamada Juliana de Monte Cornillon, que vivia perto de Liège. A monja tivera repetidas visões de uma lua cheia, muito brilhante, à qual faltava um pedaço. Depois de refletir sobra a estranha visão, ela concluiu que a lua era a Igreja, e que o pedaço ausente representava alguma coisa de importância vital. O que faltava, segundo suas conclusões, era celebrar a Eucaristia ou a ceia do Senhor com uma procissão fora do prédio da igreja, para anunciar a importância do evento. Assim nasceu a comemoração de *Corpus Christi*.

Em 1246, o bispo da região adotou a ideia. Mais tarde, um dignitário alemão assistiu à celebração e gostou. Os novos dominicanos aprovaram, já que se interessavam em ensinar e sabiam que tais procissões impressionam as pessoas comuns, fazendo chegar a elas a mensagem que queriam transmitir. O papa Urbano IV, que chegava de Troyes, na França, não muito distante dali, e já conhecia a procissão, decidiu em 1264 torná-la anual, estendendo-a a todas as igrejas. Sua decisão talvez tenha sido motivada ou confirmada também por um milagre acontecido no ano anterior na cidade de Bolsena, na Itália central. Conta-se que um padre da Boêmia foi a Bolsena para uma visita à cidade e celebrar missa. Ele, que não aceitava completamente a doutrina da transubstanciação, convenceu-se ao ver sangue verdadeiro escorrer sobre o altar, após a consagração.

No século 21, os ocidentais, em sua maioria, costumam aceitar imediatamente os conceitos que apresentam uma base racional, ainda que mais tarde mudem de ideia, ao vê-los contestados. Na Idade Média, ao contrário, as pessoas tendiam a deixar-se impressionar por mitos, mistérios e rumores, acreditando neles de imediato. Segundo um especialista no assunto, um dos aspectos interessantes daquele período era o modo como acontecimentos ditos milagrosos eram aceitos igualmente por indivíduos mais ou menos esclarecidos. A história misteriosa de uma papisa – a papisa Joana – é um exemplo disso.

A PERSEGUIÇÃO AOS CÁTAROS

Nos primeiros séculos, os seguidores de Manes acreditavam que bem e mal fossem entidades separadas. A ideia conquistou seguidores na Bulgária, na Macedônia e na Croácia – regiões que se tornaram cristãs no século oitavo. Em 1200, conceitos semelhantes eram difundidos na Alemanha pelos cátaros. O movimento cátaro se espalhou para o sul da França, onde eram frequentemente chamados de albigenses, em referência à cidade de Albi, onde se concentravam.

> EMBORA ACREDITASSEM EM VIDA APÓS A MORTE, OS CÁTAROS NÃO ACEITAVAM JESUS INTEIRAMENTE.

Embora acreditassem em vida após a morte, os cátaros não aceitavam Jesus inteiramente. Na opinião deles, Jesus não tinha sido crucificado; portanto, não havia ressuscitado. Em várias ocasiões, cátaros mais exaltados destruíram cruzes cristãs e chegaram a demolir altares nas igrejas, pois achavam a missa inútil. Eles acreditavam na existência de Deus, mas também na existência de um rival, o deus do mal. Assim, o infeliz Satã tinha criado lobos e cobras, moscas e lagartos. Além disso, era o criador das chuvas de granizo e das tempestades com raios e trovões. Como força independente, era mais maligno e poderoso do que a maioria dos cristãos queria acreditar. A liderança da luta contra o mal cabia aos "bons homens cátaros". Conhecidos como "os perfeitos", defendiam arduamente a sobrevivência da doutrina e não se importavam de morrer como mártires.

Na Europa medieval, porém, uma grande heresia era como um barril de veneno prestes a ser despejado nos reservatórios de água de toda a cidade. Acreditava-se que Deus deixaria de proteger e defender a cidade onde se espalhasse tal heresia.

Roma demorou para atacar com vigor a heresia em expansão. Só agiu em 1208. Muitos cátaros foram julgados, considerados culpados e queimados vivos. Multidões enfurecidas lincharam alguns. Muitos foram presos ou despojados de suas propriedades. Os cátaros que fizessem confissão de culpa eram obrigados a usar daí por diante, como castigo, uma cruz amarela ou alaranjada pregada às costas da roupa, para que todos vissem.

Na década de 1220, a cruzada contra os cátaros parecia encerrada, mas um século mais tarde, eles ainda conquistavam novos adeptos nas montanhas do sul da França. Sabemos disso porque a Igreja enviou inquisidores às cidades onde os cátaros atuavam, deixando um registro do que se pensava sobre questões religiosas àquela época.

UMA CIDADEZINHA NA MONTANHA

Montaillou era uma cidadezinha nos montes Pireneus, perto da atual fronteira entre França e Espanha. Lá não havia carroças, em parte porque o terreno era íngreme demais. O frio em excesso não permitia o cultivo de uvas ou azeitonas; vinho e azeite – além do sal – eram carregados montanha acima no lombo de mulas. Na periferia da cidade, trigo, linho, cânhamo e nabo eram cultivados em pequenos lotes. No moinho local, o trigo era transformado em farinha, e o pão preparado em casa constituía o principal alimento.

O isolamento fazia da cidadezinha um ótimo refúgio para os líderes cátaros sobreviventes, que, comparados ao padre católico local, levavam uma vida suficientemente santa para conquistar muitos admiradores. O padre era o "conquistador" da cidade: discretamente mantinha relações sexuais com solteiras e viúvas, alegando que a Igreja o impedia de casar-se, mas não de relacionar-se com mulheres. Tal como muitos padres e monges, ele recebia críticas severas, pois quem garantia que tivesse casa, comida e roupas eram os moradores locais.

Nas cidades próximas, no máximo a metade da população frequentava a igreja aos domingos, e muitos frequentadores saíam antes do sermão – quando havia sermão. Um operário que, contrariando a crença dos cristãos, afirmou que o mundo não acabaria no dia do juízo explicou, ao ser questionado: "É que, por causa do meu trabalho na pedreira, sempre saio cedo da missa, e não tenho tempo de ouvir o sermão." Proporcionalmente, os cátaros eram mais assíduos no comparecimento à igreja do que os católicos locais. Com a frequência, disfarçavam suas verdadeiras crenças.

Os cátaros se reuniam secretamente para discutir questões religiosas, pois temiam ser presos ou condenados à morte. Pela mesma razão, os perfeitos que chegavam à cidade para visitar outros simpatizantes às vezes mantinham um capuz sobre a cabeça, mesmo quando todos se reuniam em volta da mesa da cozinha. E, quando pernoitavam, escondiam-se no teto da casa. Os pastores de rebanhos estavam entre os simpatizantes e muitos se tornaram verdadeiros cátaros.

As pessoas tentavam imaginar como seria o céu. Caberiam lá todos os merecedores? Segundo comentou um camponês, nem uma construção que se estendesse da cidade de Toulouse a determinado desfiladeiro nos Pireneus igualaria o tamanho do céu. Cátaros e católicos conferiam a mesma importância a uma boa morte. Os cátaros mais devotos, quando à beira da morte, recebiam a visita de um "bom homem", que lhes oferecia o perdão.

Na região havia também quem não fosse católico nem cátaro. Em um dia de verão, o padre e alguns homens reunidos sob uma árvore no pátio da igreja conversavam sobre a ótima colheita. Um dos homens exclamou: "Graças a Deus, conseguimos!" Para surpresa do padre, outro homem respondeu que a colheita farta não era obra de Deus, mas da natureza. Aquele cético se revelou. Mas jamais saberemos quantos céticos e ateus viveram na Europa, durante a Idade Média.

CAPÍTULO 12

A MAGIA DO VIDRO E DA TINTA

Se estes foram tempos escuros, as novas igrejas construídas foram a luz. Pouco depois do ano 1050, em muitas partes da Europa surgiam projetos de construção de enormes catedrais e basílicas, além de capelas fartamente ornamentadas. Uma das primeiras a ficar pronta foi a basílica de São Marcos, em Veneza, que não era a catedral, mas a capela do doge ou administrador. Projetada em estilo bizantino por um arquiteto grego, destacava-se pela iluminação. Hoje, muitas janelas estão emparedadas, quase conferindo ao espaço a aparência de uma caverna, exceto em grandes ocasiões, quando é brilhantemente iluminada por velas e eletricidade.

O SURGIMENTO DA CATEDRAL GÓTICA

A construção da primeira catedral no novo estilo começou na década de 1140, na cidade francesa de Sens, mas a catedral da rival Saint Denis, nos arredores de Paris, ficou pronta primeiro. A altura e o formato das igrejas góticas eram surpreendentes. As janelas em mosaicos de vidro colorido encantavam os visitantes, ao deixarem passar a luz do sol. O mundo ocidental jamais vira tanto vidro. Outro aspecto característico eram os arcos pontudos que davam acabamento às altas janelas, na parte de cima, provavelmente copiados da estética islâmica na Síria e na Turquia, durante a primeira cruzada. É possível que construtores e operários tenham vindo da Ásia Menor, acompanhando os cruzados que voltavam para casa.

O sentido de espaço dentro das novas catedrais góticas impressionava. Paredes de aparência delicada, embora feitas de pedra, proporcionavam o máximo de espaço. Cada catedral contava com uma pedreira própria, de onde as pedras eram retiradas e, depois, modeladas.

Muitas famílias tiveram de sacrificar o padrão de vida, para que fossem construídas as catedrais, pois a carga de impostos aumentava, e trabalhadores que poderiam estar construindo casas, moinhos ou celeiros eram desviados para outras tarefas. Às vezes os monges colaboravam na construção, mas faltava-lhes habilidade.

Por que bispos e príncipes queriam igrejas tão espaçosas? Em parte, para competir com outras igrejas. Todos desejavam ser os melhores. Além disso, para glorificar a Deus, espirais e janelas terminadas em cima por um arco pontudo indicavam o céu. Havia ainda razões cerimoniais para o tamanho das igrejas – as grandes procissões exigiam espaço. E mais: muitos homens e mulheres se filiavam às ordens religiosas, e era preciso grandes mosteiros para abrigá-los, bem como aos visitantes que chegavam nos domingos e em outros dias santificados.

A arte de pintar e dar cor ao vidro floresceu. De início, os cistercienses, adeptos da simplicidade, rejeitaram o emprego de vitrais nas janelas de suas igrejas, mas acabaram cedendo. O sacerdote podia aproveitar as cenas e os rostos nos vitrais para transmitir sua mensagem sobre a última ceia ou a ressurreição. Quando a luz do sol encontrava o ângulo apropriado, o vidro criava uma luminosidade inigualável naquela era. Nem a rica indumentária de uma rainha se comparava à riqueza de um vitral.

Entre 1203 e 1240, a nova catedral de Chartres recebeu vitrais em suas 176 janelas, em um trabalho realizado por pelo menos nove talentosos artistas. Só um grande vitral representando a vida de Cristo cobria 23 metros quadrados. Dessas décadas fascinantes da primeira metade do século 13, restam: os vitrais da galeria superior, reservada ao coro, na catedral de Troyes, na França central; a rosácea da catedral de Lausanne, na Suíça; a árvore de Jessé da catedral de Freiburg im Breisgau (ou Friburgo em Brisgóvia), no sudoeste da Alemanha; e os vitrais da catedral de Canterbury. A Itália demorou para aderir aos vitrais coloridos. Os exemplos mais antigos conhecidos, encontrados em território italiano, são os de Assis, criados na década de 1230 por profissionais alemães que tinham trabalhado em uma igreja franciscana em sua terra natal.

Os artesãos aprenderam a fabricar vitrais adequados a cada parte da igreja. Na catedral de Chartres, os azuis intensos ficavam maravilhosos quando o sol caminhava para o oeste; o pôr do sol, porém, destacava os vermelhos vivos.

O emprego de óxidos metálicos resultou em cores novas para o vidro. No início da década de 1300, surgiram o verde-musgo, o violeta e o amarelo âmbar. Outra criação foi um amarelo vivo, resultado da aplicação de uma solução de prata sobre o vidro ainda quente, recém-fabricado.

O ALFABETO ILUMINADO

> OS ARTESÃOS APRENDERAM A FABRICAR VITRAIS ADEQUADOS A CADA PARTE DA IGREJA.

Na época, a Igreja representava, como nenhuma outra instituição, o papel de baluarte da leitura e da escrita. Todos os livros eram escritos à mão, por milhares de copiadores, que trabalhavam diariamente. A tarefa se repetia nos mosteiros espalhados por territórios que se estendiam da Irlanda do Norte ao litoral dos mares Báltico e Adriático. A Bíblia Vulgata também era copiada, embora fossem necessários poucos exemplares completos. Havia maior procura por trechos das escrituras e trabalhos teológicos: as cartas de São Paulo, os salmos reunidos em um livro chamado *Saltério*, ou uma edição comentada do Antigo Testamento. Eram as "matérias selecionadas" da época.

Os livros manuscritos tiveram vida longa; as páginas, de pergaminho feito de pele de bezerro, carneiro ou bode, não se rasgavam facilmente. Os mais caros eram escritos sobre uma superfície de velino. Um livro de 200 páginas precisava da pele de cerca de oitenta animais. Diz-se até que o custo do material excedia a quantia recebida pelo escrivão por seu trabalho.

O SIGNIFICADO DAS CORES

Atualmente, as obras de arte em catedrais, galerias e palácios da Itália atraem conhecedores e turistas de todas as partes do mundo. Em 1400, os habitantes locais – os principais turistas – queriam ver, sobretudo, as mensagens religiosas vividamente expressas nas pinturas. Cristo e os apóstolos eram, então, os heróis; hoje, os pintores e escultores famosos são os heróis, ou melhor, os gênios. No ano de 1400, o único gênio se chamava Cristo.

As igrejas desempenhavam o papel hoje representado pelas galerias de arte. Não havia, porém, catálogos ou fones de ouvido para visitantes e fiéis; as pinturas religiosas tinham de falar sem a ajuda de intérpretes.

> AS IGREJAS DESEMPENHAVAM O PAPEL HOJE REPRESENTADO PELAS GALERIAS DE ARTE.

Assim como os jogadores de futebol podem ser identificados pelas cores da camisa que vestem, os heróis do cristianismo podiam ser identificados pelas roupas ou pelos símbolos que traziam nas mãos ou nos pés. A figura do menino Jesus com um pintassilgo na mão, pintada por Giovanni Tiepolo, pode intrigar os visitantes da National Gallery of Art, em Washington. Para os estudiosos, porém, o pintassilgo anunciava o destino de Jesus, que recebeu uma coroa de espinhos antes de ser morto. Naquela época, em que a maioria dos habitantes era composta por camponeses e agricultores, quase todo mundo sabia que o pintassilgo come espinhos e cardos.

Em muitas pinturas São Pedro está vestido de amarelo e segura uma penca de chaves – as chaves do reino. Ou carrega um peixe, em alusão a sua pescaria de almas humanas, na tentativa de conquistá-las e convertê-las. São Marcos aparece frequentemente acompanhado de um leão, e, quando se tornou padroeiro de Veneza, o leão foi incorporado como símbolo. São Paulo quase sempre traz uma espada, arma com que foi decapitado. Santa Escolástica, irmã gêmea de São Benedito, era muitas vezes pintada com um lírio na mão e uma pomba junto aos pés.

Nas pinturas, as cores das vestes dos religiosos também são sinais importantes, pois a Igreja Cristã representava cada vez mais o expoente da cor e das decorações suntuosas. Inocêncio III, consagrado papa antes dos 40 anos de idade, voltou sua atenção, na década de 1190, para as cores usadas em cerimônias religiosas. Ele estabeleceu a base do atual sistema de cores adotado nos vários eventos do ano cristão. Branca, vermelha, verde, roxa, violeta e preta eram as cores principais. Todo fiel bem informado sabia, ao entrar em uma igreja de Paris ou Lisboa, de que cor seria a veste usada pelo padre, conforme a data comemorada. A Igreja Ortodoxa não adotava tal precisão, embora preferisse vestes brancas para a Páscoa e os funerais.

O SURGIMENTO DAS UNIVERSIDADES

As universidades resultaram, em grande parte, do trabalho da Igreja. Fossem elas formadas por bispos ou por grupos informais de professores e estudiosos, logo estavam unidas sob o mesmo comando – exceto as da região ocidental do Mediterrâneo; obedeciam aos preceitos e promoviam os objetivos da Igreja. As primeiras universidades da Europa ocidental ficavam na Itália. A do porto de Salerno, ao sul, essencialmente voltada para a Medicina, talvez tenha sido a inicial, e no século 11 já ocupava o posto de melhor da Europa. Os estudos se baseavam sobretudo em trabalhos de médicos gregos e árabes, traduzidos para o latim. Os alunos aprendiam a dissecar corpos, mas de porcos, e não de seres humanos.

Das primeiras universidades, a mais influente ficava em Bolonha, no norte da Itália, uma cidade que tinha de um lado colinas, e, do outro, a vasta planície do rio Pó. De início especializada em Direito Canônico e Direito Civil, criou fama e acabou atraindo muitos estudantes espanhóis, para os quais chegou a ser fundada uma unidade especial em 1364, quando a universidade completava dois séculos de existência.

Paris se mostrou uma séria rival de Bolonha. Especializada em Teologia e outras áreas abstratas, a universidade de Paris recebia a supervisão da catedral de Notre Dame. Logo quatro departamentos (ou faculdades) – Direito, Medicina, Artes e a todo-poderosa Teologia – foram criados. A universidade mais famosa da Espanha – a de Salamanca – foi fundada em 1243. Na época, a cidade de Oxford, na Inglaterra, contava com uma universidade que concorria com a de Paris em Teologia. Tal como a Igreja Católica, a universidade era uma instituição internacional: alunos e professores chegavam de várias regiões, em uma movimentação facilitada pelo uso de um idioma comum, o latim. No início, a palavra falada – e não os livros ou manuscritos – constituía a essência do ensino universitário. Uma aula era equivalente ao sermão na igreja.

A Europa central custou a imitar a criação desses locais para o ensino superior, mas a fundação de universidades em Praga, em 1348, e na Cracóvia, dezesseis anos mais tarde, foram eventos marcantes nos círculos intelectuais. A universidade se tornaria uma característica da civilização cristã. No século 16, a Reforma protestante, que representou um forte abalo para a Igreja Católica, foi iniciada por indivíduos formados em universidades. Nos séculos mais recentes, porém, talvez nenhuma instituição tenha colaborado tanto para promover uma visão alternativa ou menos religiosa do mundo.

CAPÍTULO 13

UMA ESTRELA SOBRE ASSIS

O oceano da cristandade foi tranquilo por longos períodos, mas às vezes os ventos e as correntes mudavam de direção. As primeiras décadas do século 13 atravessaram mares bravios.

FRANCISCO DESCOBRE UMA NOVA VIDA

No ano de 1200, as cidades da Europa ocidental se desenvolviam, embora a maior parte da população vivesse da terra. Nas cidades grandes, porém, comerciantes de tecidos e lã tornavam-se pequenos magnatas, enquanto surgia um novo tipo de negociante, cujo negócio era o próprio dinheiro. Eram os primeiros banqueiros. Na Inglaterra e no noroeste da Europa concentravam-se os principais produtores de lã: criadores, fiandeiros e tecelões. No entanto, boa parte da produção era comprada pelos comerciantes italianos, que a levavam para seu país, onde esses produtos passavam pela parte final do processo de fabricação.

A lã financiou a infância daquele que talvez seja o cristão mais famoso, desde o próprio Cristo. Francesco di Pietro di Bernardone, mais tarde conhecido como São Francisco de Assis, nasceu na cidade de Assis, na Itália central, provavelmente em 1181. Seu pai comercializava tecidos, uma atividade muito antiga, mas um setor vital dos negócios na Europa. Em comparação, a fabricação de tecidos era, na época, mais importante do que a fabricação de automóveis, cerca de oito séculos depois.

O pai de Francesco viajava para as maiores feiras da Europa, na região de Champanhe, na França, onde eram negociadas grandes quantidades de tecido cru. Possivelmente em uma dessas viagens ele conheceu Pica, a francesa com quem se casou. Compreende-se que tenha dado ao primeiro filho o nome de Francesco, que remete a "francês". No entanto, o filho renunciaria ao patrimônio acumulado pelo pai. Aquele belo jovem, que às vezes trocava as roupas elegantes por trapos, provocou uma verdadeira revolução, com suas atitudes transformadoras, ao tornar-se um cristão dedicado.

Na Europa medieval, a lepra estava amplamente disseminada. Os portadores da doença viviam fora dos muros da cidade de Assis, na planície. As pessoas, em sua maioria, desviavam-se, ao encontrar um deles na estrada. Certo dia, Francisco resolveu beijar um dos enfermos no rosto, apesar da terrível aparência de sua pele. Surpreso, ele notou que se sentia alegre, "com uma doçura de alma e de coração".

> A LÃ FINANCIOU A INFÂNCIA DAQUELE QUE TALVEZ SEJA O CRISTÃO MAIS FAMOSO, DESDE O PRÓPRIO CRISTO.

Acreditando que Cristo se comunicava com ele, Francisco se mantinha alerta para a possibilidade de receber uma mensagem. Certa vez, visitava a capela abandonada de São Damião, fora dos muros de Assis, quando teve a impressão de ouvir uma voz vinda do crucifixo, no altar. A voz mandava que ele recuperasse a capela semidestruída, devolvendo-a aos fiéis. Francisco sabia como conseguir o dinheiro necessário à execução do projeto. Pegou na casa do pai alguns fardos de tecido, amarrou ao lombo de um cavalo e viajou para Foligno, uma cidade próxima.

Lá, Francisco vendeu o tecido e o cavalo, e preparou-se para começar a reforma da capela abandonada perto de Assis. Seu pai, inconformado com o que considerou um roubo, resolveu agir. O bispo, informado do episódio, tentou repreendê-lo, mas Francisco, sempre apaziguador, conseguiu ficar com o dinheiro.

Foi com aquele dinheiro conseguido ilicitamente que ele começou a reparar a capela. Chegava a usar a colher de pedreiro e a subir em andaimes. Concluída a tarefa, Francisco voltou suas atenções para Porciúncula, cidade onde uma capela dos beneditinos também estava abandonada. Nessa fase da vida – aos vinte e poucos anos – ele se tornou quase um construtor e incorporador em pequena escala.

Em uma das igrejas recuperadas, operou-se nele nova transformação. O padre lia em voz alta um trecho da versão em latim do evangelho de Mateus, quando Francisco sentiu como se as palavras de Cristo lhe fossem dirigidas especialmente. Ele ouviu o conselho de tomar a estrada, sem levar o que quer que fosse – "nem ouro, nem prata, nem dinheiro, nem ao menos sandálias ou um cajado". Como viajante, passou a pregar para quem quisesse escutar. Como se inspirava em Jesus, preferia citar o Novo Testamento. Na coletânea de seus escritos e discursos, contam-se 164 citações do Novo Testamento, e apenas 32 do Antigo Testamento – uma rara proporção. Segundo explicava, o melhor sermão é curto, pois "as palavras do Senhor na Terra foram breves". Muito mais tarde, pregadores franciscanos se tornaram admirados por suas habilidades. São Bernardino de Siena, nascido meio século depois da morte de Francisco, conseguia imitar o zumbido da abelha ou fazer outros sons com muita propriedade, para interessar a audiência e transmitir sua mensagem.

Numerosos jovens – e mais velhos também – juntaram-se ao líder, chegando a uma quantidade incalculável de seguidores. Em 1209, Francisco era acompanhado por doze discípulos, mas em dez anos eles somavam 2 mil ou mais, e em poucas décadas chegavam a 39 mil, espalhados por várias regiões. Eles não eram chamados de padres nem de monges; ficaram conhecidos como frades, simplesmente.

A maioria dos franciscanos procurava seguir o texto bíblico: "Não andeis ansiosos pelo dia de amanhã." Pertences além do estritamente necessário eram proibidos. "Os irmãos nada devem possuir", Francisco advertia. Ele lembrava aos seguidores: "Por nós o Senhor se fez pobre no mundo." Suas instruções eram no sentido de serem "pobres de bens e ricos de virtudes".

Francisco se rebelava contra uma nova onda de riqueza e materialismo, pois o comércio e as transações com dinheiro cresciam como há quase mil anos não acontecia. Para ele, o brilho das moedas representava uma ameaça moral. Em 1221, contrariando a opinião do pai, ele afirmou que as moedas não eram mais úteis do que as pedras do rio.

A mais admirada seguidora de Francisco surgiu em 1212: a jovem Clara, que tinha ficado encantada com uma pregação de Francisco na catedral. Clara vinha de família nobre, era cerca de doze anos mais nova do que Francisco e estava determinada a tornar-se sua discípula. O problema era: como acomodar, em uma comunidade masculina, aquela moça zelosa e educada? Com o consentimento do bispo de Assis, Clara foi admitida no mosteiro beneditino local, como monja. De início, seus pais ricos de nada sabiam; para eles, a filha havia simplesmente saído de casa.

Clara logo se adaptou à vida de pobreza que Francisco prescrevia para os seguidores. As roupas finas foram substituídas por outras, grosseiras, e o próprio Francisco lhe cortou os longos cabelos. Aquele foi talvez um dos momentos mais sensuais da vida de disciplina que ele se impusera. Descontente com a rotina do mosteiro, já que era seguidora de São Francisco, exclusivamente, Clara foi autorizada a ocupar a então recuperada capela de São Damião. Unindo-se à irmã e a algumas amigas que compartilhavam de suas ideias, ela se tornou a líder das Damas Pobres de São Damião, mais tarde conhecidas como Clarissas Pobres.

Em um exemplo de extrema sobriedade, ela jejuava três vezes por semana e dormia em uma cama feita com galhos de videira, tendo uma pedra como travesseiro. Como essa vida excessivamente dura acabou por prejudicar-lhe a saúde, Clara finalmente aceitou as ordens severas de Francisco, no sentido de dormir regularmente em um colchão de palha e comer um pouco mais de pão. Sua fama se espalhou. Nas cidades de Lucca, Siena, e até mesmo Bordéus, na França, surgiram grupos de mulheres franciscanas que imitavam sua vida piedosa.

IRMÃ COTOVIA E IRMÃO PEIXE

Francisco de Assis era capaz de atrair um pássaro que estivesse pousado em um galho. Em uma época na qual se tratavam duramente aves domesticadas e animais de trabalho, Francisco sentia afinidade com eles. As cotovias, de cor parda, eram suas preferidas. Ele via no aspecto pouco atraente das penas daquelas aves um conselho para que frades e monges não usassem "roupas coloridas e luxuosas". As cotovias possuíam também uma virtude religiosa – a humildade – além de passarem quase o tempo todo "nos céus". Aos olhos de Francisco, a cotovia era ao mesmo tempo alegre e frugal, pois "percorre animadamente a estrada em busca de um grão de milho e, quando encontra, come satisfeita, ainda que tenha de pegá-lo entre os excrementos de animais". Na época, bois, cavalos e burros eram o principal meio de transporte. Assim, espalhavam-se pelas estradas montes de esterco, que às vezes continham grãos não digeridos. Esses grãos serviam de alimento aos pássaros.

> NO DIA DE NATAL, TORNOU-SE COSTUME OS HABITANTES DAS CIDADES ESPALHAREM GRÃOS NAS ESTRADAS, PARA ALIMENTAR AS COTOVIAS.

Francisco tratava as cotovias como irmãs. No dia de Natal, tornou-se costume os habitantes das cidades espalharem grãos nas estradas, para alimentar as cotovias. Certa vez, ele pregava em Bevagna, uma cidade situada na Itália central, até hoje admirada por sua *piazza* medieval, e saudou-as formalmente como "meus irmãos pássaros", convidando-as a louvar o Criador, "que lhes deu tudo que é necessário: penas como agasalho e asas para voar". Observadores podiam considerá-lo excêntrico, mas talvez não houvesse em toda a Europa um ser humano semelhante a ele.

Diz-se que Gubbio, uma cidade de montanha, próxima a Assis, testemunhou milagres de Francisco. Lá ele curou a mão paralisada de uma menina. Além disso, amansou um lobo que aterrorizava as redondezas: em um pacto de amizade, apertou solenemente a pata do lobo, como se fosse um acordo de cavalheiros. Uma pintura exposta na National Gallery, em Londres, mostra a cena e a admiração despertada por ela.

Santo Antônio de Pádua – ainda não conhecido por esse nome – viajou ainda muito jovem de Portugal para a Itália e juntou-se a uma das equipes de pregadores franciscanos. Na década de 1220, visitou Rimini, um antigo porto romano no Mar Adriático, onde tentou converter "uma multidão de hereges". Por mais que pregasse, ninguém se deixava convencer. Certo dia, ele caminhou até a foz do rio, logo abaixo da ponte romana, que continua intacta, e resolveu falar ao mar. Se as pessoas não o ouviam, os peixes ouviriam, com certeza. De acordo com o livro *As pequenas flores de São Francisco*, muito popular no século 14, os peixes puseram a cabeça fora da água, para escutar. Então, arrumando-se em ordem espontaneamente, com os menores na frente, inclinaram a cabeça, "em sinal de reverência". Os habitantes de Rimini acorreram ao local, maravilhados.

> CERTO DIA, SANTO ANTÔNIO DE PÁDUA CAMINHOU ATÉ A FOZ DO RIO, LOGO ABAIXO DA PONTE ROMANA, [...] E RESOLVEU FALAR AO MAR.

Uma característica dos primeiros franciscanos era a estranha ideia de que os animais, tal como os seres humanos, são capazes de organizar-se em formação precisa, quando tocados pelo Espírito Santo. Uma pintura na igreja da Santa Croce (Santa Cruz), em Florença, feita poucos anos depois da morte de Francisco, mostra o santo, vestido com um manto escuro, com o semblante sério, dirigindo-se a um grupo de pássaros que, organizados em fileiras de seis, escutam atentamente. Em outra cena, quem escuta são muçulmanos, já que naquela época os cristãos empreendiam cruzadas para convertê-los, e o grupo também está organizado em fileiras de seis. Em 1219, Francisco e alguns companheiros partiram em uma cruzada, na esperança de converter os muçulmanos pacificamente.

OS ÚLTIMOS DIAS DE FRANCISCO

Aos quarenta e poucos anos, Francisco já não tinha a saúde de antes. Como queria continuar pregando, ainda montava, mas não ia longe. Além de fraco fisicamente, começava a perder a visão.

A possibilidade de que Francisco não tivesse muito tempo de vida tornou-o ainda mais precioso para seus seguidores, e um acontecimento notável intensificou essa admiração. Conta-se que apareceram em seu corpo estranhas cicatrizes e feridas que seguiam o padrão das marcas deixadas no corpo de Cristo pela crucificação. Os ferimentos, chamados de "estigmas", eram saudados como sinal de uma bênção especial de Cristo. No início do século 20, marcas semelhantes apareceriam no corpo do padre de uma província italiana, o padre Pio, cuja cidade mais tarde se tornou o destino de ônibus lotados de peregrinos.

Francisco passou seus últimos dias em uma cabana, no local onde tinha se convertido: a planície abaixo de Assis. Lá, pediu pão, benzeu e distribuiu em pedaços aos frades reunidos em volta. A cada pedaço de pão entregue, ele pousava a mão sobre a cabeça do frade. A seu pedido, foram lidas em voz alta passagens do evangelho de São João, e mais uma vez ele ouviu as palavras: "Jesus sabia que tinha chegado a hora de deixar este mundo e ir para o Pai." Francisco morreu em 3 de outubro de 1226, no silêncio da noite. Houve relatos apaixonados de que um bando de cotovias, suas aves favoritas, começaram a voar em círculo, como que em uma despedida.

Francisco pediu para ser enterrado despido, diretamente na terra, e então esquecido. Mas seu corpo era importante demais para que o esquecessem. Decorrido pouco tempo da morte de Francisco, seu dedicado protetor, o cardeal Ugolino, foi eleito papa. Com o nome de Gregório IX, ele viajou a Assis, para proclamar Francisco santo. Depois de dizer uma frase popular na Idade Média – "Ele era a estrela da manhã entre as nuvens" – o papa entrou na cripta da basílica em construção e rezou missa em presença do corpo de Francisco, recém-removido para lá. Alguns franciscanos estranharam que um dos santuários de mais alto custo da Itália fosse construído em honra de um santo que preferia a pobreza e praticava a frugalidade.

Os seguidores de Francisco se espalharam por muitos países. Na Hungria, tiveram de sujar as roupas com estrume de vaca, de modo que fossem menos tentadoras para agressores e ladrões. Em uma cidade espanhola, acamparam no cemitério. A primeira expedição à Alemanha fracassou, porque os frades não falavam o idioma local. No Marrocos, alguns se tornaram mártires. Em outras regiões, porém, inclusive Inglaterra e França, foram incrivelmente bem-sucedidos.

Nem todos os propósitos de Francisco se mantiveram depois de sua morte. Ele achava a aprendizagem um risco, e os livros e manuscritos, um perigo, por alimentarem o orgulho. No entanto, em pouco tempo as novas universidades eram um dos pontos fortes da ordem franciscana. Originariamente, os seguidores de Francisco faziam trabalho braçal e cuidavam de enfermos. Mas faltava encanto a essas tarefas, e começou a ficar difícil encontrar quem as assumisse. Embora Francisco visse grandes virtudes na pobreza, alguns de seus seguidores mais destacados vieram a ser amigos ou capelães dos ricos, e convenceram-nos a doar dinheiro aos franciscanos. A ordem se tornou poderosa e rica – o fundador se espantaria! – e seus membros chegaram a cardeais e papas.

OS ELOQUENTES DOMINICANOS

Enquanto Francisco iluminava a Itália, via-se outra luz em Bolonha, na parte norte das montanhas. A outra luz vinha do espanhol Domingos de Gusmão, que tinha muito em comum com Francisco, embora doze anos mais velho: ambos possuíam a rara habilidade de atrair e inspirar discípulos; ambos vinham de camadas mais abastadas da sociedade e tinham plena consciência dos perigos da riqueza; e ambos conheciam a advertência do Novo Testamento, segundo a qual os ricos dificilmente entram no reino dos céus.

A ascensão de Domingos de Gusmão não foi tão rápida e cheia de encantos quanto a de Francisco. De família nobre, Domingo de Guzmán – esse era seu nome verdadeiro – nasceu no extremo norte da Espanha, perto de Burgos. Na Idade Média, boa parte da vitalidade do cristianismo vinha de áreas da Península Ibérica recentemente ocupadas pelos muçulmanos ou de regiões próximas.

Quando Domingos tinha cerca de 21 anos, a região onde vivia foi assolada pela fome. Ele vendeu os livros que possuía – um bom livro valia muito, por ser escrito e ilustrado à mão – e distribuiu o dinheiro aos necessitados. Logo que entrou para o mosteiro de Osma, sob administração dos agostinianos, teve o talento reconhecido pelo bispo local, Diego de Azevedo. Juntos, eles fizeram uma longa viagem, quando chegaram a visitar o papa. E foi o próprio papa quem os dissuadiu de prosseguir rumo a terras distantes, em busca de conversões. Afinal, um grupo de heréticos vivia em local pouco acessível, mas próximo, nas montanhas do sul da França e do norte da Espanha. Estes com certeza deviam ser convertidos primeiro.

Em Roma, no ano de 1216, Domingos recebeu autorização para fundar uma ordem religiosa, com a missão

> NA IDADE MÉDIA, BOA PARTE DA VITALIDADE DO CRISTIANISMO VINHA DE ÁREAS DA PENÍNSULA IBÉRICA.

específica de pregar. Sua primeira base foi em Toulouse, na França, antes reduto dos cátaros. Seus dezesseis seguidores se espalharam, reuniram mais homens dispostos a dedicar a vida a Cristo e implantaram muitas casas religiosas; tantas, que Domingos encontrava dificuldade em inspecionar todas. Conta-se que só em uma viagem de inspeção, partindo de Roma e atravessando França e Espanha, ele percorreu cerca de 6 mil quilômetros a pé.

Aos poucos os habitantes das cidades perderam o interesse pelas pregações. Os dominicanos, porém, sabiam como atrair a atenção do povo. Cada vez mais eles eram solicitados a instalar púlpitos nas igrejas de paróquia e ouvir as confissões dos fiéis. Seu manto negro e a capa branca sem mangas eram facilmente reconhecidos nas ruas. Com pobreza e sinceridade, os dominicanos conquistavam respeito. Como pediam apenas o que comer, não podiam ser acusados de viver à custa do trabalho e do suor dos pobres.

Tomás de Aquino, nascido na Itália em 1225, quatro anos após a morte de Domingos de Gusmão, intensificou o empenho dos dominicanos pela dominância intelectual. A fama de Tomás de Aquino como importante teólogo perdurou por cerca de oitocentos anos. Apesar de considerado o patrono de todas as universidades católicas, suas opiniões não eram aceitas sem exceção. Por algum tempo, os trabalhos de Tomás de Aquino foram banidos das instituições mantidas pelos franciscanos, rivais dos dominicanos.

Em certos círculos, a popularidade dos dominicanos diminuiu depois que a Inquisição começou a eliminar as heresias. Os dominicanos, como pregadores e teólogos, sabiam exatamente identificar uma heresia. O mais temido caçador de heréticos foi o padre dominicano Tomás de Torquemada, que se tornou o grande inquisidor, dois séculos e meio após a morte de Domingos de Gusmão. É de certa forma injusto que a Inquisição espanhola e seus homens fortes, cristãos, tenham se tornado símbolos da intolerância, já que não são raras as atitudes de intolerância encontradas nos registros das histórias de verdades consideradas preciosas.

> A POPULARIDADE DOS DOMINICANOS DIMINUIU DEPOIS QUE A INQUISIÇÃO COMEÇOU A ELIMINAR AS HERESIAS.

OS FRADES PEDINTES

Franciscanos e dominicanos ficaram conhecidos como "mendicantes". Em outras palavras, eram pedintes. As pessoas os conheciam como "frades", da palavra latina *frater*, que significa irmão. Nas ruas e estradas da maior parte da Europa ocidental, os costumes das novas ordens pedintes começaram a ser identificados. Os franciscanos usavam hábito cinza e, por cima, um manto da mesma cor; mais tarde, mudaram para o hoje familiar marrom. Os dominicanos – ou frades pretos – vestiam hábito branco e manto preto. Os carmelitas – ou frades brancos – usavam marrom por baixo e branco por cima. Das grandes ordens mendicantes, a mais recente é a dos frades agostinianos ou Eremitas de Santo Agostinho, fundada em 1256, menos de meio século depois da criação da ordem franciscana.

Francisco e Domingos começaram a vida religiosa durante a longa era dos mosteiros, uma instituição inicialmente destinada a fazer com que seus membros se afastassem do mundo e se aproximassem de Cristo. No entanto, eles chegaram ao fim da vida como fundadores de instituições que pertenciam mais à inquietação do mundo. Seus frades não rezavam atrás de portões fechados, mas nas praças e estradas. De início, dependiam da bondade e da gratidão do povo, para terem o que comer. Francisco às vezes imaginava seus frades como "as aves do céu". Segundo o evangelho de Mateus, elas "não semeiam, não ceifam, nem recolhem em celeiros. O vosso Pai celeste as alimenta". Mais tarde, porém, franciscanos e dominicanos se tornaram grandes proprietários de casas, conventos, orfanatos, asilos, escolas e igrejas. A mudança de uma existência precária para uma organização permanente foi quase inevitável, e o preço a pagar pelo sucesso rápido. Sua nova forma de cristianismo teria forte influência sobre boa parte do mundo.

Franciscanos, dominicanos, agostinianos e carmelitas percorriam as ruas apinhadas de cidades em desenvolvimento, como Florença, Gante e Gênova. Quando eles chegaram a esses locais, já encontraram numerosas igrejas. Assim, tiveram de construir outras onde houvesse espaço: junto às estradas ou em terrenos vagos, entre as muralhas internas e externas. Foi o que os franciscanos fizeram em Bolonha. Para os pregadores mendicantes, a vantagem de ficar dentro dos limites da cidade estava na facilidade de alcançar plateias mais influentes e numerosas. Usando de persuasão, eles procuravam influir sobre a moral dos habitantes, já que as cidades eram consideradas redutos da imoralidade e do vício, em contraste com o campo, mais simples e natural.

É fácil minimizar a importância dos franciscanos e dominicanos, já que a Reforma e o surgimento do protestantismo tendem a dominar os registros históricos do período entre 1200 e 1700. O advento dos frades, porém, representou uma verdadeira revolução religiosa que afetou um território mais vasto do que o protestantismo, em seu início. E mais: em 1490, quando novas rotas marítimas foram abertas para a Ásia e as Américas, franciscanos e dominicanos foram frequentemente os primeiros a embarcar.

CAPÍTULO 14

OS CRUZADOS

Na França, em 1095, o papa Urbano II tomou uma decisão importante: organizou uma das mais notáveis e ousadas aventuras da história do mundo. Era a cruzada, uma peregrinação em massa. Os efeitos de sua decisão ainda se fazem sentir no Oriente Médio.

Ex-monge de Cluny, o papa se concentrava na retomada da distante Jerusalém. A estratégia era inteligente. Seria oferecida, a cada cristão disposto a integrar uma cruzada para libertar a Terra Santa do islamismo, uma recompensa no céu – ou ao longo da estrada que leva ao céu: todo participante, fosse como peregrino ou como soldado, teria perdoados os pecados cometidos durante toda a vida. Mas a recompensa continha algumas restrições. Só seriam perdoados aqueles "que participassem da cruzada para libertar a Igreja de Deus por pura devoção, e não em busca de glória ou dinheiro". Essa condição foi esquecida pela maioria dos cruzados.

Tanto pobres quanto ricos eram incentivados a participar da peregrinação. Os mosteiros e outras instituições cristãs ao longo do caminho dariam suporte aos peregrinos.

UMA CORRERIA RUMO A JERUSALÉM

Esperava-se ardentemente que os grupos de cruzados saídos da Europa ocidental retomassem e salvassem Jerusalém. Supunha-se que as forças muçulmanas seriam rechaçadas, e Jerusalém, então recuperada, permaneceria sob o controle dos cristãos; ficaria sempre aberta aos peregrinos, que, inspirados pela experiência, ao voltarem para casa se tornariam pregadores do evangelho em seus círculos de relacionamento.

A estação do ano mais propícia à partida da cruzada era a primavera. Com a temperatura mais amena, provavelmente alguns cruzados, civis e militares, se disporiam a viajar por terra. Outros iriam de navio. Os proprietários de embarcações de Gênova, Veneza e outros portos do Mar Mediterrâneo devem ter comemorado, ao tomar conhecimento da promessa do papa; aquela poderia ser uma das maiores excursões marítimas já planejadas.

> PARA A PRIMEIRA CRUZADA, OS EVANGELISTAS REUNIRAM UM EXÉRCITO DE VOLUNTÁRIOS.

Para a primeira cruzada, os evangelistas reuniram um exército de voluntários. Pedro, o Eremita, um francês melancólico nascido em Amiens, falava com fervor da "segunda vinda" e da necessidade de preparar Jerusalém para o dia em que Cristo retornasse. Era certo que Cristo apareceria primeiro em Jerusalém, a cidade onde tinha sido crucificado. Pregando em Colônia, na Páscoa de 1096, Pedro convenceu multidões de alemães a segui-lo.

Talvez o grupo já contasse com 20 mil participantes, quando a chegada da primavera permitiu a partida. A cruzada passou por Belgrado e Sófia, a caminho de Constantinopla. Pedro seguia junto, montado em seu jumento, incentivando e prometendo um vislumbre do paraíso.

O imperador de Constantinopla deve ter se assustado, à aproximação daquela cavalgada amadora. Como primeira providência os viajantes deviam ser alimentados, para não agirem como uma praga de gafanhotos, ao atravessar as extensas plantações. Provavelmente o imperador viu com alívio o momento em que o grupo foi embarcado, para atravessar o estreito de Bósforo e alcançar o litoral da Ásia. Aquele era apenas o início, porém. Exércitos de cruzados bem treinados chegariam do norte da Europa, por terra e pelo mar.

Havia um longo caminho a percorrer até Jerusalém. Liderados quase sempre por franceses, os cruzados armados capturaram Antioquia em 1098 e, um ano depois, Jerusalém, onde segundo se conta foram mortos cerca de 50 mil muçulmanos e judeus. Quatro colônias separadas – em geral descritas como reinos ou principados – foram estabelecidas por nobres europeus ocidentais perto do litoral asiático do Mar Mediterrâneo. Um desses reinos latinos administrava a própria Jerusalém. Em 1187, porém, os turcos finalmente retomaram a cidade, encerrando a ocupação pelos cruzados, que se estendeu por 88 anos.

A QUARTA CRUZADA: INSANIDADE

Esperava-se que as cruzadas contra o islamismo unissem a cristandade. No entanto, elas acentuaram a cisão religiosa entre cristãos católicos e ortodoxos. Além disso, intensificaram a rivalidade comercial entre as repúblicas cristãs de Gênova e Veneza, enfraquecendo seus laços católicos.

A rivalidade entre Gênova e Veneza foi resultado, em parte, da geografia da Itália. Como principais portos em seus respectivos recortes dos profundos golfos do Mar Mediterrâneo, serviam às rotas comerciais que cruzavam os Alpes, rumo ao norte da Europa. Gênova ocupava a parte ocidental da Itália, e suas embarcações competiam com as da vizinha Pisa, na tentativa de assumir o controle das águas que se estendiam na direção da França, da Espanha e do noroeste da África.

Diferentemente, Veneza ficava na parte oriental da Itália, e suas embarcações dominavam boa parte dos mares Adriático e Egeu, além do Mediterrâneo oriental e das estreitas passagens que davam acesso a Constantinopla e ao Mar Negro. Por falta de embarcações próprias, Constantinopla aos poucos passou a utilizar barcos venezianos no transporte dos produtos comercializados. A cidade chegou a manter um bairro veneziano, onde oficiais lá residentes, vindos de Veneza, julgavam disputas entre marinheiros e negociantes, e onde capelães, também vindos de Veneza, oficiavam regularmente serviços religiosos, empregando idioma e ritos latinos. A paz se rompeu em 12 de março de 1171, quando o imperador bizantino ordenou a prisão de todos os venezianos que vivessem na cidade. Embora perseguidos durante dias pelo inimigo, alguns conseguiram escapar do verdadeiro banho de sangue. Quatro anos depois, as desavenças foram parcialmente sanadas, e comerciantes venezianos retornaram a Constantinopla.

Veneza esperou até 1204 pela vingança.

Em 1204, uma frota veneziana que transportava tropas e suprimentos atravessou em segurança o estreito de Dardanelos e alcançou as muralhas da poderosa cidade, permitindo o desembarque de cerca de 30 mil homens dispostos a lutar. Depois de tomar de assalto as fortificações, massacraram muitos habitantes e queimaram, pilharam ou destruíram prédios. Entre os produtos da pilhagem levados pelos invasores estavam dois belos cavalos de bronze que adornavam o hipódromo da cidade, local da realização de competições entre carruagens e de desfiles civis. Os cavalos de bronze continuam em Veneza, do lado de fora da igreja de São Marcos, de onde se vê e ouve o mar.

Comerciantes e religiosos obtiveram recompensas dessa conquista naval. Um veneziano passou a ser o patriarca da Igreja Ortodoxa – o papa oriental, na verdade. Em uma decisão coerente, ele coroou como novo imperador bizantino um nobre francês, Balduíno, o Conde de Flandres. Afinal, a maior parte das cruzadas tinha entre seus soldados grande quantidade de soldados franceses.

No Ocidente, muitos cristãos se revoltaram com a humilhação imposta ao povo e aos religiosos de Constantinopla. Sobretudo como resultado desses eventos, a maioria dos cristãos ortodoxos passou a rejeitar os cristãos católicos mais do que rejeitava os muçulmanos. Os cristãos ocidentais aguardaram, e, quando surgiu a oportunidade, em 1261, retomaram a cidade.

CRUZADAS: UMA AVALIAÇÃO

As cruzadas estenderam-se por um período de cerca de quatrocentos anos, e têm um peso importante, quando se trata de avaliar nossa visão do passado e do cristianismo atual. As cruzadas são consideradas atualmente uma das causas da discórdia entre um pequeno braço militante do islamismo e o mundo cristão ocidental. Vários líderes europeus já se desculparam publicamente pela atuação de seus países nas cruzadas. Embora pedidos de desculpas sejam uma forma de pagamento um tanto desvalorizada, quando feitos séculos depois do evento e por pessoas não envolvidas diretamente, não deixam de ser uma atitude de espírito cristão.

As cruzadas já foram vistas mais favoravelmente por muitos historiadores ocidentais, que elogiavam o idealismo de dezenas de milhares de cruzados, bem como de outras dezenas de milhares que permaneciam em casa. "A humanidade se enriqueceu por causa das cruzadas", escreveu um renomado estudioso britânico no início do século 20. "Não se pode chamar de sombrios os tempos em que os cristãos se reuniram em torno de uma causa comum e levaram a bandeira da fé até o túmulo de seu redentor." Cidadãos bem informados do mundo ocidental parecem esquecer um fato significativo. Entre os séculos sétimo e décimo, as forças do islã capturaram mais da metade de todos os territórios cristãos da Europa e da Ásia Menor. As cruzadas, mal coordenadas, recuperaram apenas uma parte do que estava perdido.

> VÁRIOS LÍDERES EUROPEUS JÁ SE DESCULPARAM PUBLICAMENTE PELA ATUAÇÃO DE SEUS PAÍSES NAS CRUZADAS.

A longa duração da era das cruzadas responde por boa parte da culpa e do desconforto causados até hoje pelo assunto. Por que se estenderam tanto? O fervor religioso foi, com certeza, uma razão poderosa. Tanto os cristãos quanto seus adversários acreditavam lutar por uma causa sagrada. Outra razão – a distância – pouco teve a ver com o cristianismo. As forças cristãs da Europa ocidental, depois das primeiras vitórias, que lhes permitiram implantar reinos nas regiões mais afastadas do mar Mediterrâneo, encontraram dificuldade em fazer chegar lá soldados, cavalos e reforços, tanto por terra quanto por mar. As linhas de suprimento das primeiras possessões valiosas da Europa ocidental eram longas e dispendiosas.

Os invasores cristãos lutavam para equipar os novos reinos asiáticos com homens e cavalos suficientes. Assim, as cruzadas precisavam continuar, embora a um altíssimo custo em vidas e suprimentos, simplesmente para manter o domínio sobre Jerusalém e as outras terras conquistadas na primeira cruzada. Acontecia com os cruzados o mesmo que aconteceria ao imperador Napoleão e às forças francesas, ao lutarem na longínqua Rússia em 1812, ou aos britânicos, ao defenderem Cingapura em 1942. Todos combatiam longe de casa.

Para os cristãos, locais como Jerusalém, Jericó, Belém, Nazaré e o mar da Galileia representavam momentos fundamentais na vida de Cristo. Lá aconteceram seus milagres, suas pregações, sua morte. Lá estava seu túmulo vazio. Abandonar Jerusalém depois de conquistada seria praticamente uma blasfêmia, uma negação da própria fé religiosa.

CAPÍTULO 15

ROMA, AVIGNON E O CHIFRE DE OURO

A Igreja Católica e suas atividades estavam presentes na maior parte da Europa. Atualmente, não existe instituição, seja cultural, religiosa ou educacional, que se compare à situação daquela época. Como em uma versão inicial da assistência social do Estado, a Igreja mantinha albergues para os idosos e orfanatos para os jovens; hospitais para os enfermos de todas as idades; leprosários; e hospedarias onde os peregrinos podiam encontrar cama e comida por bom preço. Em tempos de escassez, a Igreja atuava como o maior fornecedor de pão e de outros produtos essenciais, como o sal. Os mosteiros construíam amplos depósitos para armazenamento de grãos e de feno, e os monges e monjas distribuíam regularmente pão e até mesmo cerveja aos pobres.

Para atuar em tantas frentes, a Igreja precisava recolher contribuições em larga escala. Essas taxas – ou dízimos – correspondentes à décima parte da produção do solo eram pagas pelos donos de terras. A Igreja Católica também possuía plantações e inúmeros imóveis nas cidades, inclusive prédios luxuosos, sendo a maior proprietária da Europa. Além disso, administrava direta ou indiretamente a maior parte das universidades europeias e era dona de quase todas as grandes bibliotecas, onde ficavam os livros produzidos nos mosteiros. E mais: era o principal patrono das artes e o principal educador dos jovens, embora a maioria das crianças não frequentasse a escola.

Praticamente todas as atividades econômicas eram regulamentadas ou orientadas pela Igreja. O negociante de couro e grãos, o cervejeiro que pagava os empregados, o capitalista que cambiava moedas estrangeiras, o mosteiro que vendia uma parte de suas terras – todos deviam perguntar: este é um preço justo? As pessoas respondiam diante de Deus por todas as transações realizadas. Alguns teólogos fizeram fama deliberando sobre essas questões delicadas. Até os papas, às vezes, se pronunciavam. A usura – cobrança de juros sobre o dinheiro emprestado – era considerada um pecado. "Ai de vós, que sois ricos", Cristo disse. Essa mensagem não agradava a todos.

Na era medieval, as advertências da Igreja eram absolutamente impraticáveis para os comerciantes. Sua sobrevivência, como negociantes a longa distância, estava ligada à venda de mercadorias – lã, vinho ou grãos – por preços superiores aos que tinham custado. A Igreja e suas aliadas, as autoridades civis, tinham dificuldade em deliberar sobre comércio e finanças. Apesar disso, a Europa e o mundo mediterrâneo cada vez mais dependiam do comércio, em especial nas épocas de muita fartura ou muita escassez.

Foram estabelecidas penalidades para comportamentos contrários aos preceitos do cristianismo – castigos capazes de fazer um bom cristão torcer as mãos ou blasfemar. O proprietário de terras ou comerciante que fosse considerado culpado não mais tomaria parte na Eucaristia. Alguns teólogos sustentavam que devia mesmo ser proibida a entrada dos culpados na igreja. Ao morrer, eles não teriam direito a que os religiosos da paróquia orassem por sua alma. As mesmas leis impostas aos fiéis aplicavam-se a bispos, abades e padres. Se algum destes possuísse fortuna pessoal e quisesse aumentá-la emprestando dinheiro a juros, seria acusado de usura, pecado pelo qual podia ser suspenso ou expulso da ordem a que pertencia.

Pode-se comparar a Igreja medieval a uma estranha mão, com dez dedos. Seus castigos e recompensas alcançavam todos os instantes da vida, dia e noite. Sendo o papa responsável pela administração e supervisão dessa enorme instituição, compreende-se que sua morte e a escolha de um sucessor representassem acontecimentos tão importantes.

O PAPA EREMITA

Pedro era o décimo primeiro dos doze filhos de um casal de camponeses. Vivendo em uma caverna, comendo alimentos simples e vestindo roupas humildes, ele rezava ou permanecia em atitude contemplativa por boa parte da noite e do dia. Em Monte Morrone, ele ajudou a reunir em uma nova comunidade os eremitas que viviam por perto. Daquele grupo surgiu a ordem dos celestinos, cuja denominação remete à cor do céu. Em seu mosteiro, construído nos montes Abruzos, perto de Sulmona, Pedro se tornou um líder tranquilamente inspirador.

Em 1292, era preciso eleger o papa. Pedro, o Eremita, então com mais de 80 anos, nunca participava das reuniões dos poderosos da Igreja. Assim, seu nome não constava da lista dos considerados aptos ao pontificado. Depois de dois anos de impasse, porém, chegou-se à conclusão, sob a influência de Carlos II, rei de Nápoles, de que Pedro seria o melhor candidato. Mensagens foram enviadas ao eremita quase andrajoso, convencendo-o a aceitar a indicação. Em julho de 1294, ele foi consagrado na bela basílica de Santa Maria de Collemaggio, de paredes quadriculadas em mármore vermelho e branco, na cidade de Áquila, perto da montanha de Gran Sasso. A cerimônia foi assistida por vários cardeais e por alguns de seus companheiros eremitas, vestidos de preto. Uma multidão cercou a igreja para saudar aquele que, segundo se esperava, restauraria ao papado a inocência e a simplicidade.

> DEPOIS DE DOIS ANOS DE IMPASSE CHEGOU-SE À CONCLUSÃO [...] DE QUE PEDRO SERIA O MELHOR CANDIDATO A PAPA.

Tanto o papa celestino como aqueles que o indicaram não tardaram a se arrepender. Ele tomou uma decisão rara: abdicar. Depois de apenas cinco meses de pontificado, pediu dispensa – ou foi dispensado. Daí a pouco tempo, morreu.

Pedro foi sepultado na basílica de Áquila no final do inverno, enquanto os picos das montanhas ainda conservavam um pouco de neve. Em abril de 2009, mais de sete séculos depois, seu corpo embalsamado, em vestes cerimoniais, seria perturbado pelo forte terremoto que atingiu a região. Foi então transferido, da igreja semidestruída para local seguro, na presença do papa e das câmeras de televisão: uma inimaginável invasão da privacidade de um eremita.

QUANDO ROMA SE MUDOU PARA A FRANÇA

Roma e seus arredores às vezes pareciam uma verdadeira anarquia, palco de intrigas e disputas. Havia razões suficientes para o papa deixar a cidade sempre que possível.

Em 1304, o papa Bento XI morreu na cidade montanhosa de Perúgia, na Itália central. Os cardeais se reuniram lá para eleger um sucessor, mas só chegaram a um indicado – de um religioso francês – depois de 11 meses. O novo papa, que adotou o nome de Clemente V, era arcebispo de Bordeaux; sem ter chegado a cardeal, não estava presente em Perúgia, é claro. Consagrado na cidade francesa de Lyon e, de certo modo, sob a influência do rei da França, não se sentiu atraído pela ideia de liderar a Igreja a partir de um palácio localizado na instável Roma e, por consequência, na turbulenta península da Itália.

> ROMA E SEUS ARREDORES ÀS VEZES PARECIAM UMA VERDADEIRA ANARQUIA, PALCO DE INTRIGAS E DISPUTAS.

Em vez de mudar-se para Roma, o novo papa simplesmente concordou, em 1309, em viver em Avignon, no sul da França, que, apesar de não muito importante como cidade, estava situada no vale do rio Ródano, uma das rotas de navegação e de comércio vitais para a Europa. O papa Clemente V esperava que Roma e seus arredores se tornassem menos conturbados. Assim, Avignon não seria sede permanente do papado, e não havia necessidade de construir um novo palácio; ele podia viver no mosteiro dominicano. Seu sucessor foi o bispo de Avignon, que manteve o mosteiro como residência. Afinal, iniciou-se a construção do palácio papal sobre a maior rocha junto ao rio. A fortificação das muralhas em torno da cidade ficou pronta em 1368, quando o governo papal já se tornara proprietário de toda a região.

De modo geral, a maioria dos cardeais era italiana, mas nas décadas em que os papas viveram em Avignon a situação mudou. Em 1331, 17 dos 20 cardeais eram franceses. Quando ocorria uma vaga, era preenchida por outro francês. Não admira que, ao se reunirem em Avignon, os cardeais elegessem seus conterrâneos como papas – sete, ao todo – que por sua vez consagravam cardeais de nacionalidade francesa. Em 70 anos, foram escolhidos 112 cardeais franceses.

A mudança para a França reduziu o prestígio do papa. Ninguém se esforçou mais do que Catarina de Sena, uma freira dominicana de 30 anos, para convencer diversos religiosos de que o papa realmente pertencia a Roma. Lá estava sepultado São Pedro, cuja missão devia ser levada adiante por todos os papas. Apesar de instalados na França, os papas, em sua maioria, consideravam a Itália seu lar legítimo. Assim, dois terços do que a Igreja arrecadava eram empregados na contratação de soldados mercenários para a retomada dos territórios, especialmente a Itália central. Aumentando seu poder na Itália, o governo papal reconquistou Bolonha, Verona e outras importantes cidades perdidas. Ao tornar-se mais segura, Roma voltou a atrair a presença do papa.

A decisão de levar o governo papal de volta para Roma coube a Urbano V, um homem decente, santo mesmo. Avignon se entristeceu ao ver o papa partir, com pompa e cerimônia. Durante os 70 anos em que o papa esteve ausente, Roma atraiu poucos peregrinos, assim prejudicando os negócios de hospedarias, vendedores ambulantes, estábulos, comerciantes de feno e ferreiros. A cidade empobrecida recebeu o papa, tão aguardado. Pena ele ter morrido daí a um ano.

O sucessor de Urbano V foi um italiano que desafiou os que o elegeram e acabou repudiado pela maioria dos cardeais. No entanto, era mais fácil eleger um novo papa ou um papa paralelo do que depor o que estivesse em exercício. Assim, foi eleito o bispo de Genebra, de idioma francês, que naturalmente preferiu viver no palácio papal de Avignon, e não em Roma. Conhecido como antipapa, ele recebeu o apoio de França, Espanha, Escócia, Savoia, reino de Nápoles e, portanto, sul da Itália e Sicília. Enquanto isso, o papa de Roma recebia o apoio da maior parte das regiões de língua alemã, bem como de Hungria, Polônia e Inglaterra.

A cristandade estava efetivamente dividida em três: uma Igreja Oriental e uma Igreja Ocidental, na verdade dividida em duas. Por cerca de 30 anos, o novo cisma foi um golpe no prestígio de uma Igreja que valorizava a unidade. A existência de papas rivais na Europa ocidental também enfraqueceu a ideia de que a suprema autoridade papal não devia ser desafiada.

Outro fator afetou a autoridade religiosa, inicialmente na área de grande potencial econômico e estratégico formada por Florença, Roma e centro da Itália, e depois em muitas outras regiões. A Renascença estava a caminho. Um renascimento do espírito secular e pré-cristão da clássica civilização grega e romana serviu como estímulo à admiração da beleza e da forma, a uma nova atitude diante de pinturas e esculturas, ao questionamento da moral tradicional e à celebração das alegrias deste mundo, e não do que está por vir. A reduzida camada mais culta da sociedade europeia – inclusive o papa – seria especialmente afetada.

WYCLIFFE, O CONTESTADOR

No vazio da liderança religiosa, surgiram contestadores e agitadores. Os mais influentes viviam ao norte dos Alpes. Um deles foi John Wycliffe, um padre estudioso nascido em Yorkshire. Fluente em latim e inglês, era muito conceituado em Oxford. Foi pároco de várias congregações, mas em todas passou pouco tempo.

Ano após ano, Wycliffe criticou quase tudo que podia ser razoavelmente – ou não – criticado, inclusive os mosteiros e suas propriedades, e a liberdade sexual de muitos padres, monges e monjas.

Até a Eucaristia foi alvo de suas críticas. Como, ele perguntava, podiam os milhares de cristãos que participavam da Eucaristia acreditar que o pão assado em um forno próximo, e que recebiam solenemente, havia por milagre se transformado, diante de seus olhos, em um pedaço da carne do corpo de Cristo? Wycliffe comparava a procissão de *Corpus Christi*, tão admirada no fim da era medieval, a "um milagre com um ovo de galinha". Para ele, os mistérios da Igreja – bênçãos, água benta, incenso – não faziam milagres.

Wycliffe deplorava a atitude da Igreja diante da guerra, e lamentava que promessas feitas por padres tivessem levado soldados cristãos ingleses a lutar, década após década, contra soldados cristãos franceses.

Os homens e mulheres que se entusiasmavam com o canto coral, as cerimônias, as pinturas e o incenso nas igrejas pouca atenção davam a Wycliffe. Mas ele possuía amigos em altos postos, e por muito tempo escapou da censura pública. Somente depois da condenação imposta a várias de suas doutrinas – pelo papa, em 1377, e pela universidade onde lecionava, em 1381 – ele foi punido. Mas a punição se revelou leve: o simples afastamento de uma paróquia rural.

> EM 1407, A BÍBLIA NÃO AUTORIZADA DE WYCLIFFE ESTAVA VIRTUALMENTE BANIDA.

Como o Novo Testamento só estava disponível em latim, ele não trabalhou pessoalmente, mas patrocinou um excelente esquema de tradução para o inglês. Mesmo depois da morte de Wycliffe, seus seguidores levaram adiante a tarefa. Na época, não havia gráficas. Assim, os livros eram escritos à mão, com boa caligrafia, e as cópias circulavam, geralmente meio escondidas. Em 1407, a Bíblia não autorizada de Wycliffe estava virtualmente banida.

Os escritos de Wycliffe influenciaram a geração seguinte. Em uma família de camponeses nasceu um jovem que foi capaz de subir a escada que leva indivíduos brilhantes a satisfazer o desejo de serem padres ou monges: Jan Hus. Na apreciada capela de Belém, em Praga, com apenas 20 e poucos anos de idade, ele fez fama como pregador, no idioma tcheco. Para esse idioma traduziu também as críticas de Wycliffe. Seguindo o espírito de seu mestre inglês, Hus atacou a ênfase nas peregrinações. Chegou a ridicularizar o milagre que diziam ter acontecido em Wilsnack, convertendo a pequena cidade alemã em local de peregrinação. De início apreciado pelo bispo de Praga, Hus foi longe demais. Continuava popular no meio das massas, mas não entre os líderes da Igreja. Finalmente, foi excomungado. Seria, no entanto, aquele que lhe aplicou a sanção o legítimo papa?

FOGO NA BOÊMIA

Havia dois papas, e nenhum pretendia deixar a posição. Para remediar a desastrosa cisão, foi convocado um concílio do qual participaram líderes e teólogos. Reunido em Pisa, em 1409, o concílio começou por destituir os papas rivais, de Roma e de Avignon, e eleger um único papa, que adotou o nome de Alexandre V. Como as divisões não foram sanadas, outro concílio se reuniu daí a cinco anos, em Constance.

> EM 1409, O CONCÍLIO COMEÇOU POR DESTITUIR OS PAPAS RIVAIS, DE ROMA E DE AVIGNON, E ELEGER UM ÚNICO PAPA.

Hoje pode parecer estranho que Constance fosse escolhida para receber um dos mais importantes concílios da história do cristianismo. No entanto, embora não se destaque atualmente, e sua igreja medieval nem seja uma catedral, em 1415 a cidade tinha influência. Regida pelo bispo, situava-se às margens do segundo maior lago alpino da Europa e ladeava o rio Reno, em uma época na qual o transporte pela água custava menos do que o transporte por terra. Significativamente, Constance não ficava perto da Itália, da França nem da Espanha, onde viviam os três papas rivais.

As ruas em torno da antiga catedral de Constance ficaram apinhadas. Para lá acorreram cardeais, bispos, diplomatas, mestres em Teologia, abades, monges e padres. Praticamente todos os presentes estavam determinados a restaurar a unidade da Igreja dividida. Antes disso, porém, precisavam afirmar o próprio poder, para que os papas rivais pudessem ser destituídos. Assim, em abril de 1415, o concílio declarou receber o poder "diretamente de Cristo". Um papa, então, foi destituído em 29 de maio. Daí a cinco semanas, um segundo papa abdicou. Restou apenas o papa – ou antipapa – que pertencia à linha de sucessão de Avignon. Este, afinal, foi também destituído; o trono papal estava livre. Em novembro de 1417, elegeu-se um membro da antiga e poderosa família Colonna, que adotou o nome de Martinho V.

Roma voltava a ser a residência oficial do papa – o único. Durante cerca de quatro séculos, Avignon se manteve como um dos territórios papais, mas foi perdendo a influência. Nesse período e depois, nenhum francês foi eleito papa.

O grande cisma havia chegado ao fim. Sua longa duração, porém, abalara seriamente a autoridade papal. Assim, quando talentosos sacerdotes reformistas, como Wycliffe e Hus, questionavam a atuação da Igreja, apenas repetiam a estratégia dos cardeais e bispos que, ao permitir que a situação chegasse ao ponto de haver três papas ao mesmo tempo, tinham indiretamente provado que nenhum deles possuía autoridade divina.

A última página da história de Hus não foi escrita. Uma das preocupações do concílio reunido em Constance, no ano de 1414, era uma rebelião na Boêmia. Hus, considerado um agitador, foi chamado de Praga, em uma viagem de mais de 500 quilômetros, através de florestas e plantações. Ele chegou a Constance acreditando na promessa de que, depois de interrogado, voltaria para casa.

A promessa não foi cumprida. Em parte, Hus se expôs por causa da determinação de suas atitudes. Ainda em Constance, ele afirmou que desobedeceria à proibição de pregar e rezar missa. Os dignitários, em suas vestes brilhantes, decidiram prendê-lo. A prisão, no entanto, não enfraqueceu a fé que Hus sentia. Ele tinha consciência das próprias ideias, e acreditava estar consciente das ideias de Cristo. O concílio, resolvido a demonstrar autoridade, optou pela condenação de Hus à morte – a não ser que renegasse sua fé. Ele se recusou. Em julho de 1415, altivamente enfrentou a morte nas chamas.

Séculos mais tarde, a cidade de Constance se tornou um importante local de peregrinação para os protestantes. A República Tcheca mantém lá um museu, e um monumento marca o local onde Hus foi queimado. No verão, o monumento quase desaparece, coberto pelas plantas cuidadas com zelo por jardineiros da cidade.

A QUEDA DE UMA CIDADE PODEROSA

Muito antes do nascimento de Jan Hus, os turcos otomanos avançavam, das regiões montanhosas da Turquia, em direção a Constantinopla. Originários da Ásia central e relativamente recém-chegados à região do Mediterrâneo, avançavam devagar, em etapas. Foi uma questão de anos, para que quase todo o atual território da Turquia estivesse sob o controle dos otomanos. Dos fortes debruçados sobre as margens ocidental e oriental do estreito de Dardanelos, eles viam passar as embarcações carregadas de grãos e outros produtos, indo para Constantinopla e para os portos do Mar Negro, ou voltando de lá. Os otomanos eram pacientes. Sabiam que o terreno estava preparado, pronto para que se aproximassem das muralhas da famosa cidade.

No espaço de mil anos, Constantinopla tinha resistido a muitos cercos, exceto àquele iniciado por seus imprevisíveis aliados cristãos, em 1204. A cidade havia derrotado búlgaros, vindos da Europa, e muçulmanos, vindos da Ásia Menor. A maior cidade cristã do mundo certamente tinha condições de resistir aos muçulmanos. Em forma de triângulo, em duas faces voltava-se para o mar, com paredões costeiros, e na terceira, voltada para a terra, contava com a proteção de um fosso e de altas muralhas. Depósitos de grãos e reservatórios de água potável garantiam o abastecimento. Se a cidade fosse sitiada, o inimigo correria mais risco de passar fome e sede.

Faltava, porém, um aliado naval. Talvez o papa conseguisse um. Foi organizada uma conferência em Ferrara, no ano de 1438, da qual participaram o próprio imperador e sua poderosa delegação da Igreja bizantina. As duas Igrejas concordaram quanto à necessidade de cooperação, contra os turcos muçulmanos. Mas nem na catedral os representantes das duas Igrejas se encaravam. Encerrada a conferência, a missa em latim foi celebrada, mas a grega não.

A instável aliança provocou o lançamento de uma nova cruzada. O exército cristão chegou ao Mar Negro e foi derrotado. O imperador esperava poder contar com a colaboração de cristãos cuja marinha estivesse fortalecida. A sede do poderio naval da Itália não ficava mais em Veneza, mas na República de Gênova, e tinha sido permitida, em sinal de amizade, a ocupação do porto fortificado de Pera, em um promontório a poucos quilômetros de distância, por mar, de Constantinopla. Assim, se os turcos otomanos iniciassem um ataque, Gênova contra-atacaria. Em maio de 1453, porém, os genoveses apenas observaram os navios dos muçulmanos preparando-se para atacar a cidade cristã. As cruzadas são vistas como simples guerras religiosas entre cristãos e muçulmanos, mas na verdade representaram também guerras comerciais entre cristãos rivais.

> EM MAIO DE 1453, OS GENOVESES APENAS OBSERVARAM OS NAVIOS DOS MUÇULMANOS PREPARANDO-SE PARA ATACAR.

Assim, os turcos cercaram Constantinopla. Milhares de soldados e civis, além do próprio imperador, foram mortos ou gravemente feridos pelos conquistadores. A cidade ficou quase deserta. Aquela foi, até então, a maior matança do mundo em um grande centro.

A notícia devastadora da derrota dos cristãos chegou a Roma. A comoção foi quase comparável à surpresa provocada quando o mundo soube que dois pilotos muçulmanos tinham deliberadamente atirado seus aviões contra as torres gêmeas, em 11 de setembro de 2001, em Nova York. A cidade, que parecia inexpugnável, mostrou-se vulnerável. O número de vidas perdidas em Constantinopla, em 1453, foi infinitamente maior do que em Nova York, em 2001, mas ambas eram símbolos de instituições dinâmicas – uma do cristianismo, e a outra do capitalismo democrático. Daí o sentimento de humilhação provocado pelos ataques bem-sucedidos contra elas. Na Itália, ao saber da queda de Constantinopla, um cardeal declarou: "Extinguiu-se uma das duas luzes da cristandade."

Durante a maior parte dos séculos de história do cristianismo, houve apenas uma cidade ocidental de importância vital: Roma. No Oriente, porém, as cidades mais importantes foram quatro: Jerusalém, Alexandria, Antióquia e Constantinopla, cada uma com seu patriarca. Atualmente, pela primeira vez, as quatro estão nas mãos dos muçulmanos.

A queda de Constantinopla – rebatizada de Istambul no século 20 – representou a gravidade do risco que corriam o papa e seu mundo ocidental. Havia uma nova cruzada, desta vez vinda do islã. Nos 40 anos seguintes, os otomanos capturaram muitas terras cristãs. Em 1480, eles tomaram o porto italiano de Otranto, que ficava a apenas um dia de distância, a cavalo, da antiga Via Ápia, que levava diretamente a Roma.

> A QUEDA DE CONSTANTINOPLA REPRESENTOU UM MARCO DO RISCO QUE CORRIAM O PAPA E SEU MUNDO OCIDENTAL.

Os dirigentes otomanos apontaram um patriarca da Igreja Ortodoxa, esperando que ele se mantivesse como um fantoche, um burocrata assistente. Em Constantinopla, ele atuava como juiz em divórcios e em disputas financeiras entre cristãos ortodoxos. Com o passar do tempo, cristãos ortodoxos, cristãos armênios e judeus sentiram o impulso de voltar à sua antiga cidade, que precisava ser reconstruída, para que o comércio recuperasse a força.

A Igreja Ortodoxa – ainda hoje a principal base do cristianismo em vastos territórios do sudeste da Europa, da Ásia Menor e da Rússia – foi seriamente atingida pelas conquistas dos otomanos. A Igreja Ortodoxa podia existir, mas não podia crescer. Em Constantinopla não havia imperador cristão; apenas um patriarca servil. A espetacular igreja de Santa Sofia foi transformada em mesquita. Quatro minaretes, um em cada canto, marcaram a conversão do prédio em templo islâmico.

Os cristãos ortodoxos podiam morar onde quisessem, dentro do Império Otomano, e frequentar a igreja que preferissem, desde que o prédio estivesse em dia com os impostos. Os fiéis também eram obrigados a pagar uma alta taxa anual, cujo recibo carregavam aonde quer que fossem, pois aquele era seu passaporte. Facilmente identificáveis, eles usavam roupas especiais e não carregavam armas. Em várias partes do Império Otomano – nos Bálcãs, em especial – meninos cristãos de 7 a 20 anos eram recrutados e enviados para treinar em outras regiões. A maioria nunca mais voltava para casa. Eles se tornavam muçulmanos, passavam a andar uniformizados, aprendiam o idioma turco e serviam como soldados no exército otomano. Alguns chegaram a ocupar altos postos civis e militares na capital. Curiosamente, os garotos cristãos que viviam em Constantinopla, no Egito, na Hungria e nas ilhas de Rodes e Quios, além de todos os garotos muçulmanos, ficavam livres da convocação.

Os incentivos para adoção da religião islâmica eram fortes. Famílias cristãs de todas as gerações fizeram isso.

Enquanto isso, a Rússia se tornava o centro da Igreja Ortodoxa. Em 1600, pela primeira vez, Moscou contava com um patriarca próprio, cuja potencial influência excedia em muito a do patriarca de Constantinopla. À medida que a Rússia se tornava mais poderosa e estendia seu império para leste, a Igreja Ortodoxa também se expandia, chegando à Ásia central e à parte oriental da Sibéria e do Alasca.

CAPÍTULO 16

OS CAMINHOS DOS PEREGRINOS

Ser peregrino se tornou um sonho comum, durante a Idade Média. Para os que levavam a questão a sério, a peregrinação representava mais do que uma viagem ou um período de férias. Os peregrinos acreditavam que a visita a um local sagrado, longe de casa, servia para aproximá-los como nunca da presença de Cristo. Além disso, renderia o perdão dos pecados, reduzindo o tempo passado no purgatório.

Geralmente, a peregrinação tinha de ser planejada com anos de antecedência, e muitos não conseguiam concretizar o plano, por falta de tempo ou dinheiro. O trabalho e a família também prendiam. Ainda assim, o número de peregrinos cristãos que viajavam pela Europa e pelo Oriente Médio se multiplicou. Até que surgiu a chamada peste negra, em 1348.

Jerusalém era o local de peregrinação mais desejado, mas durante muitos períodos escapou das mãos dos cristãos. Quando aberta aos peregrinos, porém, os gastos com uma longa viagem por terra ou por mar representavam um impedimento. Roma, onde estavam sepultados São Pedro e São Paulo, era a segunda opção, mas ficava longe demais para a maioria dos europeus do norte. Então, muitos peregrinos acabavam por escolher um lugar mais próximo para visitar.

Assim, surgiram novos santuários, onde se veneravam personagens notáveis ou santos locais, cujos nomes e história ficavam dentro de um raio de dois ou três dias de viagem. Para ingleses e irlandeses, o túmulo de São Tomás Becket, na catedral de Canterbury, era um santuário especial, aonde os peregrinos iam, acompanhados mentalmente pelo poeta medieval Geoffrey Chaucer. Monte Saint Michel, no litoral da França, Tiegem, em Flandres, Trier, junto ao rio Mosela, e Monte Gargano, perto da costa italiana do mar Adriático, são lugares que estiveram espiritualmente "na moda".

Entre as regiões onde se falava alemão, Colônia se tornou o destino mais desejado pelos peregrinos. Lá estavam os restos dos magos – ou dos três sábios – mais tarde promovidos a reis, que tinham seguido a estrela de Belém, para, segundo se conta, conhecer o menino Jesus.

Os milhões de alemães – camponeses, tecelões, barqueiros e lenhadores, mulheres e crianças –, que, século após século, postaram-se diante do santuário dedicado aos três reis, devem ter experimentado a incrível sensação de chegar perto dos acontecimentos de Belém, mais de mil anos antes. O Novo Testamento tem uma expressão que descreve essa sensação: "Tocar na bainha da veste."

Outro centro de peregrinação era Eisiedeln, situada entre colinas suaves, a cerca de 50 quilômetros de Zurique. Eisiedeln servia de local de descanso em uma das mais árduas das principais rotas de peregrinação: *der jacobsweg*, o caminho de Santiago, que partia da Alemanha, atravessava Suíça e França, e chegava à Espanha. Lá, os peregrinos caminhavam até a igreja de Santiago de Compostela, onde se acredita estarem sepultados os ossos do apóstolo Tiago – Santiago, em espanhol. Para a maioria dos europeus vivendo no norte dos Alpes, esse era o santuário mais reverenciado. Em 1478, o papa declarou Santiago de Compostela em pé de igualdade com Jerusalém e Roma, como lugar de peregrinação. Os peregrinos modernos que desejam caminhar preferem o caminho de Santiago.

Assis inevitavelmente tornou-se também um destino de peregrinação. Em matéria de encanto espiritual, ninguém rivalizava com Francisco, no século seguinte a sua morte. Mais tarde, porém, Assis foi desafiada por Loreto, onde aconteceu em 1294 o milagre dos milagres.

> ENTRE AS REGIÕES ONDE SE FALAVA ALEMÃO, COLÔNIA SE TORNOU O DESTINO MAIS DESEJADO PELOS PEREGRINOS.

Diz-se que lá, misteriosamente, uma antiga casa de pedra chegou pelo ar, pousando delicadamente em uma floresta. Deduziu-se que aquela humilde morada tinha vindo de Nazaré. A casa teria sido o lar de Maria; ali, ela nascera e crescera, e Jesus também teria passado lá a infância. Da floresta, a casa levantou voo novamente, pousando sobre uma colina próxima, onde foi guarnecida, transformando-se em um belo santuário. Hoje, a Casa Sagrada, revestida de mármore branco, permanece dentro de uma grande catedral que pode ser vista do convés dos navios que passam pelo Mar Adriático.

UMA JORNADA DE ESPERANÇA

Para os devotos, a peregrinação representava a concretização da esperança cultivada por toda a vida. Mesmo para os menos devotos, a jornada, empreendida em determinada situação, incluía a possibilidade do fortalecimento da fé em Cristo. Enquanto alguns esperavam receber o perdão, por acreditarem que o Espírito Santo habita lugares sagrados, outros iam por castigo. Os padres que ofendiam a Igreja eram condenados pela corte eclesiástica à peregrinação. Muitos culpados de ofensas à Igreja, fossem padres, freiras ou comerciantes, eram obrigados a viajar descalços, e alguns recebiam a incumbência de distribuir esmolas aos pobres pelo caminho.

As cidades que serviam de ponto de parada nas peregrinações floresceram. Roma, em especial, ganhou muito com os peregrinos, que às vezes tinham de permanecer na cidade por 15 dias, para receber o perdão dos pecados. Sob a denominação de "indulgências plenárias", incentivos adicionais foram oferecidos aos peregrinos que visitaram Roma nos anos de jubileu, como 1300, 1350 e 1400.

UM BRINQUEDO PARA O DOMINGO DE RAMOS

Século após século, muitos cristãos fizeram peregrinações sem sair do lugar. No domingo anterior à Semana Santa, conhecido como Domingo de Ramos, milhões de crianças e adultos europeus se imaginaram visitantes de Jerusalém. Com os olhos da mente, eles observavam a chegada de Cristo à cidade, montado em um burrico. Aquele dia de júbilo se caracterizava pela distribuição de folhas de palmeira ou outra folhagem sobre a estrada, para dar as boas-vindas a Cristo. No norte da Europa, onde a palmeira era praticamente desconhecida, espalhavam-se galhos de pinheiro ou carvalho, para decorar a estrada ou a igreja e, segundo se acreditava, proteger o povo do demônio e de suas manhas.

Houve um evento memorável, em um Domingo de Ramos: os fiéis viram ser empurrada para dentro da igreja uma pequena plataforma móvel, sobre a qual estava um burrico entalhado em madeira. Para aumentar a surpresa, sentado sobre o burrico havia uma imagem de Jesus, também em madeira, com o rosto cuidadosamente pintado. Na plataforma, folhas de palma desenhadas evocavam a cena descrita no Novo Testamento. As crianças ficaram encantadas, pois um brinquedo tão elaborado e caro só era visto nas casas de famílias ricas.

> O TRÁFICO DE RELÍQUIAS, EM LARGA ESCALA, PERDUROU POR SÉCULOS.

Os milhões de europeus que visitavam anualmente os lugares santos encontravam à venda peças tiradas de lá, que levavam para casa, como relíquias. O tráfico de relíquias, em larga escala, perdurou por séculos. De locais como Jerusalém, Belém, Antióquia, Alexandria e centenas de regiões da Ásia Menor e do norte da África, os peregrinos carregavam ossinhos ou pedaços de tecido supostamente de santos, terra de seus túmulos ou sementes de flores que cresciam em volta. Em Dublin, Veneza, Varsóvia e Moscou, os ossos foram arrumados sobre um pedaço de seda ou cercados de joias, e colocados em posição de destaque em igrejas, abadias e relicários, tornando-se, assim, alvo de novas peregrinações.

A cidade de Roma, experiente em procissões majestosas, sabia receber uma relíquia sagrada vinda de longe. Se em 1462 já havia uma arte chamada *show business*, a capital ficava em Roma. Eis um exemplo, quando o crânio do apóstolo André chegou do mundo bizantino. Em um descampado, não muito longe de Roma, diante de uma multidão de fiéis, a relíquia foi recebida formalmente pelo papa Pio II, que a ergueu, para que todos vissem, dizendo: "Esta boca falou muitas vezes a Cristo, e este rosto certamente foi beijado por Ele." O papa declarou ainda que a relíquia seria "nossa defensora no céu".

SEGUNDA PARTE

CAPÍTULO 17

UM ROJÃO GIGANTESCO

Em 1500, surgiram sinais de que gigantes mãos humanas sacudiriam a Igreja Católica. Não seriam as mãos do papa, dos cardeais nem dos bispos, mas de religiosos mais simples.

A Igreja indiscutivelmente estava em perigo. Em 1463, o papa Pio II, dirigindo-se aos cardeais, fez esta assustadora declaração: "Não temos credibilidade. O clero é objeto de escárnio. As pessoas no acusam de vivermos no luxo, de acumularmos riquezas, de sermos escravos da ambição, de ficarmos com os melhores cavalos e mulas." A referência à qualidade dos cavalos era quase equivalente a uma acusação, nos dias de hoje, de os líderes da Igreja possuírem luxuosos carros esportivos.

O papa se dirigia também aos fiéis. Ele tinha autoridade para chamar os cristãos à realidade. No entanto, como avaliar com justiça uma instituição que, apesar das visíveis falhas, continuava a cumprir suas obrigações e a inspirar positivamente tantas vidas? Ao fim do século 15, às vésperas do surgimento da Reforma protestante, novos e brilhantes teólogos se formavam, e as procissões continuavam. Pode-se afirmar que, na Europa, havia mais atividade intelectual – religiosa ou secular – na Igreja Católica do que em todas as outras instituições somadas. Muitos exploradores, naquele início da era de grandes navegações, viam-se ao mesmo tempo como missionários e empreendedores. Decorridos 25 anos da descoberta do Novo Mundo por Cristóvão Colombo, a Igreja que se supunha decadente tinha missionários atuando em lugares remotos.

UMA LUZ EM ROTERDÃ

Desidério Erasmo nasceu perto de Roterdã. Era dele uma das mãos que começaram a sacudir o cristianismo, e sua história refletia algumas das preocupações da Igreja. Filho de um padre, ele não ingressou em um mosteiro por vontade própria, mas por falta de opção de carreira, tal como milhares de padres de sua geração. Em compensação, a Igreja proporcionava o exercício das mais variadas vocações.

Erasmo ingressou em um mosteiro agostiniano em 1492, na Holanda, apenas quatro meses antes de Colombo partir da Espanha para descobrir o Novo Mundo, Erasmo estava ansioso para conhecer as universidades e participar de seu movimento intelectual. Ele lecionou na Universidade de Paris, e foi convidado por alunos ingleses a visitar a Inglaterra. Lá, conheceu estudiosos renomados, com quem trocou ideias, e mocinhas animadas, com quem se divertiu algumas vezes. Erasmo observou que as moças inglesas "são divinamente lindas e generosas *demais*." Generosas na distribuição de beijos. Deixando a Inglaterra, ele viajou pelos Alpes e chegou a Roma e Turim – onde se tornou doutor – mas seu lar era no norte. As duas primeiras vezes em que esteve na Inglaterra foram breves, mas ele viveria lá entre 1509 e 1514.

> A ENERGIA MENTAL E A EXTENSÃO DA CULTURA DE ERASMO ERAM IMPRESSIONANTES.

A energia mental e a extensão da cultura de Erasmo eram impressionantes. Ele escrevia em latim como se fosse sua língua nativa, e começou a aprender grego clássico, que poucos estudiosos da Europa ocidental dominavam. De início, teria dito "o grego está me matando", mas acabou conseguindo fluência. Assim, teve acesso a versões em grego de seções do Novo Testamento, havia muito esquecidas. Erasmo foi provavelmente o primeiro professor de grego em Oxford. Aos 40 anos, ele já havia lido sobre Teologia mais do que outros europeus levariam a vida toda para ler.

Singularmente, a Igreja concedeu a Erasmo certa independência: a partir de janeiro de 1517, ele obteve permissão para vestir-se com roupas comuns, e não com o hábito da ordem religiosa agostiniana. Nem precisava mais raspar o alto da cabeça, no estilo normalmente observado por padres e monges. Ele não fazia questão de ocupar uma cela fria nem gostava de alimentos e bebidas simples. Preferia vinho. O Borgonha era seu favorito.

Erasmo escolheu viver em Basileia. Local da única universidade suíça, a cidade era o centro da mais moderna e dinâmica tecnologia: a arte de imprimir com tipos móveis. Uma das oficinas de impressão pertencia a Johannes Froben, que Erasmo passou a contratar para imprimir seus trabalhos mais importantes. Os dois se tornaram grandes amigos.

Daquela gráfica saiu, em 1516, um dos livros mais influentes do século: a versão de Erasmo para o Novo Testamento. Em vários pontos esse trabalho contrariava passagens importantíssimas da todo-poderosa Bíblia Vulgata.

Erasmo acreditava que sua nova tradução, comparada à Bíblia Vulgata oficial, trazia esclarecimentos. Segundo ele, se o cristão lesse atentamente, ficaria mais bem informado do que se estivesse na Galileia e ouvisse os ensinamentos de Jesus. Pela nova versão, "Cristo vive, respira e fala conosco." Erasmo lamentou que a maioria dos cristãos conhecidos seus estivessem "infelizmente escravizados pela cegueira e pela ignorância". Em resumo: eles não conheciam o Deus que adoravam.

Outras ideias radicais mexeram com a mente sempre ativa de Erasmo. Ele concluiu que a frequência regular à igreja não era absolutamente essencial, e que o dinheiro doado a mosteiros ou santuários seria mais bem empregado se entregue diretamente ao "templo vivo de Cristo" – os pobres. Ele concluiu também que certos dogmas cristãos, como a existência de um lugar chamado purgatório, tinham pouca justificativa bíblica.

Em essência, Erasmo foi uma espécie de Einstein de seu tempo, que intelectuais queriam conhecer, e príncipes e abades sonhavam atrair para suas cortes e mosteiros. Ao mesmo tempo, não possuía a disposição para o sacrifício nem a coragem e ousadia características do verdadeiro reformador religioso.

Erasmo morreu no ano de 1536, em Basileia, então uma cidade protestante, e foi sepultado na catedral local, que fica sobre um rochedo de onde se vê o curso rápido das águas do rio Reno. Na lápide, lê-se apenas "Erasmo de Roterdã". Dentro da catedral, escura e sombria, ele é descrito em letras douradas como um servo de Cristo e o mais culto dos estudiosos.

A ASCENSÃO DE MARTINHO LUTERO

No período de pelo menos mil anos, a maioria dos reformadores cristãos mais notáveis saíram de lares confortáveis e relativamente prósperos. Martinho Lutero, filho de um trabalhador das minas de cobre, pode à primeira vista parecer uma exceção. No entanto, seu pai, tal como muitos mineiros alemães experientes, não era somente próspero, mas reconhecido pela perícia em uma atividade altamente especializada. O jovem Martinho deixou Eisleben, sua cidade natal, para estudar.

Aos 24 anos de idade ele era monge de uma ordem religiosa, os frades agostinianos. Aos 30 anos formava-se em Teologia Bíblica – uma das cadeiras mais conceituadas – na recém-criada universidade de Wittenberg. Martinho era o tipo de professor ativo e entusiástico que cativava os estudantes, além de atuar como pregador em sua paróquia.

Ele havia empreendido a longa jornada até Roma, a mais cobiçada peregrinação – um acontecimento tão emocionante, que não se encontra um paralelo atual. Embora hoje em dia as pessoas possam viajar com mais facilidade, e muitas ambicionem assistir à Copa do Mundo de futebol ou conhecer o Partenon em Atenas, por exemplo, não existe um destino que seja o desejo quase unânime, como acontecia naquela época.

Acredita-se que Lutero tenha chegado à Itália pelo passo do Brenner, no inverno, em 1510. Ele ficou maravilhado com a quantidade de lugares santos espalhados pela cidade de Roma.

Lutero subiu de joelhos, rezando, a Escada Santa. Mas a história de que teve uma visão – um despertar religioso – ao chegar ao topo, provavelmente não é verdadeira. Nunca se soube disso enquanto ele estava vivo; a história foi contada depois que morreu, por seu filho.

A visita deixou Lutero perturbado. As congregações que ele conhecia, no norte da Alemanha, demonstravam uma devoção raramente encontrada em Roma e em outras cidades italianas. Anos mais tarde, depois de ter se afastado formalmente da Igreja Católica, ele apontaria os defeitos da cidade papal. No momento da visita, porém, o simples fato de estar no coração da cristandade superou o desapontamento. Outro aspecto que o encantou foi a vivacidade do povo italiano.

Lutero sabia que Roma não era a única mancha no mundo cristão. Pelo que tinha visto, os mosteiros alemães abrigavam um bocado de luxúria e excessos na comida e bebida. Em um mosteiro visitado por ele, cada monge normalmente consumia duas canecas de cerveja e 1 litro de vinho às refeições. Depois de tal bebedeira, os religiosos ficavam tão corados, que mais pareciam "anjos de fogo".

> LUTERO SABIA QUE ROMA NÃO ERA A ÚNICA MANCHA NO MUNDO CRISTÃO.

Lutero sentia falta de alguma coisa em sua vida religiosa, e buscou ansiosamente uma resposta na Bíblia. Tornou-se quase obcecado por questões ligadas a pecado e penitência – tanto em relação a si quanto a outros religiosos.

O tratamento dispensado pela Igreja aos pecadores seguia uma fórmula: o pecador em busca do perdão confessava o pecado a um padre, que prometia absolvição, desde que cumprida a pena apropriada. Talvez o padre recomendasse orações, a prática de uma boa ação ou o pagamento em dinheiro. Esperava-se que o pecador, humilde e arrependido, cumprisse o recomendado, mas isso era difícil de constatar, e muitas vezes caía no esquecimento.

A leitura que Lutero fez do Novo Testamento levou-o à confortadora conclusão de que a chave da salvação não estava nas boas ações, em uma vida virtuosa nem na prática de rituais, mas no relacionamento do indivíduo com Deus. Assim, os cristãos não conseguiriam a salvação apenas com suas atividades. Perdão e salvação eram dádivas de Deus, aos quais fariam jus somente aqueles que o amassem e confiassem em sua misericórdia. Lutero deu a essa crença a denominação de "justificação pela fé". A certeza de que sua fé era forte e verdadeira garantiu a ele a paz de espírito.

A VENDA DO PERDÃO

A ideia tradicional de perdão sustentada pela Igreja foi se modificando. Decorridas algumas décadas, estava instituída a prática da venda do perdão. Bastava pagar, e o cristão ficava livre dos pecados do passado e do futuro. Era possível também comprar indulgências em favor dos mortos. Assim, um amigo ou parente falecido passaria menos tempo ou sofreria menos no purgatório – aquela região onde o cristão ficava de castigo, até pagar pelos pecados cometidos e ser declarado apto a entrar no céu.

> BASTAVA PAGAR, E O CRISTÃO FICAVA LIVRE DOS PECADOS DO PASSADO E DO FUTURO.

Os teólogos poderiam defender a tese de indulgências com ênfase nas penitências pessoais. Mas e se o verdadeiro objetivo fosse levantar dinheiro para a Igreja ou os religiosos locais? O príncipe da Saxônia, onde Lutero viveu, vendeu indulgências para financiar a construção de uma ponte sobre o rio Elba, na cidade de Torgau. Os cristãos que comprassem tal indulgência ficavam liberados, durante a quaresma, para consumir queijo, manteiga e leite – alimentos normalmente proibidos no período. Do dinheiro assim levantado, metade ia para o Vaticano, e metade para financiar a ponte.

O papa Leão X criou uma venda ainda mais ousada. Em 1515, a bula papal oferecia indulgências para financiar a construção da nova igreja de São Pedro, em Roma. O príncipe Alberto, também arcebispo da cidade de Mainz (ou Mogúncia), junto ao rio Reno, indicou agentes para conceder essas indulgências, geralmente em troca de uma quantia em dinheiro. Um dos agentes era João Tetzel, um frade dominicano que chegava às cidades alemãs saudado pelo som dos sinos das igrejas e fazia sermões convincentes. Muitos fiéis acorriam para ouvi-lo e pagar pelas indulgências. A quantia era estipulada de acordo com os ganhos do pagante.

Os arranjos financeiros do príncipe Alberto de Mainz não eram do conhecimento de Lutero, e talvez nem em Roma se soubesse exatamente deles. Na verdade, parte do dinheiro arrecadado ia para ricos banqueiros alemães, a família Fugger, como pagamento de um empréstimo. Segundo Lutero, o papa não aprovaria a teologia de Tetzel; o papa "preferiria ver a basílica de São Pedro desmoronar" a aceitar dinheiro que era fruto da atitude despudorada de um homem da Igreja.

Mais do que as habilidades de vendedor, foi a teologia de Tetzel que irritou Lutero. E ficou ainda mais irritado com a recepção que os padres lhe dispensaram em suas paróquias. Então, em fevereiro de 1517, disparou o primeiro ataque contra eles: "Ah, os perigos do nosso tempo! Ah, os padres sonolentos!" Em outubro, Lutero intensificou as críticas, desta vez contra certos tipos de indulgências, no norte da Alemanha. Embora sedutoramente anunciadas como um atalho para o céu, não havia, na visão de Lutero, corredores secretos para ricos ou para pobres. Ele achava absurdo que "o tilintar de uma moeda na caixa de coleta" liberasse uma alma do doloroso purgatório.

Lutero elaborou cuidadosamente um documento com 95 teses ou objeções. Na verdade, não eram 95 pontos separados, mas uma argumentação geral, com parágrafos numerados. Ao entardecer do dia de Todos os Santos, em 1517, ele pregou o documento na porta da igreja do castelo de Wittenberg. Aquele gesto representou mais uma convocação para o debate do que um ato de rebeldia.

Lutero foi acusado de brincar com fogo. Obstinado, porém, recusou-se a apagar as chamas. E mais: ele contava com o apoio de seus superiores na universidade onde lecionava. Muitos estudantes escolheram aquela instituição, que logo se tornou uma das maiores da Alemanha.

Na época, metade do mundo cristão ouvia e lia versões das ideias de Lutero. Seus panfletos eram impressos em Basileia, Estrasburgo e outras cidades importantes. Nos mosteiros aonde esses panfletos chegaram, alguns monges notaram semelhanças entre os argumentos de Lutero e as ideias que tinham levado Jan Hus, o herege da Boêmia, à morte humilhante, mais de um século antes.

Hoje está claro que Lutero não era só teólogo, mas também um nacionalista. Alguns de seus escritos de 1520 faziam um forte apelo aos alemães, à parte do mundo cristão. Uma de suas acusações era a de que Roma roubava a Alemanha: "Pobres de nós, alemães. Fomos enganados!" Lutero declarou ainda que "o glorioso povo teutônico deve deixar de ser fantoche do pontífice romano."

O papa Leão X ameaçou excomungar Lutero, mas demorou a agir decisivamente. Em 8 de outubro de 1520, os trabalhos impressos de Lutero foram formalmente queimados pelo executor público na praça do mercado de Louvain, uma cidade universitária. Em Colônia, uma cidade portuária da Alemanha, a situação se repetiu. E aconteceria novamente, não fosse uma testemunha afirmar, pouco antes de ser acesa a fogueira, que aqueles livros não tinham sido escritos por Lutero. Em 3 de janeiro de 1521, ele foi formalmente excomungado.

No início de seus protestos, Lutero respeitava o papa, mas deixou de aceitá-lo como chefe supremo da Igreja. Ele argumentava que Pedro, origem da autoridade do papa, tinha sido apenas um dos doze apóstolos, e não era um personagem à altura de Cristo. Lutero rejeitava também a ideia de que o papa tivesse poder sobre o céu, o inferno e o purgatório, ou sobre a eliminação dos pecados. Em essência, ele acreditava que eleger um papa, como faziam os católicos, era menosprezar o papel do próprio Deus.

A expressão-chave dos protestos de Lutero, "justificação pela fé" escapa ao entendimento das pessoas. A palavra "justificar", antes de conotação espiritual, tornou-se mais prática e assertiva, empregada sobretudo de maneira pessoal: "Justifico meu comportamento"; "Justifica-se que eu diga isto." No significado original, porém, era sinal de humildade. Ser justificado queria dizer ser perdoado – não por causa de boas ações praticadas, mas pela generosidade de Deus.

JORNADA ATÉ WORMS

Lutero foi convocado a comparecer diante da assembleia imperial do Sacro Império Romano. Embora restrito aos governantes da Europa central e ocidental, era a mais importante reunião política internacional da época. Dos governantes que compareceram, a maioria vinha de regiões de língua alemã. Coube ao sacro imperador romano, o muito jovem Carlos V, presidir a reunião na cidade de Worms, junto ao rio Reno, mas Lutero era o único item da pauta.

> LUTERO DEFENDEU OS PONTOS DE VISTA NOS QUAIS ACREDITAVA, BASEADOS NA BÍBLIA E EM SUA CONSCIÊNCIA.

Quando Lutero chegou a Worms, os poderosos – imperador, príncipes, embaixadores, arcebispos, bispos e abades – já se encontravam lá. No dia seguinte, ele procurou um barbeiro para cortar o cabelo, que lhe caía abaixo das orelhas.

Carlos V, ao mesmo tempo sacro imperador romano e chefe da casa de Habsburgo, devia conter a disseminação do luteranismo e controlar o monge que tinha diante de si.

Lutero, porém, não se intimidou. Falando em latim, defendeu os pontos de vista nos quais acreditava, baseados na Bíblia e em sua consciência. Suas palavras finais foram ditas em alemão: "Que Deus me ajude. Amém!"

Felizmente Lutero contava com um protetor dedicado: Frederico III, o eleitor da Saxônia, que não era das figuras mais poderosas da Europa, mas estava disposto a desafiar o sacro imperador romano. Embora não concordasse inteiramente com o monge protestante em questões ligadas à Teologia, Frederico III sabia que sua independência, como autoridade, ficaria comprometida na Alemanha, caso cedesse e se curvasse ao imperador. Partira dele a ideia de interrogar Lutero em solo alemão, e não em Roma.

Pesava sobre Lutero o risco de uma condenação à morte ou à prisão, mas ele deixou a cidade de Worms em 26 de abril de 1521, antes da decisão final da assembleia. Daí a uma semana, para protegê-lo, um grupo de cavaleiros, a mando de Frederico III, levou-o para o castelo de Wartburg. Por algum tempo, ninguém soube de seu paradeiro, e alguns de seus seguidores chagaram a suspeitar de que estivesse morto.

Em regiões onde predominava o catolicismo, somente os mais corajosos ousavam demonstrar apoio a Lutero. De início, Erasmo pareceu simpatizar com as ideias dele, mas foi só. Ele não compartilhava do desejo ardente do protestante: transformar o mundo. O renomado estudioso percebera que o rojão gigantesco lançado por ele tinha fugido ao controle.

FORTALEZAS OCULTAS DE LUTERO

Lutero compôs um hino que diz: "Deus é nossa fortaleza." Outras fortalezas eram regiões da Alemanha cujos governantes o apoiavam. Uma fortaleza menos previsível foram as esquadras e os exércitos otomanos, bem como Alá. A marinha e os exércitos muçulmanos avançavam pelo litoral do Mar Mediterrâneo e, por terra, pela Europa central. As notícias sobre inesperadas vitórias dos turcos otomanos chegaram a Lutero exatamente quando ele preparava sua primeira contestação. Em 1516, eles capturaram a Síria e tomaram Jerusalém de outros ocupantes muçulmanos. No ano seguinte, tinham dominado boa parte do Egito, e em 1522, um ano depois do encontro de Lutero com seus acusadores em Worms, os turcos ocupavam a ilha de Rodes – origem dos Cavaleiros de São João. Daí a sete anos, cercavam Viena.

O avanço contínuo dos muçulmanos proporcionou a Lutero o espaço de que tanto precisava. Os governantes católicos enfrentavam um dilema: atacar os redutos luteranos ou formar uma aliança para rechaçar os invasores turcos? De sua parte, Lutero considerava a liderança de Roma ideologicamente mais prejudicial do que o islamismo.

Durante uma década ou mais, acontecimentos dentro e fora da Europa e da Ásia Menor pareciam favorecer Lutero e seus protestos. Os dois mais destacados imperadores católicos estavam divididos. A Espanha católica e a França católica se enfrentaram em quatro guerras, entre 1521 e 1544. Entre esses enfrentamentos inclui-se um episódio extraordinário: a invasão e a pilhagem de Roma, com o aniquilamento de cerca de 4 mil moradores. Os responsáveis por isso foram, principalmente, tropas católicas que, revoltadas por não terem recebido o pagamento combinado, amotinaram-se contra Carlos V da Espanha.

Enquanto isso, lenta e pacientemente, Lutero introduzia modificações nos serviços que presidia. Ele acreditava que, na santa comunhão, as pessoas deviam receber pão e vinho. No fim de 1522, mais de um ano depois de sua estada em Worms, ele começou a fazer o cálice de "sangue" passar pelos fiéis, um por um. Por séculos a comunhão vinha sendo celebrada diariamente, mas em 1523, em Wittenberg, o sacramento passou a ser semanal. A fúria de destruição contra as imagens mantidas pelo catolicismo foi contida. Depois que uma multidão de fiéis mutilou estátuas de pedra e os ricos ornamentos dos altares de várias capelas em Wittenberg, Lutero procurou refrear atos de vandalismo religioso.

> ACONTECIMENTOS DENTRO E FORA DA EUROPA E DA ÁSIA MENOR PARECIAM FAVORECER LUTERO E SEUS PROTESTOS.

O ímpeto de derrubada das estruturas, em especial aquelas antes inexpugnáveis, tornou-se uma verdadeira febre. No inverno de 1524, no sul da Alemanha, camponeses se uniram a pequenos proprietários de terras, para exigir reformas econômicas e religiosas. De início, os líderes acreditaram estar integrados à doutrina de Lutero, pois percebiam a Igreja como uma irmandade, e o cristianismo como a personificação do espírito do amor.

Em Memmingen, os camponeses chocaram os vizinhos ricos com suas reivindicações. Eles queriam: indicar os próprios párocos; repassar à Igreja uma porcentagem menor sobre os grãos produzidos na safra anual; e reduzir o aluguel que pagavam aos donos das terras. Além disso, reivindicavam acesso aos campos, para extrair lenha – seu único combustível no inverno – e aos rios, para pescar. Eles se opunham, em especial, à antiga prática de, com a morte do locatário, o dono da terra ter o direito de apossar-se dos mais valiosos bens móveis do falecido.

Lutero reconhecia a justiça da maior parte das reivindicações, conhecidas como os Doze Artigos, mas não apoiava os camponeses que pretendiam usar de violência para vê-las atendidas. De repente, ele se sentia em perigo de perder uma preciosa fatia de sua popularidade, o que acontece a muitos dos que ficam do lado vencedor durante os primeiros estágios de uma revolução importante.

Entre os convertidos ao luteranismo havia numerosos gráficos, expoentes de um ofício que, recentemente chegado da China, ocupava aos poucos o vale do Reno, onde foi adaptado e aperfeiçoado. As novas prensas espalharam a mensagem de Lutero. O trabalho feito em um só dia por um tipógrafo era equivalente ao de 500 monges, escrevendo com penas de ave. Se Lutero tivesse surgido antes da invenção da imprensa, sua mensagem precisaria de muito mais tempo para ser conhecida.

Wittenberg foi a ponta de lança de uma tecnologia que começava a reformular o mundo. Em 1524, o ano em que Lutero terminou a tradução do Novo Testamento, mais da metade dos livros publicados na Alemanha era impressa lá. Outra força propagadora da mensagem protestante foi o fato de Lutero falar e escrever em alemão, com linguagem simples. Assim, as congregações sabiam os hinos de cor e cantavam com gosto. A combinação de nacionalismo e religião foi uma das marcas da Reforma.

Nas gráficas, vendiam-se cópias do credo luterano, que os fiéis recitavam diariamente, de manhã e à tarde.

Creio que Deus criou a mim e a outras criaturas, que me deu corpo e alma, olhos, ouvidos, braços e pernas, razão e sentidos. Que diariamente me provê roupa e calçado, comida e bebida, casa e família, terras e gado, e tudo que possuo. Que supre com abundância todas as necessidades do meu corpo e da minha vida. Que me protege de todos os perigos e me guarda de todo mal. E que faz tudo isso por Sua divina bondade e por puro amor paternal, sem mérito ou merecimento da minha parte. Assim, agradeço e louvo a Deus, a quem servirei e obedecerei.

CAPÍTULO 18

DESTRUIÇÃO NA SUÍÇA E NA INGLATERRA

Lutero alcançou um sucesso impressionante na região de língua alemã onde vivia, perto dos rios Reno e Elba. Mas seu evangelho não teria vida longa, caso ficasse confinado a um único segmento da Europa. Ele precisava de aliados de outros locais, e um dos primeiros foi o padre e teólogo Ulrico Zuínglio. Os dois tinham quase a mesma idade.

"SOU TEU INSTRUMENTO"

Zuínglio nasceu em uma região da Suíça próxima às atuais fronteiras de Alemanha e Áustria, em Wildhaus, que significa "casa afastada". O nome dá uma ideia do isolamento da cidade. Wildhaus vivia da produção de seus rebanhos e mandava queijo e manteiga para outras cidadezinhas do vale onde estava localizada, usando cavalos como meio de transporte.

A casa de três andares onde Zuínglio nasceu parecia uma caixa de madeira no fundo do vale. Conservada até hoje, transpira simplicidade, com o assoalho de tábuas pesadas e as escadas íngremes que ligam o térreo aos andares superiores. Pedras irregulares formam o piso da cozinha, onde as vigas de madeira se mostram escurecidas pela fumaça que por tanto tempo subiu do fogão. Nas manhãs de domingo, um grupo composto sobretudo por idosos ainda se encontra perto da casa de Zuínglio. Na igreja, permanece o texto em alemão, de sua autoria, pintado na parede: "Onde estaríamos, se perdêssemos a palavra de Deus?"

Em 1506, aos 22 anos, Zuínglio assumiu a função de pároco na cidade de Glarus, onde continuou as leituras e os estudos de hebraico, grego e latim. De Glarus a Basileia e suas gráficas, eram apenas dois dias de caminhada, e Zuínglio foi até lá em 1516, para encontrar-se com Erasmo. Depois de ler a tradução do Novo Testamento feita por Erasmo, Zuínglio mudou seu modo de pregar: "Nunca mais subi ao púlpito sem ter estudado atentamente o evangelho do dia e buscado explicações nas escrituras."

Zuínglio era física e emocionalmente ousado. Por duas vezes acompanhou à Itália, como capelão, tropas mercenárias suíças, e esteve presente no campo de batalha. Teve um relacionamento que lhe deixou sentimento de culpa, com a filha de um barbeiro. Aos 32 anos, mudou-se para Einsiedeln, uma pequena cidade monástica, quase a Canterbury da Suíça – o sonho de inúmeros peregrinos que não podiam custear uma viagem a Roma.

Na esteira da fama alcançada, Zuínglio foi convidado a mudar-se para a rica cidade de Zurique, às margens do lago. Lá, tornou-se pregador especial na imponente catedral de Grossmünster, notável pelas duas torres simétricas. No primeiro verão que passou em Zurique, uma epidemia bateu à porta de metade das casas. Dos 7 mil habitantes da cidade, talvez tenham morrido 2 mil. Zuínglio, que fazia constantes visitas aos enfermos, acabou por adoecer. Ele sobreviveu, mas perdeu o irmão, André. Ao saber da morte, Zuínglio "chorou como uma mulher", mas aceitou o fato como parte dos desígnios de Deus. Depois de recuperar-se, ele compôs um hino que logo se tornou popular. A letra comparava as pessoas a pratos muito frágeis; só Deus decidia os pratos que se quebrariam e os que se manteriam intactos.

Sou teu instrumento
Para fazer ou desfazer.

Uma das maiores cidades ao pé dos Alpes europeus, Zurique era uma república com governo próprio, o que representou um aspecto importante no fortalecimento da campanha de Zuínglio. Por fazer parte do conselho da cidade, ele se tornou mais influente. Na metade da década de 1520, Zurique ocupava o centro da Reforma religiosa na Europa, e mostrava-se mais radical do que Wittenberg e Estrasburgo.

A Bíblia era o tribunal de apelação de Zuínglio. Embora soubesse que a Igreja proibia o casamento dos padres, ele observou que a Bíblia não mencionava isso especificamente. Sabia que quase todos os apóstolos de Cristo eram casados, e que os sacerdotes da Igreja Ortodoxa grega podiam se casar. Assim, em 1524, ele se casou com uma jovem viúva chamada Anna Reinhart – exatamente 14 semanas antes do nascimento do primeiro dos quatro filhos que viriam a ter. Daí a um ano, o próprio Lutero liberou seus religiosos do uso do hábito e contraiu casamento com Catherine von Bora, ex-freira cisterciana.

> LUTERO LIBEROU SEUS RELIGIOSOS DO USO DO HÁBITO E CONTRAIU CASAMENTO COM CATHERINE VON BORA, EX-FREIRA.

Os católicos tradicionais consideravam esses casamentos alguns dos eventos mais escandalosos da Reforma. Mas eles teriam outros motivos para se horrorizar. Como a Bíblia condenava a adoração de ídolos e de estátuas, Zuínglio e seus colaboradores mais próximos ordenaram, em 1524, que as pinturas e imagens de Cristo, de Nossa Senhora e dos santos fossem retiradas das igrejas de Zurique. No espaçoso templo onde Zuínglio oficiava regularmente, o órgão foi removido, e calou-se o som harmonioso das vozes do coro masculino. A cerimônia mais importante – a missa – foi alterada. Em Zurique, a partir de 1525, o idioma alemão passou a ser adotado para os sermões. Naquele mesmo ano cresceu o clamor pelo fechamento de mosteiros e conventos, e eles foram realmente fechados.

Em essência, a Reforma religiosa correspondia a uma revolução, liderada por Zuínglio durante algum tempo. A autoridade da Igreja tradicional, do papa ao bispo local, estava sob ataque. Roma se retraiu. Em seu lugar, estava a Bíblia aberta.

MESA DE NEGOCIAÇÕES EM MARBURG

Dez anos depois de Lutero afixar na porta da igreja de Wittenberg a relação de seus protestos, a revolta comandada por ele ainda não era vitoriosa. A Alemanha estava dividida. E mais: os próprios teólogos rebeldes estavam divididos, e às vezes se criticavam tão duramente quanto o inimigo comum, em Roma.

Caso os principais líderes protestantes fossem levados a ficar frente a frente, chegariam a um acordo? A igreja de Lutero na Alemanha ficava a apenas 600 quilômetros, em linha reta, da igreja de Zuínglio em Zurique, e os dois líderes falavam a mesma língua. Filipe, governante de Hessen, um luterano dedicado, destinou milhares de florins para custear a viagem em segurança dos dois líderes à cidade fortificada de Marburg.

Os primeiro encontro aconteceu às seis da manhã, em 2 de outubro de 1529, e a conversa fluiu sem rodeios.

Um dos temas levantados não admitiu conciliação: a cerimônia principal e o sacramento da Igreja Cristã. Os católicos acreditavam que, durante a consagração pelo padre no altar, o pão e o vinho se transformavam no corpo e no sangue de Cristo. Lutero tinha deixado de crer nessa transformação milagrosa, mas não rejeitava totalmente a presença de Cristo na cerimônia. Na opinião dele, o pão e o vinho do altar continuavam os mesmos de quando estavam na cozinha. De algum modo, porém, pelo poder de Deus, o corpo e o sangue de Cristo estavam presentes "no pão e no vinho não modificados". Para Zuínglio, não havia presença física de Cristo no pão e no vinho; aqueles eram apenas os símbolos da última ceia – um meio de lembrar o ocorrido e dar graças, nada mais.

O interessante é que Zuínglio e Lutero não discordavam inteiramente. Eles concordavam que os fiéis deviam receber não somente o pão, mas também o vinho, enquanto os padres, havia algum tempo tinham deixado de distribuir o vinho consagrado. Hoje, para os observadores agnósticos, uma disputa tão acirrada pode parecer de pouca importância. É o que costuma acontecer quando se observa um evento muitos séculos depois. Para os cristãos, porém, o debate com base na última ceia de Cristo em Jerusalém era quase uma questão de vida ou morte. De vida eterna ou morte eterna.

Em outubro, tendo passado cerca de sete semanas fora, Zuínglio finalmente voltou para casa. Seus seguidores suíços provavelmente ficaram satisfeitos por não ter havido acordo com Lutero em uma controvérsia tão séria. Zuínglio se mantivera fiel ao que tinha ensinado.

A cidade onde Zuínglio vivia continuou em conflito com os distritos próximos, fervorosamente católicos. Em outubro de 1531, os pequenos exércitos católicos estavam prontos para iniciar uma guerra contra Zuínglio. Os componentes viviam perto das margens acidentadas do lago Lucerna, um lugar de extraordinária beleza. Havia entre eles barqueiros, agricultores, lenhadores e pastores, além dos soldados mercenários antes contratados por monarcas estrangeiros. O adversário seria o ainda menor exército de Zurique, acampado perto do lago Zug.

Os relatos diferem: Zuínglio participava da luta ou rezava e confortava os companheiros? O certo é que usava um capacete de ferro. Ainda assim, golpes de lança o atingiram na cabeça e nas pernas. Ficou tão gravemente ferido, que os adversários católicos lhe ofereceram a extrema-unção. Quando se espalhou a notícia de que Zuínglio estava entre os mortos, um velho padre católico – o capelão da tropa – aproximou-se para olhar. Os dois tinham sido companheiros antes da Reforma, e o padre se lembrava dos tempos de harmonia. Em um gesto de compaixão, disse: "Que Deus lhe perdoe os pecados."

As ideias de Zuínglio permaneceram fortes em Zurique e em outras cidades, enquanto a fé católica prevalecia ao longo de quase toda a margem do lago Lucerna e nas montanhas e vales em torno. Ainda hoje se pode percorrer a pé as trilhas e estradas sinuosas que levam a vilarejos onde os poucos habitantes mantêm uma escola e uma igreja católica.

No mês da morte de Zuínglio, talvez a proporção de protestantes – para empregar a nova denominação dos frequentadores da Igreja reformista – entre a população da Europa não passasse de 5%. O que começou como um protesto restrito à Alemanha logo alcançou a Escandinávia, para onde os panfletos protestantes foram levados por estudantes universitários e comerciantes alemães, além de monges e padres simpáticos à causa. Congregações de luteranos surgiram na Hungria, Polônia, Boêmia e em outras regiões do centro e do leste da Europa. Algumas faziam parte de igrejas católicas, onde o padre, embora mantivesse lealdade formal ao papa, pregava a mensagem de Lutero.

Nada contribuiu mais para a divulgação da mensagem do que a impressão da Bíblia, dos novos hinos e orações nos idiomas locais. Ao observarmos, no século 21, o desenvolvimento da troca de ideias possibilitada pela internet e pelos *websites*, podemos facilmente imaginar o movimento semelhante criado pela invenção da imprensa.

UMA TEMPESTADE VARRE A INGLATERRA

A mensagem de Lutero chegaria às igrejas inglesas? Dependia muito das crenças e opiniões de Henrique VIII, o monarca reinante na época. Católico conservador, determinado e ambicioso, ele exigia lealdade do povo. Um historiador ironicamente o chamou de "mastro gigante" em torno do qual a Inglaterra dançava, em uma comparação com os mastros enfeitados para as festas, com flores e fitas. Inicialmente, porém, os reformadores religiosos não encontraram espaço para dançar.

Quando começou a ficar conhecido, Lutero recebeu objeções de Henrique VIII. Em 1521, o rei escreveu um livro sobre os sacramentos, no qual expunha as ideias do papa e criticava a doutrina de Lutero. Por seu valioso trabalho de comunicador, o rei recebeu do papa Leão X o título a que até hoje têm direito seus sucessores: Defensor da Fé. A partir de 1529, porém, ele foi deixando de defender a fé católica. Necessidades ligadas ao país – a busca de melhores aliados militares e diplomáticos – e ambições pessoais levaram-no a adotar objetivos diferentes daqueles defendidos pelo papa. O rei queria, em especial, um herdeiro para o trono. Em 1533, sem filhos, ele rejeitou a mulher, Catarina de Aragão. Em seguida, casou-se com Ana Bolena, dama de companhia da ex-mulher. Na busca de um filho saudável, ele se casaria várias vezes.

O papa não aprovaria a separação e um novo casamento. Então, era preciso desafiar a autoridade papal. Foi o que fez Henrique VIII, com a ajuda de bispos e teólogos ingleses que simpatizavam com suas ideias. A disputa resultou na excomunhão de Henrique VIII. Assim, com a aprovação do Parlamento inglês, convocado depois de longo recesso, ele se nomeou "chefe supremo da Igreja" na Inglaterra e, aos poucos, confiscou as propriedades e os direitos do papa. O rei passou a ter autoridade para apontar os bispos. Em 1535, tal como Zurique, a Inglaterra começou a abolir os mosteiros.

Mais de 8 mil monges, monjas e frades se dispersaram. Os religiosos menores de 24 anos de idade não tinham adquirido estabilidade nos votos, e foram simplesmente mandados embora. Entre os mais velhos, alguns passaram a receber uma pensão, outros assumiram paróquias e outros ainda foram consagrados bispos, enquanto uns poucos abades corajosos que tentaram defender seus mosteiros dos soldados ingleses acabaram enforcados. Os pobres que recebiam ajuda regular tiveram de procurar novos protetores. Os mosteiros ingleses, cerca de 400, passaram a pertencer ao rei Henrique VIII, que os vendeu, conservou ou distribuiu pelos súditos favoritos.

Apesar de todas essas atitudes, Henrique VIII garantia continuar um católico leal. Durante anos ele defendeu pessoalmente a maior parte das doutrinas católicas contra as críticas dos luteranos recém-
-convertidos. Segundo o rei, o inimigo era o papa. Ele continuava

> HENRIQUE VIII QUERIA UM HERDEIRO PARA O TRONO. NA BUSCA DE UM FILHO SAUDÁVEL, ELE SE CASARIA VÁRIAS VEZES.

amigo da grande e venerável Igreja fundada em Roma. No entanto, as medidas tomadas por Henrique VIII não ficaram só no confisco. Em 1536, os padres receberam ordens de desestimular a antiga e frequentemente alegre prática da peregrinação, sendo mais comuns as que iam a Canterbury ou Compostela, a noroeste da Espanha. Eles foram instruídos também a deixar de venerar relíquias de santos. O rei se mostrava cada vez mais simpático ao protestantismo, desde que não muito radical.

TYNDALE: "FAÇA-SE A LUZ"

Quando Henrique VIII subiu ao trono, o idioma empregado maciçamente na vida religiosa e acadêmica era o latim. Nas manhãs de domingo, ouviam-se palavras e cantos em latim por toda a cidade de Londres. Nas duas universidades inglesas, os pronunciamentos mais sérios eram feitos em latim, e dizem que o próprio Erasmo, ao discursar lá, não falou em inglês. O latim era também a língua de praticamente todos os livros impressos na Inglaterra, e o mesmo acontecia com os volumes da biblioteca da Oxford University.

William Tyndale, um industrial do setor de vestuário em Gloucestershire, contribuiu bastante para reverter essa tendência. Depois de passar a infância em um local com vista para as montanhas da fronteira com o País de Gales, ele foi para o Magdalen College, em Oxford, e de lá para Cambridge, revelando-se ótimo aluno. Decidido a traduzir o Antigo Testamento para o inglês, estudou a Bíblia católica chamada Vulgata e a nova tradução de Erasmo, ambas em latim. Estudou também a tradução alemã do Novo Testamento, feita por Lutero, cujas ideias cada vez lhe pareciam mais atraentes. Tyndale estava provavelmente envolvido com os estudos quando, aos 30 anos, viajou para a Alemanha. Ele nunca voltaria à Inglaterra.

No verão de 1525 – um ano depois de chegar à Alemanha – a versão inglesa do Novo Testamento feita por Tyndale estava pronta para ser impressa.

Em sua tradução, ele usou a linguagem do povo, e não da aristocracia. Os leitores provavelmente viram impressas pela primeira vez expressões como "o sal da terra", uma ligeira alteração de outra ouvida por Tyndale na juventude, na área rural de Gloucestershire. Muitos ditados ainda hoje usados no idioma inglês foram criados por ele. Tyndale acrescentou o próprio estilo aos comandos de Cristo: "Procura e acharás"; "Faça-se a luz"; e "Não se pode servir a dois patrões".

A Bíblia de Tyndale tornou-se uma das glórias da língua inglesa. Daí a 75 anos, foi publicada a Bíblia do rei Tiago, muito elogiada, mas maciçamente apoiada na prosa de Tyndale. Nem Shakespeare, duas gerações mais tarde, contribuiu muito mais do que Tyndale para a vitalidade, o vigor e a cadência da língua inglesa.

Enquanto isso, as primeiras cópias da Bíblia de Tyndale, recém-impressas em Worms, tinham de ser levadas às escondidas para pequenas embarcações no rio Reno, de onde eram transferidas para veleiros no mar do Norte, chegando aos mais próximos portos da Inglaterra, então um país católico, pois Henrique VIII ainda não tinha rompido com o papa. Maços de páginas impressas – encadernados ou não – chegavam à Inglaterra disfarçados em fardos de tecido. Em 1526, livreiros londrinos escondiam os exemplares sob o balcão, para vendê-los. Os leitores queriam saber quem era o tradutor, e as suspeitas recaíram sobre Tyndale, mas ele estava em segurança no continente.

Os livros encontrados eram apreendidos, e o leitor recebia uma punição severa, mas o tráfico de exemplares pelo mar do Norte não cessou. Em 1530, na Inglaterra, dez pessoas foram punidas só ouvirem a leitura em voz alta do texto. Outras foram executadas porque possuíam ou distribuíam a Bíblia de Tyndale, ou ainda porque desobedientemente repetiam trechos dela. A perseguição aos hereges, fossem protestantes ou católicos, tornou-se comum na Inglaterra. Em 1536, uma corajosa católica foi vítima dessa perseguição: Elizabeth Barton, conhecida como "a freira de Kent".

Tyndale optou por não voltar à Inglaterra e, mesmo nos países baixos, corria perigo. Ele levava adiante a enorme tarefa de traduzir o

Antigo Testamento. Em 1536, perto de Bruxelas, foi encontrado, identificado e condenado à morte por autoridades católicas. O trabalho ficou pela metade.

A BÍBLIA DO MELADO E OUTRAS

Na Inglaterra, dois anos mais tarde, o governo decidiu que toda paróquia teria uma Bíblia. Parece uma decisão elementar, mas, na Europa e no Oriente Médio, a maior parte das igrejas não contava com uma Bíblia completa; apenas com uma seleção oficial de alguns trechos. A tradução escolhida não foi a de Tyndale, mas a de Miles Coverdale, que antes de aderir à reforma tinha sido frade agostiniano – uma ordem religiosa ligada à de Martinho Lutero. A nova Bíblia, um verdadeiro mosaico, baseava-se na versão de Tyndale, em inglês, nas duas versões de Erasmo, em grego e latim, e na Vulgata, em latim. Tratava-se de uma espécie de pudim cujos ingredientes, em sua maior parte, eram emprestados.

> NA EUROPA E NO ORIENTE MÉDIO, A MAIOR PARTE DAS IGREJAS NÃO CONTAVA COM UMA BÍBLIA COMPLETA.

No verão de 1539, as primeiras cópias impressas estavam disponíveis. Leitores ingleses se impressionaram com a arte da página de rosto – provavelmente obra do celebrado Hans Holbein – onde se via o rei distribuindo exemplares do livro, sob a bênção de Deus. Pesada demais para ser carregada por uma criança, era chamada de "a Grande Bíblia". Em tempos menos religiosos, colecionadores batizariam a edição de "Bíblia do melado", por causa do texto de uma conhecida passagem em Jeremias 8, versículo 22. Normalmente expressa em inglês como "não há mais bálsamo em Gileade", a frase foi traduzida como "não há mais melado em Gileade". Na verdade, Coverdale não estava errado: na época, o melado era utilizado para curar mordidas de animais venenosos e doenças em geral, e não como subproduto das refinarias de açúcar.

Talvez fosse a primeira oportunidade de as igrejas daquela região populosa possuírem uma cópia da Bíblia. Claro que muitas igrejas pequenas não tinham condições financeiras de comprar, muitos fiéis não sabiam ler, e muitos padres não compreendiam palavras tão complicadas. Em 1541, houve uma ordem para que a Grande Bíblia fosse lida em voz alta em todas as igrejas inglesas. Ao mesmo tempo, porém, ficavam restritas à posse e à leitura da Bíblia em particular.

A forte interferência do rei na vida religiosa da Inglaterra fez de sua morte um evento desestabilizador. Os filhos de Henrique VIII o sucederam: primeiro, o filho, Eduardo VI, em 1547; seis anos depois, a filha, Maria, uma católica devota. Sua lealdade ao papa foi confirmada pelo casamento com um poderoso monarca católico, Filipe II da Espanha. Ela modificou muitas regras. Padres que tinham sido autorizados a casar-se receberam ordem de afastar-se da Igreja ou da mulher. Alguns mosteiros foram reabertos, e a abadia de Westminster voltou a receber monges. Na Inglaterra, pelo menos 270 protestantes – ligados ao comércio, na maioria – tanto homens quanto mulheres, foram queimados na fogueira por desobedecerem preceitos religiosos. Com a coroação de um novo rei, em 1558, os católicos passaram a ser perseguidos.

> A FORTE INTERFERÊNCIA DO REI NA VIDA RELIGIOSA DA INGLATERRA FEZ DE SUA MORTE UM EVENTO DESESTABILIZADOR.

Os monges desapareceram da abadia de Westminster, e as ligações da Inglaterra com o papado, recentemente recuperadas, foram outra vez interrompidas. Em muitas igrejas inglesas, as pinturas consideradas indevidamente um incentivo à superstição foram retiradas, e vitrais, quebrados. Até os cantos às vezes pareciam dissonantes, porque o órgão caríssimo não era mais tocado. Esses atos de destruição ocorreram mais na Inglaterra e na Suíça do que na Alemanha luterana.

Atualmente, no mundo ocidental, as artes são mais apreciadas do que a religião, em certos círculos; por isso os estudiosos condenam com tanta veemência aquele vandalismo. No século 16, porém, em muitas igrejas e catedrais, os fiéis ficaram satisfeitos com a eliminação dos ornamentos católicos; assim, evidenciavam-se os aspectos essenciais do protestantismo, mais simples. Essas modificações, e a resultante sucessão de ganhadores e perdedores, foram frequentes durante o primeiro século do protestantismo.

CAPÍTULO 19

O REINO DE JOÃO CALVINO

João Calvino surgiu uma geração depois de Lutero. Como seu primeiro lar foi a cidade de Noyon, cerca de 100 quilômetros ao norte de Paris, ele começou a vida mais perto de Londres do que de Genebra, cidade à qual sua fama ficou associada.

Sério e impetuoso por natureza e de pensamento bem organizado, Calvino começou a estudar a Bíblia e a escrever sobre suas conclusões. Simpático às ideias de Lutero quando, em Paris, elas despertavam ao mesmo tempo hostilidade e curiosidade, ele pegou seus manuscritos inacabados e subiu o rio Reno, em direção à Suíça. Em 1536, Calvino mal havia completado 27 anos, e já via seu estudo religioso – *Institutos* – publicado em primeira edição. Ele teve o cuidado de não usar seu nome verdadeiro. Se o fizesse, seria preso ao voltar à França.

No mesmo ano Calvino chegou a Genebra, uma cidade-Estado recentemente separada do Ducado de Savoy. Os protestantes avançavam: a catedral de São Pedro era deles; a missa tinha sido substituída por uma forma simplificada da santa comunhão; e o bispo católico tinha ido embora. Por algum tempo, magistrados e pastores caminharam lado a lado, mas a Reforma não estava completa. Calvino, contrariando seu estilo, concordou em permanecer na cidade, como pregador e teólogo. Era como se Deus, lá do céu, tivesse esticado o braço para prendê-lo àquele lugar. Ao mesmo tempo, ele e Guillaume Farel prendiam o povo de Genebra – às vezes pelo pescoço, mas em geral pela persuasão – decididos a fazer da cidade a mais religiosa da

Europa. Depois de dois anos, os cidadãos se cansaram e expulsaram a dupla.

Calvino se retirou para outra cidadela protestante, Estrasburgo, onde se experimentavam alterações nos cultos religiosos.

Em 1541, Calvino foi convidado a retornar a Genebra, tornando-se cada vez mais influente. Cabia a ele determinar qual a conduta correta que, com a ajuda de um tribunal, era imposta aos cidadãos. Em 1555, tornara-se o homem mais poderoso da pequena república.

Calvino precisou rever o livro que havia escrito, pois suas opiniões mudavam de acordo com as experiências vividas em Estrasburgo e Genebra. Então, preparou uma tradução do latim para o francês e, periodicamente, produzia versões ampliadas. Com quase 1,3 mil páginas cuidadosamente impressas, a tradução para o inglês contemporâneo cobria quase todas as questões cristãs consideradas importantes para a época em que o trabalho foi elaborado. Calvino era um grande contestador, que se interessava mais pelas propostas complexas.

DEUS, O IMPENETRÁVEL

As ideias de Calvino sobre predestinação tornaram-se notórias. Ele afirmava que Deus decide antecipadamente o que acontece à alma de todos os homens e mulheres. Assim, por mais que a pessoa se esforçasse, tinha o destino traçado desde o nascimento. Não havia tribunal de apelação nem luta por oportunidades iguais. Calvino considerava a vida uma corrida com resultado preestabelecido. Segundo ele, a criação não é feita em série, mas "alguns nascem predestinados à vida eterna, e outros, à condenação eterna." Em essência, a doutrina enfatizava o poder e a sabedoria de Deus e, em contraste, a fragilidade e a ignorância dos seres humanos.

Atualmente, o nome de Calvino fica um tanto prejudicado por essa teoria, mas séculos antes de seu nascimento esse era o pensamento corrente no cristianismo. Os escritos de São Paulo – em especial o oitavo capítulo de sua epístola aos romanos – apoiavam a ideia. A visão de Calvino também se fundamentava nas palavras do grande Santo Agostinho, que vivera no norte da África, mais de mil anos antes, e nas conclusões do Concílio de Orange, reunido no sul da França em 529. E Calvino não estava só, entre os reformadores protestantes; Lutero e Zuínglio pensavam da mesma maneira.

Para muitos fiéis, a ideia de predestinação era quase elementar. Se Deus tinha conhecimento de tudo antes que acontecesse, sabia quem atenderia e quem não atenderia ao seu chamado. Segundo Agostinho e Calvino, seria inútil – impertinente, mesmo – querer saber mais a respeito de Deus, cujos julgamentos são impenetráveis e cuja conduta é impossível de decifrar.

Na era mais materialista e igualitária em que vivemos, é difícil para muita gente admitir um Deus tão remoto e inimaginavelmente poderoso. No entanto, a doutrina despertou mais confiança do que desesperança. Em 1563, a Igreja da Inglaterra, em um dos 39 artigos que formavam a base da fé, considerou essa doutrina "um doce, agradável e indescritível conforto para as pessoas religiosas".

> SEGUNDO CALVINO, OS ANJOS EXISTEM EM GRANDE NÚMERO, E TODO CRISTÃO CONTA COM UM PARA PROTEGÊ-LO.

O leitor que toma o primeiro contato com um livro de Calvino se surpreende. Entre os protestantes evangélicos atuais, muitos não acreditam em anjos. Calvino, no entanto, os enxergava em toda parte. Segundo ele, os anjos existem em grande número, e todo cristão conta com um para protegê-lo. O anjo da guarda percebe a aflição de seu protegido, e corre para ajudar. Os anjos também promovem vingança. Calvino louvou o anjo que, segundo o livro de Isaías, matou em uma só noite 185 mil soldados assírios. Calvino descrevia os anjos como "criaturas misteriosas"; sua aparência física só seria conhecida quando eles fossem vistos pelos seres humanos, no dia do juízo final.

As ideias de Calvino no amplo terreno da Teologia foram expostas nos muitos sermões que proferiu em Genebra, tanto nos domingos quanto nos dias de semana. Somente com base no livro de Ezequiel, foram 174, além de numerosas cartas, reunidas em 59 volumes, na edição alemã.

Calvino era uma verdadeira enciclopédia ambulante, em questões relativas à vida cristã. Um de seus argumentos para guardar os domingos era a necessidade de proporcionar a operários e serviçais a possibilidade de um dia completamente livre do trabalho. Segundo ele, o dia de descanso era mais importante para os empregados do que para os patrões.

Calvino considerava importante que os cristãos rezassem com frequência. Mas lembrava que esperar uma resposta rápida e favorável de Deus todo-poderoso seria quase uma blasfêmia. Deus respondia às preces a seu modo, em seu tempo, já que não era um vendedor solícito, pronto para agradar aos clientes. Segundo Calvino, as pessoas deviam rezar pelos outros, pois não sabiam o que era melhor para si. Assim, se rezassem pedindo para livrar-se de sofrimentos, talvez fossem ignoradas por Deus e sofressem ainda mais.

Às vezes Calvino podia parecer arrogante, mas combinava humildade e altivez de mestre. A edição final de seu livro mais importante termina com a mensagem: "Adeus, caro leitor. Se obtiver algum benefício do meu trabalho, ajude-me com as suas orações ao nosso pai celestial."

Embora sua área de atuação fosse reduzida em extensão, Calvino representou uma das figuras mais importantes da história do mundo. Depois da morte de Lutero, em 1546, ele se tornou o líder não oficial do protestantismo e, pelos 18 anos que ainda teve de vida, continuou a fazer de Genebra o reduto de estudantes, teólogos e religiosos dissidentes, bem como de tradutores da Bíblia expulsos da região onde viviam ou que temiam pela vida, caso permanecessem lá. Calvino não queria a fama depois da morte. Mantendo sua oposição à prática católica das peregrinações e temendo que seu túmulo se tornasse alvo dos peregrinos, ele expressou o desejo de que não fosse revelado o local de seu sepultamento.

SALMOS – AS CANÇÕES POPULARES DE GENEBRA

Jersey, nas Ilhas do Canal, era predominantemente calvinista em 1564, o ano da morte de João Calvino. Conta-se que lá os serviços eram virtualmente uma réplica dos que aconteciam em Genebra e em uma série de cidades da Europa central e ocidental, além de Escócia e Inglaterra. A maioria das pessoas ia à igreja vestida de preto, em sinal de luto pela morte de Cristo. As mulheres se sentavam de um lado, e os homens de outro. Os homens conservavam o chapéu na cabeça; só tiravam nas partes mais importantes do serviço, como as orações em voz alta, o ato de contrição, e a leitura e o canto dos salmos. Calvino considerava tirar o chapéu um gesto "de humildade", repetido enquanto os fiéis ouviam em silêncio a leitura do texto bíblico que serviria de base ao longo sermão do sacerdote. Assim que a leitura terminava, os chapéus voltavam à cabeça.

Na época não havia altar. O púlpito era a peça central da igreja. Para a santa comunhão, celebrada apenas quatro vezes por ano, os membros da congregação se dividiam em grupos e sentavam-se em bancos, em torno de uma mesa simples, quase como se imitassem os discípulos na última ceia de Cristo. Quando um grupo acabava de receber do sacerdote o pão e o vinho, em memória de Cristo, dava lugar a outro.

A conduta dos fiéis era regida por uma lista de instruções calvinistas. Eis algumas: os pobres deviam ser assistidos; as famílias deviam reunir-se para rezar em casa, de manhã e à noite; todos deviam ir à igreja aos domingos. Quanto aos passatempos mais populares não deviam ser praticados, qualquer que fosse o dia da semana. Assim, ficavam banidos os jogos com pinos, a dança, e os carinhos e beijos, pelo menos em público.

Para Calvino, tal como para os católicos, os salmos tinham importância vital. Ele insistia em que, na França e em Genebra, os salmos fossem cantados em francês, e não em latim, para facilitar a compreensão. O canto não devia ser acompanhado de instrumentos musicais nem de um coro. A ideia parece severa demais, mas os visitantes estrangeiros que entravam na ampla igreja em Genebra e ouviam centenas de pessoas cantando juntas ficavam pasmos, ao perceber tanta força e sinceridade.

Ao norte dos Países Baixos espanhóis, o povo se desligou da Espanha e formou as Províncias Unidas – a atual Holanda. Depois que as congregações calvinistas ocuparam as igrejas e catedrais católicas, na década de 1580, o canto dos salmos e suas melodias atraentes tornaram-se a principal atração. Como as pessoas, em sua maioria, não sabiam ler, um regente ficava diante delas e cantava uma linha ou um verso curto do salmo de cada vez, para que repetissem. Quando o regente atuava bem e a melodia era fácil, logo os fiéis decoravam letra e música. Na Escócia não se permitiam melodias mais elaboradas, para não desviar a atenção das palavras. No início do século 17, foi aprovada uma relação de doze acordes a serem escolhidos para acompanhar o canto dos salmos nas igrejas.

> NA ESCÓCIA NÃO SE PERMITIAM MELODIAS MAIS ELABORADAS, PARA NÃO DESVIAR A ATENÇÃO DAS PALAVRAS.

Mais ou menos nessa época, um grupo de puritanos se estabeleceu nos Estados Unidos. Seus únicos cantos eram os salmos. Significativamente, o primeiro livro impresso em inglês na América foi *Bay Book of Psalms*, o Livro de Salmos da Baía, publicado em Cambridge, perto de Boston, em 1640.

JOHN KNOX E OS PRESBITERIANOS

Quando Genebra recebia muitos refugiados religiosos, sua congregação de língua inglesa era liderada por um pregador dinâmico, quase tão racional quanto Calvino e, com certeza, tão ardente quanto ele. John Knox tinha 40 e poucos anos, era baixo e de compleição sólida, olhos azuis, nariz muito fino e rosto terminado em uma barba que mais parecia um jardim suspenso. Padre católico em sua terra natal, a

Escócia, e mais tarde pastor protestante, Knox teve o infortúnio de ser capturado perto de Saint Andrews e embarcado para a França, onde se tornou escravo nas galés, no rio Loire. Libertado depois de um ano e meio e, embora com a saúde debilitada, voltou a pregar na Inglaterra e, depois, no continente europeu. Em 1559, regressou afinal à Escócia, onde as disputas entre católicos e calvinistas estavam longe de um desfecho.

Os seguidores de John Knox eram conhecidos como presbiterianos. Nos primeiros tempos da Igreja Cristã, chamavam-se presbíteros os membros da congregação que realmente a administravam. Essa fórmula tem origem nas sinagogas, que contavam com um conselho de anciãos. Ao adotar um esquema semelhante, Knox e seus companheiros sentiam estar retomando uma forma de organização representativa que prevalecera nas primeiras igrejas cristãs – antes que o papa se tornasse o chefe supremo. Knox copiava também a organização das igrejas independentes às quais os refugiados se integravam, numerosas entre Londres e Genebra. Em essência, as

> NOVAS IGREJAS CALVINISTAS ENFATIZAVAM O PRINCÍPIO SEGUNDOO QUAL O PODER EMANA DA CONGREGAÇÃO DOS DEVOTOS.

novas igrejas calvinistas enfatizavam o princípio adotado em Genebra, segundo o qual o poder emana da congregação dos devotos.

A organização presbiteriana não pode ser considerada muito democrática. No entanto, era mais democrática do que as Igrejas luteranas e anglicanas, controladas pelo Estado, e do que a Igreja Católica, com sua hierarquia, em que o papa representava a figura máxima.

CALVINO ABRE AS ASAS

A doutrina de Lutero não atraiu de imediato os povos que não falavam alemão. Diferentemente, as palavras de Calvino iam de terra em terra, penetrando em cortes, áreas rurais, escritórios comerciais e casebres de camponeses. Até a Igreja Ortodoxa cogitou unir-se ao calvinismo quando Cirilo Lucar, um nativo da ilha de Creta, foi patriarca em Constantinopla.

Em alguns principados alemães, na Boêmia e na Hungria, capelas calvinistas foram erguidas no campo e na cidade. No grão-ducado da Lituânia, a maioria dos senadores e das famílias ricas era calvinista ou luterana. Na Polônia, hoje o país mais solidamente católico da Europa, os calvinistas e luteranos se multiplicaram rapidamente. Em uma vasta região do território polonês, metade da aristocracia aderiu temporariamente ao protestantismo, sendo a maior parte seguidora de Calvino. Mas os poloneses leais a Roma se sentiram tão fortalecidos com o surgimento dos jesuítas – padres dedicadíssimos – que em 1632, ano da morte de Sigismundo III, a Polônia tinha voltado a ser maciçamente um reduto católico.

O maior desejo dos calvinistas era converter a França, o país mais forte e populoso da Europa. Mas para isso precisavam converter primeiro a família real, e em alguns momentos quase conseguiram.

Pregadores vindos de camadas sociais mais elevadas, escolhidos pessoalmente por Calvino em Genebra, chegaram à França para fundar congregações. Por falarem francês, teriam mais facilidade em obter conversões. Conhecidos como huguenotes, eles se multiplicaram no sul e sudoeste, visando conquistar a região de Cognac e o porto marítimo de La Rochelle, junto ao oceano Atlântico. Em pouco tempo um em cada dez franceses tinha se convertido, e os calvinistas se tornaram fortes demais para serem banidos, simplesmente – em especial entre os aristocratas. Assim, em 1562 sua existência foi permitida formalmente, e eles puderam cumprir seus serviços religiosos, desde que de acordo com regras rígidas e em locais específicos.

Na noite de 23 de agosto de 1572, os huguenotes foram atacados em Paris. Catarina de Médicis, rainha-mãe da França e sobrinha de um antigo papa, ordenou o ataque. A primeira vítima foi o conhecido almirante Coligny, cujo corpo mutilado foi arremessado de uma janela. Estimativas cautelosas avaliam que o número de vítimas fatais em

Paris e cidades próximas ultrapassou 5 mil. Chamado de noite de São Bartolomeu, esse massacre foi o episódio mais dramático até então, na guerra entre a maioria católica e a forte minoria protestante. Mais tarde, em 1598, uma trégua foi negociada em Nantes, garantindo aos huguenotes direitos civis, a proteção da lei e a permissão limitada de praticar em público seu credo – uma tentativa pouco usual de tolerância religiosa, ainda que frágil.

Antes disso, em 1572, as notícias do massacre da noite de São Bartolomeu chegaram a Edimburgo. John Knox, com a saúde frágil, subiu ao púlpito da igreja de São Giles e lamentou as mortes. Foi seu penúltimo sermão; ele morreu naquele ano.

AS LINHAS DE BATALHA E OS SINOS DAS IGREJAS

As disputas entre católicos e protestantes acentuaram divisões já existentes na Europa. Tais disputas refletiam as linhas de batalha geográficas, separando o norte e o sul dos Alpes; a crescente conscientização dos povos de língua alemã e sua relutância em pagar altas taxas a Roma; a concorrência entre frotas comerciais do Atlântico e do Mediterrâneo; e a disputa pela supremacia comercial e política entre antigas potências marítimas do Mediterrâneo, e Inglaterra e Holanda, potências do mar do Norte. Política, Economia e Religião estavam interligadas.

Durante séculos, a unidade dos cristãos ficou visível mesmo nos pequenos acontecimentos do dia a dia. No domingo, cenários e sons similares se espalhavam por todas as cidades, da Irlanda à Sicília e à Escócia. Nas regiões densamente povoadas da Europa, um viajante de domingo podia caminhar por 50 quilômetros, pelo campo, sem deixar de ouvir o repicar dos sinos, perto e longe. Pela primeira vez, porém, o toque dos sinos, antes carregado de alegria, preocupava as dezenas de milhares de novos protestantes. Em sua opinião, aqueles sinos divulgavam uma mensagem católica.

CAPÍTULO 20

TRENTO: UMA REUNIÃO SEM FIM

Se ao menos Lutero pudesse encontrar o papa... Se ao menos as feridas fossem curadas... Houve várias tentativas enquanto Lutero estava vivo. Cogitou-se de uma grande conferência ou de um concílio que reunisse toda a Igreja. Pensou-se em uma cidade, depois em outra... Mas era como se os ventos gelados que sopravam pelos Alpes mantivessem Wittenberg e Roma em mundos separados. Em 1545, afinal, o vento amainou, e foi instalada a mais abrangente reunião da história do cristianismo, para deliberar sobre as controvérsias entre o norte, cada vez mais protestante, e o sul, solidamente católico.

O local escolhido, no norte da Itália, foi o porto fluvial e cidade de Trento, cercada por montanhas escarpadas e cortada por uma estrada que ligava o norte ao sul da Europa. Perto, ficava o passo de Brenner, onde durante a Segunda Guerra Mundial aconteceu o importante encontro dos líderes alemão e italiano, Hitler e Mussolini. Trento ligava as regiões que falavam alemão e italiano. Entre seus 8 mil habitantes, a maioria era de italianos, mas a cidade recebia mais influência da Alemanha, gozando de independência em relação ao Santo Império Romano.

Os convites foram feitos com 18 meses de antecedência. Como calcular quantas pessoas chegariam, contando-se bispos e teólogos, além de suas comitivas de assistentes e empregados? Trento ficou mais movimentada, com o vaivém de barcos e carros de boi que transportavam alimentos para os visitantes e feno para seus cavalos. Rebanhos percorriam longas distâncias, a fim de abastecer de carne os açougues.

O concílio foi aberto formalmente em 13 de dezembro de 1545, com a celebração da missa na catedral em estilo românico. Os quatro arcebispos celebrantes – da Irlanda, Suécia, Sicília e França – foram acompanhados na procissão por 21 bispos, na maioria italianos e espanhóis. Das regiões de língua alemã, cujas disputas religiosas foram a principal causa da convocação do concílio, infelizmente só compareceu um bispo. De Roma viajaram três cardeais, mas... e o papa? Os luteranos só apareceram no sexto ano do concílio, e sua estada foi breve.

Depois de vários adiamentos e nenhuma reunião, uma epidemia atingiu a cidade de Trento em 1547, e o concílio teve de mudar-se temporariamente para Bolonha, mais ao sul. Uma disputa entre o papa e Carlos V, o mesmo imperador que menosprezara Lutero na assembleia de Worms, levou a mais um longo adiamento. À sessão final, em dezembro de 1563, estavam presentes mais de 200 bispos.

> A AUSÊNCIA DOS PROTESTANTES PERMITIU QUE OS CATÓLICOS SE CONCENTRASSEM NOS PRÓPRIOS DILEMAS.

A ausência dos protestantes permitiu que os católicos se concentrassem nos próprios dilemas. Eles corajosamente reconheceram que sua Igreja precisava de mudanças e deliberaram sobre isso. Embora reafirmassem a autoridade espiritual da Bíblia em latim, a Vulgata, recomendaram uma revisão, que foi feita aos poucos. Protestaram contra os bispos que raramente ou nunca estavam em suas regiões, negligenciando os fiéis. Os padres das paróquias também foram censurados por deixarem os sermões a cargo de frades itinerantes, como franciscanos, dominicanos e outros; era a hora de os padres locais retomarem seu papel de pregadores. O concílio resolveu ainda que os bispos deviam criar seminários locais e treinar os padres seriamente, pois muitos mal conheciam a Bíblia.

Trento reafirmou o papel dos santos, a importância das relíquias sagradas, a existência do purgatório e o celibato dos padres. E mais: recusando-se a rejeitar completamente a reforma protestante, resolveu que a venda de indulgências – motivo dos protestos de Lutero – seria suspensa.

Coube ao papa Pio IV decidir quais recomendações seriam adotadas. Decorrido um ano do encerramento do concílio, ele endossou o trabalho e começou a implementar as mudanças. Em mais uma etapa na capacitação de cardeais, bispos e teólogos para o debate público, as obras completas de Santo Tomás de Aquino – o sábio religioso sempre consultado em caso de dúvida – foram publicadas em 1570. A nova versão da Bíblia católica teve de esperar até 1590.

Notava-se nos papas uma nova energia. Gregório XIII, que iniciou em 1572 um pontificado de 13 anos, instituiu, em lugar do antigo calendário romano, o calendário gregoriano, hoje utilizado em todo o mundo. As terras cristãs logo adotaram a nova contagem de tempo, mas, em terras protestantes e ortodoxas, a mudança foi mais lenta. Assim, por décadas – e até séculos – era domingo em uma cidade e dia de semana em outra, bem perto. A Inglaterra, por exemplo, só adotou o calendário gregoriano em 1752, quando a data deu um salto de dez dias.

Sisto V, sucessor de Gregório XIII, reformulou o Colégio dos Cardeais, limitando-o a 70 membros. Esse limite de membros do colégio encarregado de eleger o papa persistiria por cerca de quatro séculos, e um resultado disso foi a escolha de papas melhores. Segundo um observador da Santa Sé, "a partir das reuniões de Trento, houve alguns papas ineficientes, mas nenhum pode ser considerado mau."

Somente daí a três séculos a cristandade veria outra versão do Concílio de Trento.

CARMELITAS E CAPUCHINHOS

Os católicos ganharam com a Reforma protestante. Em muitas regiões a Igreja e seus fiéis criaram vida nova.

Ao analisarmos hoje o século 16, temos a impressão de que ele foi dominado pelos reformadores protestantes, mas houve também dezenas de católicos notáveis. Entre eles, conta-se Teresa de Ávila, nascida na Espanha dois anos antes de Lutero se tornar conhecido. Freira carmelita, ela viveu experiências *místicas* antes que essa palavra entrasse em moda. Teresa de Ávila descreveu como passou a rezar regularmente, como aprofundou sua comunhão com Deus – "Deus te abençoe para sempre!" – e como aos poucos aprendeu que desenvolver a arte da oração é como irrigar e cultivar um jardim em terreno seco: um exercício de paciência e persistência. Primeira mulher a ser chamada de "doutora da Igreja", ela escreveu sobre os aspectos pessoais do cristianismo com tal graça, familiaridade e singeleza, que seu estilo jamais seria igualado por Lutero e Calvino.

Lutero tinha começado a pregar havia pouco, quando os monges capuchinhos, com barba, capuz sobre a cabeça e sandálias, começavam a tornar-se uma visão familiar em muitas cidades italianas. Um ramo dos franciscanos, eles procuravam reviver os ideais de São Francisco de Assis. Decididos a viver junto ao povo, eram admirados especialmente por seu trabalho humanitário quando a cidade de Camerino, perto da costa italiana do mar Adriático, foi assolada por uma epidemia, em 1523. Suas regras, organizadas pela primeira vez seis anos depois, eram muito mais austeras do que as de outros ramos das ordens franciscanas existentes.

Pregadores persuasivos, os capuchinhos também se aventuraram como missionários na Pérsia, em outros pontos da Ásia Menor e nas costas do norte da África, infestadas de piratas, onde resgataram prisioneiros que trabalhavam nas galés. Chegaram ainda ao norte do Brasil, onde seu sucesso rivalizava com o sucesso dos jesuítas, outro notável produto desse despertar católico. Capuchinhos franceses que trabalhavam entre os muçulmanos a leste do Mar Mediterrâneo foram chamados de volta à França em 1630, quando se suspeitou, certa ou erradamente, que eles, bem como outros frades, estivessem desenvolvendo muita simpatia pelos indivíduos que pretendiam converter.

Tal como outros grupos religiosos, os capuchinhos vieram a estabelecer ligações tanto com os ricos quanto com os necessitados. Hoje, os turistas que vão a Viena para visitar os túmulos do imperador Francisco José, e do arquiduque Ferdinando e sua esposa, – assassinados em Sarajevo, no ano de 1914 – logo descobrem que esses monumentos estão sob os cuidados dos capuchinhos.

O BARROCO E SUAS PÉROLAS

Os católicos sempre admiraram o esplendor, a teatralidade e a imponência. Seus serviços religiosos, em especial nas datas especiais, eram exemplos de realização cultural da civilização ocidental. Suas obras de artes visuais e musicais são tão atraentes para os olhos e os ouvidos quanto as que se veem nas mais belas construções do mundo. A Reforma do catolicismo, uma resposta à Reforma protestante, proporcionou a essas artes um impulso nunca visto. Um novo estilo arquitetônico, exposto pela primeira vez em uma igreja romana projetada por Carlo Maderno, um jovem arquiteto nascido junto ao lago de Garda, no norte da Itália, tornou-se o favorito entre os católicos da Europa ocidental e de cidades da América Latina. Provavelmente assim denominadas por causa das pérolas barrocas, que são bonitas, mas irregulares, as igrejas e os palácios em estilo barroco possuem grandiosidade, cor e senso de dramaticidade.

> OS CATÓLICOS SEMPRE ADMIRARAM O ESPLENDOR, A TEATRALIDADE E A IMPONÊNCIA.

Havia necessidade de espaço por dentro e por fora, de modo que as construções barrocas fossem vistas, já que eram feitas para isso. Pinturas de cenas bíblicas ocupavam todos os tetos e paredes, e o interior dourado das cúpulas lembrava uma mina de ouro recém-descoberta.

Um século e meio depois de encerrado o Concílio de Trento, as novas edificações em estilo barroco ainda despertavam admiração. Os europeus percorriam longas distâncias para ver a catedral de Granada, na Espanha, a colunata na Praça de São Pedro, em Roma, o palácio do monarca francês, em Versalhes, e a igreja de Santa Maria da Saúde, que parece flutuar sobre a água, em Veneza. Poucos europeus, porém, tiveram a chance de admirar a maravilhosa fachada da catedral de Lima, no Peru. O barroco não apenas transformou a aparência das igrejas então construídas, mas também influiu sobre a música que se tocava dentro delas – música que teve como expoentes Monteverdi, Vivaldi e Hendel.

O protestantismo de Zuínglio e Calvino era essencialmente a religião do livro, mas foi obrigado a competir com uma religião que reverenciava como nunca a arquitetura, a pintura, a escultura e a música.

CAPÍTULO 21

AOS CONFINS DA TERRA

Em 1492, Cristóvão Colombo partiu da Espanha, em uma viagem que representou um marco na história do mundo. Ele esperava encontrar terras para a atuação de missionários cristãos e riquezas para a Espanha. Buscava, ainda, lugares descritos na Bíblia.

Cerca de 80 homens lotavam as três embarcações, quando, em 12 de outubro de 1492, surgiu terra à vista. A aproximação revelou que a terra era habitada, e os habitantes andavam nus. Imaginando haver chegado à Índia, ou a uma região próxima, Colombo os chamou de índios. Enquanto nas três embarcações eram desfraldadas bandeiras verdes com a cruz cristã, ele tomou posse formal da terra, em nome do rei e da rainha da Espanha, batizando-a de São Salvador, "em honra do nosso Santo Senhor", conforme disse. Daí a 15 dias, chegou a Cuba, que julgou ser o continente asiático.

Na época, a Espanha era provavelmente o mais fervoroso dos países cristãos, e Colombo, um italiano, absorveu esse fervor. Sua segunda expedição contava com 17 pequenos navios. Levava padres e frades, além de dois franciscanos leigos, vindos da região onde fica atualmente a Bélgica, então uma possessão espanhola. Colombo tinha um motivo pessoal de satisfação: acreditava estar prestes a redescobrir o local de onde um dos reis magos partira para conhecer e presentear o menino Jesus em Belém. Enquanto seu navio se aproximava de Cuba, em outubro de 1495, ele anunciou: "Senhores, estamos chegando ao lugar de onde partiu um dos três reis magos, para adorar Cristo. O lugar se chama Sabá." Aquele se revelou um dos muitos desapontamentos de Colombo. Não se concretizou seu desejo de encontrar lugares descritos na Bíblia.

A terceira viagem para as Índias Ocidentais, em 1498, foi feita em nome da Santíssima Trindade, mas as embarcações carregavam mais trabalhadores das minas – descritos como garimpeiros – do que frades e padres. Avançando rumo à América do Sul, Colombo encontrou a foz do rio Orinoco e maravilhou-se diante do volume de água despejada no mar. Ainda convencido de que aquela região tropical fazia parte da Ásia, acreditou que o rio viesse diretamente do Jardim do Éden, onde viveram Adão e Eva.

A extensa costa oriental do continente americano logo foi explorada por outras expedições, das quais participavam frades que conheciam bem a Bíblia. Quando Pedro Álvares Cabral, um navegador português, chegou à costa nordeste do Brasil, deu-lhe o nome de Terra de Santa Cruz. Em 1513, os espanhóis batizaram a Flórida em homenagem ao domingo de Páscoa. Mais ao norte, o estuário do golfo de São Lourenço foi descoberto por Jacques Cartier, que ergueu uma cruz de madeira de quase 10 metros para marcar o local. A cristianização do mapa prosseguiu: na Califórnia foram adotadas as denominações São Francisco e Los Angeles; no Chile, Santiago é o nome de um apóstolo; e a maior cidade do Brasil carrega o nome de outro apóstolo, São Paulo.

AS 15 MIL CAPELAS E IGREJAS

Era preciso recrutar cristãos para levar a Bíblia às novas terras. Em 1508, o papa Júlio II conferiu ao monarca espanhol o direito de indicar os bispos, padres e frades que viajariam para a extensa região da América destinada à Espanha. Como Sevilha era o porto espanhol que recebia os navios carregados de prata e outros produtos mandados da colônia, o arcebispo da região indicou três bispos para Porto Rico, Hispaniola e Cuba. De início, o bispo de Cuba atuava também em uma região que compreende atualmente o território dos Estados Unidos.

Os frades receberam permissão de manter suas atividades religiosas: batizar crianças e adultos, celebrar missa, ouvir confissões e perdoar pecados, e abençoar casamentos. Em 1533, os franciscanos que atuavam no México afirmavam ter obtido mais de 1 milhão de conversões. Na história do cristianismo, raramente tantos foram convertidos por tão poucos. O que não significa que todos eles soubessem o que é ser cristão.

Tal como acontecia na Europa medieval, a maioria dos novos cristãos combinava a fé recentemente adotada à antiga. Por trás das fachadas barrocas das fabulosas catedrais – como a que teve a construção iniciada em 1573, na cidade do México – estavam antigos santuários de outros deuses. Somente no Peru, em meados do século 17, uma incursão oficial por uma área reduzida encontrou, recolheu e destruiu 9.056 ídolos pagãos que estavam em poder dos peruanos.

> NOS SERMÕES, FRANCISCANOS E DOMINICANOS CENSURAVAM A PRÁTICA DA ESCRAVIDÃO.

Os americanos convertidos frequentemente se mostravam mais piedosos do que os recém-chegados comerciantes, soldados e agricultores batizados em sua terra natal – Portugal ou Espanha.

Para o Brasil e as chamadas Índias Orientais, os colonizadores importavam escravos do oeste da África. As plantações de açúcar e café desenvolvidas nas colônias – e, por consequência, a economia espanhola – dependiam cada vez mais do trabalho forçado. Os únicos defensores dos nativos do continente americano –chamados ameríndios – e de seus direitos eram os missionários, que falavam em nome do papa. Nos sermões, franciscanos e dominicanos censuravam a prática da escravidão. Tratava-se de uma atitude corajosa, pois eles devem ter visto a raiva na expressão dos donos de escravos que os ouviam. Em 1537, o papa Paulo III lançou uma bula – *Sublimis Deus* – contra a escravidão. Daí a cinco anos, uma lei espanhola baniu os maus-tratos aos trabalhadores "nas Índias". Mas o tráfico de escravos parecia interminável.

A América Latina logo aprendeu a rivalizar com a Espanha na dispendiosa arte da arquitetura. Em 1650, a cidadezinha mexicana de Puebla era uma pequena maravilha no hemisfério ocidental. Instalada sobre as terras férteis de um planalto, 2,4 mil metros acima do nível do mar, e com vista para três picos de vulcões cobertos de neve, possuía uma catedral grandiosa, ricamente decorada com mármore, ouro e ônix, materiais estes extraídos de minas próximas. Nos 150 anos seguintes, os conquistadores ergueram outras 15 mil igrejas nas terras que chamavam de Índias.

Os espanhóis possuíam ainda outro sucesso em matéria de atividade religiosa: as Filipinas, um aglomerado de 7 mil ilhas cujo nome é uma homenagem ao rei Filipe de Espanha. Lá, no período de um século a partir de 1565, quando chegaram os primeiros frades espanhóis, muitas igrejas foram construídas. Pelos 300 anos seguintes, esse foi o único sucesso permanente na vasta área da Ásia a leste dos Montes Urais e do Golfo Pérsico.

> O PAPA PROCUROU FACILITAR AOS PORTUGUESES O PROCESSO DE COLONIZAÇÃO.

Enquanto isso, a interferência do papa Alexandre VI levou o Novo Mundo, antes pertencente aos espanhóis, a ser dividido entre dois colonizadores. Assim, o Brasil, a África e a Ásia ficaram com Portugal, e o restante das Américas, com a Espanha.

O papa procurou facilitar aos portugueses o processo de colonização. Como em Portugal a população era menos numerosa, e a Igreja Católica, menos dinâmica, recrutou a participação de religiosos espanhóis.

Os portugueses exploraram o território a leste do cabo da Boa Esperança, muitas vezes com a ajuda de navegadores que conheciam a costa. No processo de expansão de Portugal, o litoral do Oceano Índico – diferentemente do litoral das Américas – não recebeu uma longa lista de nomes de santos, porque boa parte dele já estava mapeada.

OS JESUÍTAS SE FAZEM AO MAR

Inácio de Loiola era um nobre espanhol de cabelos arruivados, pele morena e queixo pontudo. Em 1521, quando servia como soldado nas tropas espanholas, sofreu um ferimento na perna. Tornou-se um cristão dedicado mais ou menos na época em que Lutero e Zuínglio começavam a se destacar. Sem problemas financeiros, viajou como peregrino para Jafa, uma cidade portuária, de onde chegou a Jerusalém para visitar lugares santos, sob a orientação de um franciscano. Na época da Reforma, ele deve ter sido o único cristão reconhecido que teve o privilégio de visitar o local onde Cristo morreu.

Por volta dos 30 anos, Loiola começou a vida de estudioso e pregador. Em Paris, no ano de 1534, uniu-se a outros jovens que partilhavam das mesmas ideias. O grupo adotou o nome de Sociedade de Jesus, fez votos de castidade e pobreza, e programou uma peregrinação a Jerusalém logo que possível. Seis anos mais tarde, a Sociedade de Jesus foi abençoada pelo papa. Loiola, eleito líder ou "general" vitalício, era um excelente organizador, e seu pequeno escritório em Roma tornou-se o centro dos padres jesuítas de todo o mundo.

O jesuíta indicado para viajar à Índia foi Francisco Xavier, um espanhol do norte – um basco – que iniciou sua cruzada cristã em 1542, entre os pescadores de pérolas da costa indiana. Sete anos mais tarde, ele embarcou em um navio mercante português para Kagoshima, bem ao sul da costa do Japão.

Xavier logo aprendeu o idioma japonês. Em dois anos, seus ensinamentos tinham conquistado uns 2 mil seguidores cristãos, que por sua vez conquistaram outros tantos. Quando o cômputo chegou a 150 mil, um sinal de advertência soou para os japoneses que prezavam sua cultura tradicional. Chegou-se à conclusão de que, ao se tornarem leais a Cristo, os convertidos reduziam um pouco a lealdade ao deus-imperador japonês. Os cristãos já não eram vistos com boa vontade e, na década de 1630, o cristianismo estava banido por completo do Japão.

O legado de Xavier foi praticamente apagado, a não ser em Nagasaki, onde sobreviveu a duras penas.

Alguns jesuítas chegaram a Pequim, onde Matteo Ricci, um italiano, despertava simpatia com sua combinação de cristianismo com a doutrina chinesa de veneração dos ancestrais. O imperador chinês recebeu bem os jesuítas porque tinham grandes conhecimentos de Matemática e Astrologia. A nova religião trazida por eles, porém, era vista com desconfiança pelos estudiosos confucionistas. Eles alimentavam dúvidas acerca da ênfase que os cristãos davam ao céu. Seria aquela uma atitude ética, ou tratava-se na verdade de uma forma mesquinha de favorecer interesses próprios?

As realizações dos jesuítas foram valiosas, e suas jornadas, notáveis, mas eles pouco cresceram ao seguir o exemplo alheio. Quase certamente os cristãos viviam perto de Goa desde o ano 500, pelo menos, e ainda conduziam a liturgia na linguagem semítica chamada siríaco oriental.

PEREGRINOS DO ATLÂNTICO

Os europeus que chegavam à América do Norte pelo Atlântico eram, em sua maioria, exploradores, pescadores, comerciantes de peles, mercadores e indivíduos dispostos a tomar posse das terras. Em 1620, a primeira colônia britânica, Virgínia, tinha pouco menos de mil habitantes. Na época, iniciou-se a exportação do tabaco plantado por negros contratados ou escravos. Logo os europeus se estabeleceram na periferia da região, que se estendia de Long Island à baía de Massachusetts.

Transportando um grupo que buscava sobretudo liberdade religiosa, chegou ao cabo Cod em novembro de 1620 uma embarcação de velas quadradas – o Mayflower. Alguns passageiros eram refugiados religiosos franceses e ingleses que viviam em Leiden, Holanda, e outros, emigrantes ingleses, puritanos ou não.

Outros navios se seguiram. Às vezes transportavam congregações inteiras, acompanhadas de pastores, que se distribuíam por várias regiões, onde instalavam uma administração controlada pela Igreja, construíam casas e cercavam terras.

Em 1660, talvez 30 mil protestantes – particularmente congregacionistas e outros tipos de calvinistas – tinham se estabelecido no vasto território conhecido como Nova Inglaterra. Mais ao sul, Maryland foi inicialmente preferida pelos católicos. Nova Amsterdã (hoje Nova York) recebeu principalmente protestantes holandeses e franceses, enquanto Virgínia se tornou o reduto dos anglicanos. Essas colônias, instaladas ao longo da costa do Atlântico, atraíram ao Novo Mundo o primeiro grande grupo de missionários protestantes. Assim, na década de 1670, um número significativo de ameríndios, divididos por 14 comunidades rurais a leste de Massachusetts, aprendia os princípios do cristianismo e da agricultura. Os europeus e as tribos nativas passavam por períodos de muita harmonia, mas às vezes se desentendiam, provocando pesadas baixas.

> Não havia mulheres entre os primeiros grupos de missionários que atravessaram os mares.

Não havia mulheres entre os primeiros grupos de missionários que atravessaram os mares. Na Igreja Católica, somente os homens conduziam a Eucaristia. Mas as mulheres certamente tinham seu lugar, e as ursulinas o encontraram. Elas foram provavelmente as primeiras missionárias a alcançar um sucesso significativo no Novo Mundo.

Assim chamadas em homenagem a Santa Úrsula, que morreu em Colônia, no vale do Reno, as ursulinas começaram seu trabalho pela cidade italiana de Bréscia, em 1535. A fundadora da ordem, Ângela Mérici, começou ajudando os franciscanos, mas observou necessidades espirituais que não vinham sendo atendidas, e concluiu que as mulheres estariam mais aptas a fazê-lo. As ursulinas originais compreendiam dois grupos: viúvas experientes e jovens solteiras. As mais velhas ensinavam as mais novas a dar aulas, administrar hospitais e orfanatos, e a cuidar dos pobres.

Depois de um bom trabalho no norte da Itália, elas fundaram seu primeiro convento na França, em Avignon.

Os jesuítas convidaram as ursulinas para trabalhar com eles no Canadá, na região do rio São Lourenço. A líder da empreitada foi Marie Guyard, uma mulher casada de 44 anos que, depois de criar o filho na França, tinha se tornado uma freira ursulina. Em 1639, ela cruzou o Atlântico acompanhada de enfermeiras e de outras freiras, para dar aulas às filhas dos colonos franceses e a crianças nativas entregues aos seus cuidados. Tendo organizado um dicionário em uma linguagem ameríndia, e um livro de orações e um catecismo na linguagem de outra tribo, Marie se tornou fluente e passou a atuar como porta-voz dos povos nativos. Induzidos pelos mercadores franceses, os ameríndios começaram a trocar peles de castor por álcool, frequentemente com efeitos devastadores. Eles precisavam de protetores, e Marie assumiu a tarefa.

OS POBRES ÍMPIOS

Na Europa, a ideia de que Jesus era desconhecido de milhões de habitantes de outras terras despertou um desejo incontrolável de obter conversões. Mas aquelas pessoas precisavam de uma denominação. Às vezes, eram chamadas simplesmente de selvagens, um termo derivado de "selva", enquanto outros preferiam dizer "pagão" ou "ímpio".

Chineses e indianos naturalmente também usavam determinados termos para definir os cristãos europeus, alguns depreciativos – ou tornados assim com o passar do tempo.

Muito se discute se os missionários cristãos eram melhores do que os indivíduos que queriam converter. De modo geral, pode-se afirmar que se tratava de pessoas especiais, já que escolhidos cuidadosamente. Se grupos selecionados de nativos fossem enviados à Holanda ou à Polônia em 1600, também causariam forte impressão. A maioria dos trabalhadores cristãos em terras estrangeiras – mas nem todos, com certeza – manteve a fé diante de desastres pessoais e naturais, e procurou transmitir a verdade conforme a enxergava. Eles demonstravam mais paciência do que impaciência, e procuravam perdoar os inimigos. Mas houve inúmeras exceções.

Os missionários cristãos costumavam combater a crueldade e a violência. No entanto, era difícil transmitir uma mensagem de paz quando, bem perto, comerciantes, soldados e oficiais portugueses e espanhóis demonstravam o oposto. Ainda assim, muitos missionários cristãos não teriam sobrevivido em muitas regiões sem o apoio militar e prático dos compatriotas.

Se os missionários tivessem permanecido na Europa como frades, padres e freiras, teriam vida mais longa. Doenças tropicais eram assassinos sempre à espreita nos territórios das missões, fazendo numerosas vítimas. Eles estariam fisicamente mais confortáveis em mosteiros espanhóis do que no calor dos trópicos. Além disso, a longa viagem para a Índia ou a América Central, ou ainda para uma distante cidade do interior, representava provavelmente o afastamento definitivo dos amigos, da família e da terra natal.

CAPÍTULO 22

A REFORMA BEM EXPLICADA

Como resumir o século e meio de turbulência religiosa que marcou a ascensão do protestantismo? Como tirar conclusões das incontáveis lutas, armadas ou não, da impressão de uma avalanche de textos inflamados, da morte de alguns rebeldes na fogueira ou da santificação de outros, e da reviravolta provocada na vida religiosa de milhões de pessoas, muitas das quais silenciosamente reprovavam as mudanças que eram obrigadas a aceitar?

A distância entre a nossa era e aquela, entre as atitudes de então e de agora diante da morte, é enorme. A morte despertava forte interesse, pois frequentemente interrompia a juventude e chegava de repente, com sofrimento. Assim, as pessoas pareciam mentalmente mais preparadas para ela. Tal como custamos a entender aquele interesse pela morte e pela religião, os antigos provavelmente se espantariam com a nossa fascinação por dinheiro, por bens materiais e por viagens ao exterior com objetivos que não a peregrinação.

No entanto, o forte interesse pela religião se combinava com uma atitude negligente quanto a certas regras religiosas. As pessoas praguejavam e blasfemavam, por exemplo. O desrespeito a Deus, a Cristo e aos santos era comum em conversas informais. Em 818, no território que compreende atualmente a Alemanha, o Concílio de Aachen restabeleceu a pena de morte para blasfêmias graves, mas quando Geoffrey Chaucer escreveu *Canterbury Tales* ("Contos de Cantuária", em tradução literal), em que narrava as histórias de um grupo de peregrinos ingleses, incluiu o relato de religiosos praguejando em voz alta e de peregrinos empregando em conversas expressões como "Minha Nossa Senhora, cale a boca!"

ALGUNS FRUTOS DA DEMOCRACIA

A Reforma lançou algumas sementes da democracia moderna, embora sem saber como e quando iriam germinar. Enquanto a tradição católica se baseava na hierarquia – na autoridade dos papas, cardeais e bispos – os protestantes enfatizavam a leitura da Bíblia e o relacionamento do indivíduo com Deus. Os protestantes batizados podiam ser os sacerdotes de si mesmos; não precisavam de padres ou bispos como intermediários em seu contato com Deus.

> Os protestantes enfatizavam a leitura da Bíblia e o relacionamento do indivíduo com Deus.

Lutero se referia a isso como "o sacerdócio de todos os crentes", e seu espírito democrático permeou as seitas protestantes que surgiram depois. Com a Bíblia em linguagem acessível, o protestantismo favorecia o debate e a discussão, que representam o cerne da democracia. Acima de tudo, calvinistas, luteranos, batistas, unitaristas, presbiterianos e outras congregações independentes administravam as próprias igrejas e selecionavam os sacerdotes, em especial quando estes viviam em Londres, Genebra, Amsterdã, Frankfurt ou em algum outro local longe do país de origem. Essa forma de organização dependia de pequenos comitês administrativos compostos dos líderes da Igreja e do próprio sacerdote.

A abordagem democrática teria efeitos surpreendentes, em especial nos Estados Unidos.

A Reforma desestimulava o uso do latim, na época o idioma internacional. Assim, proporcionou uma era gloriosa ao inglês, ao alemão e a outros idiomas nacionais. Nesse sentido, houve uma promoção mútua, entre nacionalismo e protestantismo. As mudanças religiosas promoveram também a educação. Lutero, Zuínglio e Calvino – saídos de três universidades diferentes – acreditavam que todos devem saber ler, e que a Bíblia é leitura obrigatória. "Estou profundamente comovido", Lutero escreveu em 1530, ao saber que tantos alemães liam a Bíblia.

Os católicos reagiram, e começaram a promover com mais vigor a educação. No decorrer dos três séculos seguintes, porém, talvez nenhum país católico tenha alcançado o nível de alfabetização de Escócia, Holanda, Prússia e outros países protestantes. O surgimento da democracia popular, na segunda metade do século 19, dependia da disseminação do conhecimento.

HOMENS E MULHERES: QUEM GANHA E QUEM PERDE?

As mulheres obtiveram alguma melhoria, na primeira fase da Reforma? Inicialmente não. Na Europa medieval, a Virgem Maria tinha crescido em importância para a fé e o simbolismo cristãos. Nas pinturas coloridas sobre as paredes e nos brilhantes vitrais das igrejas medievais, ela parecia transmitir uma tranquila autoridade espiritual, de maneira muito humana. Mosteiros e conventos se espalhavam pelos países católicos, muitos comandados por mulheres. Além disso, o catolicismo reverenciava santos, entre eles várias mulheres. No cristianismo medieval, algumas virgens eram exaltadas, mas isso não acontecia tão intensamente nas regiões protestantes da Europa.

Em uma notória atividade durante a Reforma, as mulheres estiveram em evidência. Mais do que os homens, elas eram acusadas de bruxaria. De cada quatro condenados à morte por bruxaria, três eram mulheres, e a acusação tinha partido de outras mulheres. Essas acusações frequentemente aconteciam depois de disputas e brigas domésticas, e eram acirradas por diferenças religiosas. Realmente, as bruxas pareciam mais numerosas em locais onde ocorriam conflitos religiosos.

Muito antes do advento da Reforma, houve julgamentos e condenações ocasionais por bruxaria. Entre 1580 e 1640, porém, a caça às bruxas às vezes se tornava um verdadeiro frenesi. Dizia-se que as bruxas agiam sob a influência de Satã, participando de suas artimanhas contra os cristãos, para desviar sua atenção da segunda vinda de Cristo. Depois de julgamentos por tribunais religiosos ou seculares, cerca de 40 mil a 50 mil bruxos e bruxas foram executados. O medo de bruxaria não se mostrou tão intenso na Rússia e em outros países cristãos ortodoxos.

HOSTILIDADE E TOLERÂNCIA

Os cerca de 125 anos seguintes ao surgimento da Reforma foram um período de graves conflitos em boa parte da Europa. "Guerras religiosas" é um rótulo bastante comum para o que aconteceu então. Na verdade, o sentimento religioso intensificou muitas batalhas, além de desestimular a ideia de qualquer acordo durante as negociações de paz, mas seria injusto apontar a Reforma como fator decisivo para as guerras. O período de violência começou com disputas entre monarcas católicos, não motivadas pela religião; eles estavam preocupados demais com as próprias guerras, para dedicar muita energia à anulação do movimento protestante.

> O CANHÃO E O MOSQUETE TORNARAM AS GUERRAS AINDA MAIS MORTAIS E OS MONARCAS, MAIS PODEROSOS.

O longo período de guerras intermitentes foi afetado também pelo surgimento de novas armas. O canhão e o mosquete tornaram as guerras ainda mais mortais e os monarcas, mais poderosos. Eles, e não os reformadores religiosos, planejavam, financiavam e orientavam a maior parte das guerras. Os estudiosos que hoje se dedicam ao assunto não consideram a hostilidade religiosa a causa principal das guerras na Europa; segundo eles, a religião pode ter sido "um disfarce para outros motivos". A ser mantido o rótulo "guerras religiosas", seria apropriado chamar a Segunda Guerra Mundial, com sua base ateísta e o enorme número de vítimas, de "guerra da descrença". A rotulagem simplista de grandes eventos mais complica do que explica.

Religião não era uma questão de escolha, mas de obrigação. Em Genebra, no ano de 1550, os calvinistas exigiam lealdade e unanimidade, pois eram os governantes. Luteranos fizeram o mesmo na Saxônia e na Suécia, e anglicanos na Inglaterra. Em parte, os governantes exigiam unidade social e religiosa por acreditarem que o território ficaria mais seguro. Era crença geral um reino ou uma república tornarem-se alvos fáceis, se não tivessem coesão religiosa.

Um aspecto que nos intriga atualmente é o fato de a tolerância não figurar, naquela época, como objetivo no universo de cristãos, hindus, budistas, chineses, astecas ou incas. A ampla tolerância religiosa é quase uma invenção dos tempos modernos – praticamente impensável, séculos atrás. O importante era sustentar a visão religiosa apropriada, e não a liberdade de rejeitá-la. O direito de desobedecer ao governo e à Igreja, o direito de ser livre em matéria de consciência, são preceitos que surgiram muito lentamente, depois das fortes tensões provocadas pela Reforma.

O FRÁGIL DIREITO À PRÁTICA DA RELIGIOSIDADE

A Polônia, um país católico, buscou uma solução para a ferrenha rivalidade religiosa. Por meio da Confederação de Varsóvia, em janeiro de 1573, toleravam-se várias religiões. Foram aceitos não só os católicos, como luteranos, calvinistas, unitaristas poloneses, ortodoxos e todos os grupos e seitas, desde que convivessem em paz. Logo foram concedidas certas liberdades aos judeus, que podiam até manter seu pequeno parlamento. Esse conceito abrangente de tolerância na Polônia, então um reino populoso, não durou muito tempo.

A mais ousada tentativa de liberdade religiosa foi feita na Holanda, e nada contribuiu mais para isso do que a prosperidade do país. Menos de um século depois de separar-se da Espanha católica, a Holanda era o país mais próspero da Europa, abrigando uma notável cadeia de postos comerciais que se estendia de Nova York – então chamada de Nova Amsterdã – a portos distantes, como Jacarta e Malaca, no sudeste da Ásia. Para lá acorreram grupos perseguidos, como artesãos e comerciantes huguenotes.

Em Amsterdã, então a cidade com o maior número de habitantes judeus da Europa ocidental – muitos expulsos de Portugal – as sinagogas se multiplicaram.

Por algum tempo, Maryland e Rhode Island talvez tenham sido os locais mais tolerantes de todas as regiões onde se falava inglês. Em 1634, os primeiros colonizadores britânicos aportaram em Maryland, e 15 anos depois uma lei local concedia liberdade religiosa a todas as denominações cristãs, embora os judeus não estivessem formalmente incluídos.

A Prússia, reduzida em extensão, mas dona de um exército poderoso, foi um dos outros poucos redutos de tolerância, embora talvez seja mais justo dizer tolerância média. A família real prussiana era calvinista, e a maioria dos cidadãos era luterana. Nas três décadas que precederam o ano 1700, o país recebeu cerca de 20 mil refugiados vindos da França, esperando que todos vivessem em harmonia.

Com ou sem intenção, os provocadores da Reforma lançaram a pedra fundamental da tolerância religiosa.

CAPÍTULO 23

BUNYAN, O PEREGRINO, E FOX, O *QUAKER*

A Reforma produziu seitas poderosas, muitas das quais cresceram rapidamente em vários pontos da Europa. Outras, depois do sucesso inicial, pareceram murchar, mas criaram vida nova ao atravessarem o Atlântico, rumo à América do Norte.

Seitas independentes conhecidas como batistas, olhadas com certo desprezo pela maioria dos governantes europeus, produziram líderes poderosos nos Estados Unidos. Abraham Lincoln, o mais famoso presidente americano dos dois últimos séculos, frequentava uma igreja batista durante a infância passada entre fazendeiros dedicados. Mais recentemente, Jimmy Carter e Bill Clinton, também presidentes dos Estados Unidos, eram membros ativos de igrejas batistas.

QUEM DEVE SER BATIZADO?

Os primeiros batistas eram conhecidos na Europa como anabatistas, um nome que parece ligado ao negativismo, mas na verdade se referia a pessoas rebatizadas. Os primeiros anabatistas se adiantaram aos reformadores, acreditando serem os únicos que realmente praticavam o cristianismo do tempo de São Paulo. Para eles, o batismo era uma cerimônia importantíssima, pouco apropriada a crianças pequenas.

Para os anabatistas, o antigo sacramento católico do batismo estava deslocado. Bebês, crianças pequenas e até jovens de 15 anos são incapazes de compreendê-lo. Assim, o sacramento e a cerimônia deviam ser reservados a adultos, que podem afirmar publicamente a veracidade de sua fé. Os adultos compreendem os sacrifícios impostos a quem decide dedicar a vida a Cristo; se batizados quando crianças, deviam ser batizados novamente, caso merecessem.

Lutero, Zuínglio e Calvino, por sua vez, defendiam as ideias dos católicos ortodoxos sobre o batismo. Segundo eles, todas as crianças deviam ser batizadas. Assim, se a criança morresse cedo, os pais ficariam aliviados, com a certeza de que aquela alma estava salva, e faria parte do rebanho de Cristo.

Em 1525, atendendo a conselhos de Zuínglio, os líderes da cidade de Zurique insistiram no batismo de todas as crianças, o mais cedo possível. Os pais que desobedecessem seriam expulsos.

Os anabatistas eram considerados um perigo para a Reforma. Os reformistas menos fervorosos preferiam o papa àqueles religiosos ardentes, sempre envolvidos em discussões, entre eles ou com adeptos de outros credos. Em algumas cidades, anabatistas foram condenados a longos anos de prisão, a chicotadas ou à morte. Muitos fugiram para outros locais, onde continuaram a pregar suas ideias. Morávia, na Europa central, foi um desses locais, talvez porque a semente da discórdia tinha sido lançada lá por Jan Hus, no século anterior.

> A EXCLUSIVA SEITA *AMISH* SE ORIGINOU DE MENONITAS QUE EMIGRARAM PARA A AMÉRICA DO NORTE.

Em 1525, um grupo de anabatistas se destacou na revolução camponesa, no sul da Alemanha. Outro grupo seguiu a liderança de Menno Simons, um ex-padre franciscano. Tendo adotado a denominação de menonitas, o grupo sobreviveu à perseguição e cresceu, em especial nos Países Baixos. O jovem pintor Rembrandt era um menonita, e usou seu conhecimento da Bíblia em muitos desenhos e pinturas. A exclusiva seita *amish* se originou de menonitas que emigraram para a América do Norte. Os descendentes dos menonitas que se estabeleceram como agricultores junto ao rio Vístula, perto da costa do Mar Báltico, viveram na Rússia até serem reprimidos pela União Soviética.

Protestantes ingleses que buscaram refúgio na Holanda receberam a influência dos menonitas. Quando voltaram à Inglaterra, tinham adotado algumas ideias dos anabatistas: queriam o direito de controlar as próprias igrejas, elegendo um comitê de anciãos, sem a interferência do governo. Provavelmente, a primeira igreja batista de Londres foi a da rua Newgate, construída em 1612.

Na Inglaterra, as opiniões dos batistas se dividiam: a salvação estava ao alcance de todos ou só de alguns? Enquanto muitos acreditavam na salvação universal, uma congregação formada na década de 1630 em Southwark insistia em afirmar que eram poucos os predestinados a serem salvos. Tratava-se dos batistas particulares ou calvinistas. Eles formaram uma seita independente porque suas crenças e as crenças dos batistas estavam muito distantes, como se um rio largo e intransponível as separasse. Somente em 1891, dois séculos e meio mais tarde, aconteceu a fusão, e criou-se a União Batista da Grã-Bretanha.

BUNYAN: PEREGRINO E FUNILEIRO

John Bunyan nasceu na Inglaterra central, em uma família de funileiros, praticantes de um ofício que utilizava o calor de um braseiro para fabricar ou reparar utensílios de metal. Em meados da década de 1640, ainda adolescente, Bunyan serviu como soldado, ao lado de Oliver Cromwell, na guerra civil inglesa, embora tenha passado poucos dias no campo de batalha. Em uma época de intensas discussões acerca do cristianismo, Bunyan experimentou longos períodos de dúvida e temor espiritual, sendo tranquilizado por sua mulher, de quem se desconhece o nome. Sua filha mais velha, Mary, que era cega, foi batizada ainda pequena, em 1650. As ideias de Bunyan a respeito do batismo iam mudar.

Bunyan, um homem sociável, caminhava por uma rua de Bedford, quando passou por "três ou quatro pobres sentados ao sol, junto a uma porta". Eles conversavam sobre a "recente visita de Deus a suas almas", e Bunyan percebeu que eram batistas. Mais tarde, ele entraria para a mesma congregação, sendo batizado por imersão. Como pregador, visitava casas, armazéns e simples salas de reunião, e suas palavras fizeram muita gente mudar a maneira de pensar e sentir.

Depois que Carlos II assumiu o trono da Inglaterra em 1660, muitos batistas foram declarados ilegais, mas Bunyan continuou suas pregações. Acabou preso, ao escrever *O peregrino*. A ideia do livro partiu de um sonho de Bunyan, em que um homem "vestido de andrajos" deixava a própria casa e partia, levando um livro nas mãos e "um pesado fardo nas costas". O homem abria o livro – a Bíblia, é claro – "chorava e tremia", perguntando em voz alta: "O que devo fazer?" Na verdade, o homem trêmulo perguntava "O que devo fazer para ser salvo?"

Muitos dos episódios que descrevem a longa peregrinação do homem inquieto passariam a fazer parte das conversas das pessoas comuns. Ora surgia um homem cruel e corpulento, o Gigante Desespero, ora uma feiticeira de aparência encantadora, Madame Bolha, "uma dama alta, morena e graciosa" que dizia aos peregrinos: "Sou a dona do mundo. Eu faço os homens felizes." Os leitores admiravam, entre outros, os personagens Boa Vontade e Legalista, além dos peregrinos Esperançoso, Formalista e Cristão. No longo caminho percorrido pelos peregrinos havia pontos de referência como as Montanhas Deliciosas, a Feira das Vaidades e um terreno enlameado – o Pântano da Desconfiança – onde quem quisesse podia mergulhar em corpo ou em espírito. Os leitores se assustavam ao descobrir que um rio largo impedia a chegada do peregrino à Cidade Celestial. Mas o líder do grupo, com sua fé inabalável, atravessou em segurança. "Assim que passou, as trombetas soaram para ele do outro lado." Milhões de ingleses, adultos e crianças, sabiam essa frase de cor.

O peregrino chegou às livrarias em duas partes, sendo a primeira em 1678. A procura foi tanta, que os editores locais providenciaram a impressão de grande quantidade de exemplares. Os adultos liam a obra de Bunyan para as crianças, que, ao crescerem e terem filhos, faziam o mesmo.

O texto de John Bunyan possuía a vitalidade, o estilo simples e o ritmo encontrados na Bíblia do rei Tiago, publicada pela primeira vez enquanto o pai de Bunyan ainda era vivo. No entanto, sérias críticas ameaçavam o trabalho. Mesmo os leitores evangélicos se sentiam pouco à vontade, porque *O peregrino*, embora baseado na Bíblia, era ao mesmo tempo uma obra de ficção, e todas as artes ligadas à imaginação eram vistas com desconfiança pelos puritanos. Curiosamente, o líder dos peregrinos criado por Bunyan, um trabalhador chamado Cristão, foi um precursor de Harry Potter, desenvolvido três séculos depois.

Por cerca de um século, *O peregrino* foi um sucesso de público, mas não de crítica. A situação só começou a mudar quando um anglicano, o dr. Samuel Johnson, intelectual admirado, elogiou o livro. O reconhecimento da genialidade de Bunyan foi compartilhado por escritores os mais diversos, tais como Wordsworth, Keats, Dickens e Thackeray, da Inglaterra, e Ralph Waldo Emerson, da Nova Inglaterra. Antes reverenciado por sua mensagem espiritual, Bunyan passou a ser admirado pelo talento artístico.

Nos últimos anos de vida, Bunyan foi convidado a proferir sermões em Londres. Em um domingo, cerca de 3 mil pessoas se comprimiram para ouvi-lo. Não havia espaço sequer para que ele fosse da porta de entrada ao púlpito. Bunyan teve de ser erguido e carregado por sobre os ombros dos fiéis. Muitos dos que o escutaram disseram ter sido invadidos por uma incrível paz interior.

OS QUAKERS

O apelido de *quakers* (trêmulos) tornou-se a denominação do grupo comparado às procelárias – aves que prenunciam tempestades – por Bunyan e muitos outros religiosos ingleses. Essas aves voavam pela Inglaterra em formação desordenada, aos gritos, e as pessoas desejavam que não pousassem por perto. Em uma notável transformação, os *quakers* viriam a tornar-se os apóstolos do silêncio.

O fundador do grupo, George Fox, era aprendiz de sapateiro quando começou a guerra civil na Inglaterra. Depois de muitas dúvidas e discussões, ele começou a pregar em locais abertos, onde pudesse atrair ouvintes. Fox nunca teve medo de expor suas críticas. Acabou preso pela primeira vez em 1649, por interromper o sermão em uma igreja.

Fox viveu várias experiências religiosas, que relatou com simplicidade: "Um dia, eu voltava para casa a pé, sozinho, quando fui tomado pelo amor de Deus. Não havia nada a fazer, a não ser admirar a grandeza de seu amor." Em outro dia: "Estava sentado junto ao fogo, e uma nuvem grande desceu sobre mim, trazendo a tentação. Mas eu resisti." Decorrido algum tempo, ele ouviu uma voz interior que dizia: "Existe um Deus vivo que fez todas as coisas." Fox não sabia, mas esse tipo de experiência mística era uma tradição católica que tinha entre seus expoentes Bernardo de Claraval, Teresa de Ávila, Catarina de Gênova e muitos outros.

> AS PRIMEIRAS PREGAÇÕES DOS *QUAKERS* EM LONDRES, OXFORD E CAMBRIDGE FORAM FEITAS POR TRÊS MULHERES.

Depois de converter e reunir alguns seguidores, Fox decidiu dar um nome ao grupo: Amigos da Verdade. Mais tarde, a denominação mudou para Amigos, simplesmente, e daí a algum tempo passou a Sociedade dos Amigos. Mas o povo só os chamava de *quakers*.

As primeiras pregações dos *quakers* em Londres, Oxford e Cambridge foram feitas por três mulheres. A sra. Margaret Fell, que vivia em Swarthmore Hall, no condado de Lancashire, havia muito apoiava o grupo. Em 1669, bem depois de ter ficado viúva, ela aceitou casar-se com Fox, que era dez anos mais novo. Elegante e gentil, ele falava de maneira cativante e escrevia bem, tendo produzido vários textos instigantes para promover sua versão do cristianismo. De compleição forte, sua característica eram os cabelos longos e lisos, terminando em uma espécie de cauda semelhante a um rabo de rato na parte de trás.

Se um imaginativo doutor em Teologia quisesse inventar doutrinas que desagradassem os companheiros, dificilmente superaria George Fox. Ele não concordava em comemorar o Natal; todo dia é aniversário de Cristo. Não acreditava na santa comunhão; a ceia do Senhor deve ser lembrada em todas as refeições.

Fox e seus seguidores clamavam contra a guerra em um século no qual as guerras eram amplamente consideradas necessárias – como poderia a Inglaterra expulsar os invasores espanhóis e holandeses, e proteger suas rotas marítimas?

Fox dispensava pouca atenção a regras que outras seitas consideravam indispensáveis. Para ele, as igrejas deviam ser simples, sem adornos, e não uma declaração arquitetônica da importância de Cristo. Fox preferia chamar sua igreja de "casa de reuniões", enquanto rotulava as igrejas rivais de "campanários". Na casa de reuniões não havia necessidade de um programa de orações, de hinos, nem de sermões. O espírito de veneração estava em toda parte, favorecido pelo silêncio. Somente com o silêncio Deus poderia encher cada fiel com seu espírito ou "luz interior".

> PARA FOX, AS IGREJAS DEVIAM SER SIMPLES, SEM ADORNOS, E NÃO UMA DECLARAÇÃO ARQUITETÔNICA DA IMPORTÂNCIA DE CRISTO.

O período republicano da Inglaterra durou pouco. Em 1660, a monarquia voltou, e *quakers* e puritanos passaram a ser perseguidos. Uma lei punitiva de 1663 proibia até encontros religiosos privados, caso não estivessem de acordo com as práticas e a liturgia da Igreja na Inglaterra. Além disso, não podia haver mais de quatro adultos na casa que não fossem membros da família. Os *quakers* não tinham a menor intenção de cumprir a lei. Em Londres, houve ocasiões em que a grande prisão de Newgate esteve quase cheia deles. Ao todo, morreram 450 nas prisões inglesas, antes de ser emitido o Ato de Tolerância, em 1689.

Na América do Norte, a Pensilvânia foi escolhida para receber em segurança os *quakers* e outras seitas que sofriam perseguição. Ao acenar com a possibilidade de liberdade religiosa – um raro privilégio – o governo da província prometeu a quase todos os cidadãos do sexo masculino a possibilidade de participar das decisões. Assim, esperava favorecer a harmonia com os nativos.

Em agosto de 1682, William Penn, fundador da província, partiu em uma longa viagem rumo ao paraíso dos *quakers*. No fim do ano, chegaram 23 embarcações lotadas de colonizadores prontos para comprar terras e planejar capelas e casas de reunião, já que viajavam também luteranos alemães e suecos.

Apesar de relativamente pouco numerosos nos Estados Unidos e na Britânia, os *quakers* lideraram movimentos contra o tráfico de escravos e contra a própria escravidão, embora durante certo período muitos americanos *quakers* possuíssem escravos. Eles iniciaram também um movimento pela reforma das prisões, cuja miséria tinham experimentado pessoalmente nos tempos de rebeldia. Os *quakers* lideraram ainda uma cruzada pela abolição da pena de morte e esforçaram-se para acabar com as guerras entre nações. Proporcionalmente, eles foram o mais influente de todos os grupos e seitas protestantes.

CAPÍTULO 24

DUAS VOZES AO VENTO: WESLEY E WHITEFIELD

Na Inglaterra, em 1740, os protestantes ou puritanos, tão poderosos um século antes, estavam em ligeiro declínio. Eles ainda dominavam em alguns locais, mas a proporção de fiéis no país não passava de 1 para 20. Mostravam-se mais fortes na cidade do que no campo, e mais numerosos entre comerciantes do que entre os muito pobres. A nação era governada pelos anglicanos.

Mas John Wesley, um jovem de Lincolnshire, abalaria a posição dos anglicanos. Seu pai, Samuel, um homem estudioso, atuava como sacerdote nas áreas rurais. Susana, a mãe, uma cristã fervorosa, moldou com firmeza as crenças dos 19 filhos; John era o 15º.

Quando bem jovem, John Wesley parecia um garoto simples. Seu diário, taquigrafado ou em linguagem cifrada, mencionava cavalgadas, natação, danças, jogos de cartas e caça. Ele gostava de usar uma arma para atirar em pássaros em um pântano próximo. Depois de se tornar ministro anglicano em 1725, passou dois anos ajudando o pai, até voltar para a universidade de Oxford, onde se uniu a um grupo de rapazes, liderado por seu irmão Charles, que compartilhavam de suas ideias. Os jovens se reuniam quase todas as noites para rezar e trocar ideias. Autodenominados "Clube Santo", eles receberam o apelido de metodistas, por causa do jeito sério e metódico.

ÀS 15 PARA AS 9

Em 1735, os irmãos John e Charles sentiram o chamado para viverem na Geórgia, a última colônia britânica a ser fundada na América do Norte. Durante a demorada viagem, eles conheceram um grupo de jovens cristãos alemães – a Irmandade Morávia – cuja calma diante de uma tempestade acharam impressionante. Projetada para ser uma colônia virtuosa, na Geórgia se proibia a escravidão e o comércio de bebida. Charles assumiu o cargo de secretário do jovem governador, o coronel James Oglethorpe, enquanto John atuava como pastor da comunidade e missionário junto aos ameríndios.

John Wesley começou a pensar que, no fundo do coração, não era um cristão por inteiro e, perturbado, voltou para casa. Charles, adoentado, já estava em Londres, e tinha retomado o contato com a Irmandade Morávia, que considerava um grupo inspirador. Em suas reuniões, Charles observava no grupo a tranquila certeza de estar em unidade com Deus. Em uma dessas reuniões, na rua Aldersgate, Charles de repente se sentiu tomado pela mesma certeza.

> LUTERO EXPLICAVA QUE O VERDADEIRO CRISTÃO DEVE CONFIAR NO AMOR DE DEUS E NÃO NO PRÓPRIO VALOR.

Daí a três dias, na noite de 24 de maio de 1738, uma quinta-feira, John participou "por acaso" de uma reunião semelhante. Lá ouviu a leitura do prefácio escrito por Martinho Lutero, mais de 200 anos antes, para uma edição recentemente traduzida da *Epístola de São Paulo aos Romanos*. Lutero explicava que o verdadeiro cristão deve confiar no amor de Deus e não no próprio valor. A mensagem calou fundo na alma de John. Faltavam 15 minutos para as 9 horas – ele gravou o horário com exatidão – quando recebeu um lampejo de iluminação. Tal como havia acontecido com Lutero, ele percebeu pela primeira vez que seus esforços não seriam suficientes para salvá-lo, e que deveria "confiar em Cristo, e somente em Cristo". John relatou que sentiu o coração "estranhamente apaziguado". Segundo ele, aquela noite representou um momento de transformação.

Em abril de 1739, na cidade de Bristol, John ouviu pela primeira vez um jovem evangelista chamado George Whitefield pregando ao ar livre. "Custei a aceitar aquela estranha maneira de pregar", contou. Pouco à vontade de início, mas com sucesso cada vez maior, ele passou também a pregar em espaços abertos. E quando alguém perguntava por sua paróquia, respondia: "O mundo é minha paróquia."

John se levantava às 4 horas e passava o dia lendo, pregando, orando ou conversando. No decorrer de um ano, talvez passasse mil horas cavalgando. Ele dormia quando sentia necessidade, e conseguia "adormecer imediatamente". Sua altura raramente é mencionada, mas sabe-se que era de 1,53 metro, o que o colocava ligeiramente abaixo da média para a época. Quando subia ao púlpito, porém, no auge de sua capacidade de orador, parecia ter quase 2 metros.

UM PREGADOR A CAVALO

Durante anos não se soube ao certo se John Wesley imprimiria sua marca na Inglaterra. Anglicano dedicado, ele pretendia renovar a Igreja, e não criar outra. John esperava que seus seguidores frequentassem as igrejas locais nas manhãs de domingo e, daí a algumas horas, participassem da reunião wesleyana em uma residência ou em um espaço alugado.

Logo de início ele recrutou ajudantes, que chegaram às centenas. Sua ideia de apontar leigos como pregadores oficiais era novidade. Esses "sargentos" de seu exército em meio expediente comandavam as reuniões semanais. Praticadas pela primeira vez em Bristol, por volta de 1742, e copiadas em parte de uma estratégia dos morávios, elas uniam os fiéis. A quantidade ideal de participantes ficava entre 10 e 12, e ficou resolvido que seriam formados grupos separados de homens e mulheres. As reuniões, sempre em dias de semana à noite, começavam com um hino e com uma oração feita na hora, durante a qual os participantes ficavam ajoelhados. Em seguida, o líder comentava algum fato que o tivesse inspirado ou perturbado espiritualmente. Então, era a vez dos fiéis falarem de si e pedirem orações aos outros. Sobrava pouco espaço para timidez ou privacidade.

Enquanto foram feitas, as reuniões conquistaram milhares de adeptos – na fronteira americana, na ilha de Antígua, produtora de cana-de-açúcar, nos movimentados portos ingleses e em numerosos outros locais. Muitos discípulos de Wesley consideravam aquelas reuniões semanais a espinha dorsal de sua vida religiosa, e mais compensadoras do que os serviços religiosos de domingo. Algum tempo depois da morte de Wesley, porém, quando a privacidade se tornou o desejo de uma fatia da sociedade, a popularidade das reuniões foi diminuindo.

Um otimista, Wesley confiava na capacidade de praticamente todas as pessoas amarem a Deus e a toda a humanidade. Diferentemente de Calvino e Whitefield, ele acreditava que o céu está aberto a todos que amarem a Deus e levarem uma vida proveitosa. Durante anos Wesley recebeu raros convites para palestras em igrejas anglicanas, mas em 19 de janeiro de 1783, ele escreveu em seu diário: "A maré virou." Ele morreu em 1791, aos 88 anos de idade. Na véspera da morte, conta-se que disse duas vezes: "O melhor é que Deus está conosco."

Agradava a Wesley o fato de integrar a longa lista de pregadores cristãos, que começava na época de Cristo, e por isso a inscrição com seu nome presa ao caixão de madeira no qual foi sepultado estava em latim, e não em inglês. Na manhã de seu sepultamento em Londres, era esperada uma tal quantidade de seguidores, que o funeral começou às 5 horas, em uma tentativa de diminuir a aglomeração. A pedido do próprio Wesley, o serviço foi simples, e seis idosos pobres foram convidados a carregar o caixão, pelo que receberam a significativa quantia de 20 xelins.

WHITEFIELD, O AGITADOR DE MASSAS

George Whitefield, ele mesmo um empreendedor da religião, mostrou a Wesley como pregar ao ar livre. De altura acima da média, Whitefield era um pregador cativante. Um leve estrabismo – segundo se diz, sequela de sarampo – em um de seus pequeninos olhos azuis em nada prejudicava a impressão que causava, pois seu rosto só era visto pelos espectadores que ocupavam os lugares próximos a ele. A voz representava seu recurso mais valioso, e suas palavras, pronunciadas lentamente, "podiam ser ouvidas a longa distância".

No final do ano de 1739, Whitefield pregava no centro da Filadélfia, quando o genial Benjamin Franklin, ao passar por perto, resolveu calcular precisamente a quantas pessoas chegava a mensagem – sem contar as que apenas olhavam, sem conseguir escutar. Naquele dia, a mensagem chegou a 30 mil pessoas, pelo menos. Ele virtualmente preparou o terreno para as sessões de oração em massa, vitais para o surgimento de movimentos políticos populares nos Estados Unidos e na Grã-Bretanha, no século 19.

O anglicano ortodoxo dr. Samuel Johnson concluiu que a atuação de Whitefield carregava tal atmosfera de espetáculo, que ele despertaria atenção, mesmo que se mantivesse calado. "Ele seria seguido por multidões, ainda que usasse uma touca de dormir ou pregasse do alto de uma árvore", Johnson refletiu. Na América do Norte, Whitefield teve seu talento de ator e pregador reconhecido por um povo que apreciava a informalidade. Jonathan Edwards, um teólogo congregacionista de Massachusetts, tinha recentemente emprestado sua voz ao renascimento religioso mais tarde conhecido como Grande Despertar, e Whitefield se tornou o principal "despertador" em uma cruzada que se estendeu da Nova Escócia a Geórgia e além. Dificilmente terá havido na Inglaterra uma onda de fervor religioso tão intensa quanto a que ocorreu entre 1740 e 1743.

Whitefield cultivava o mesmo hábito de John Wesley: acordar cedo. Não havia um minuto a perder. Para a vida em família, porém, faltava tempo. Como não viviam bem com suas mulheres, os dois raramente apareciam em casa. Um religioso muito franco que os tinha convidado a subirem ao púlpito em Bedfordshire e, por acaso, conheceu suas mulheres chamou-as de "dupla de furões". Eis aí uma tese de doutorado à espera de uma autora feminista.

Whitefield disse certa vez que preferia "desgastar-se a criar mofo". Em setembro de 1770, com 55 anos, ele proferiu seu último sermão, com duas horas de duração. Morreu no dia seguinte e foi sepultado sob o púlpito da igreja presbiteriana de Newburyport, Massachusetts. Em matéria de fama, ele não diferia muito dos santos da Era Medieval, e centenas de congregações protestantes dos dois lados do Atlântico aceitariam com prazer o privilégio de guardar seu túmulo.

PREGADORES ITINERANTES

Quando os colonos norte-americanos proclamaram que os Estados Unidos passavam a ser independentes da Grã-Bretanha, em 1776, eram poucos os seguidores de Wesley. Em 1850, porém, um em cada três "crentes" nos Estados Unidos era metodista. De início, a Igreja se apoiou maciçamente em pregadores itinerantes, que tinham pouco treinamento, pouco conhecimento e não se importavam em receber baixos salários. Cada pregador itinerante tinha a seu cargo um pequeno distrito ou circuito; no decorrer de um mês, ele devia visitar todas as igrejas e todos os grupos de reunião dentro daqueles limites. Os pregadores itinerantes se adaptavam melhor aos distritos rurais recém-estabelecidos, onde as cidades grandes eram poucas e as famílias eram pobres.

Os líderes religiosos não se organizaram tão facilmente na Austrália – uma ex-colônia penal muito distante – quanto na América do Norte. Wesley ainda estava vivo quando, em 1787, o governo britânico enviou à costa leste da Austrália uma esquadra cheia de marinheiros armados e de condenados, além de um capelão cristão.

O capelão escolhido, Richard Johnson, tinha sido influenciado pelos ensinamentos de Wesley. Naquele vasto continente, a aparência gorducha de Johnson foi a primeira imagem associada ao cristianismo. Em fevereiro de 1788, no que foi seu segundo domingo em terra firme, ele se postou junto a uma colina verdejante, próxima ao porto de Sydney, e falou para centenas de condenados – homens e mulheres. A base de seu discurso foi o salmo 116: "Como posso retribuir ao Senhor toda a sua bondade para comigo?" Provavelmente nem todos os condenados estavam certos de terem sido alvos dessa bondade, mas pelo menos podiam assistir, na terra que haviam habitado, o que Whitefield e Wesley faziam melhor: pregar sinceramente ao ar livre.

OS CANTORES

Um novo hino com belas rimas, em interpretação leve ou solene, era um meio simples de divulgar a doutrina cristã. As rimas facilitavam a memorização, único recurso dos fiéis que não sabiam ler. Um hino comovente era mais persuasivo do que a maior parte dos sermões. E muito mais curto.

Isaac Watts vinha de uma família de protestantes devotos. Seu pai, um negociante de tecidos de Southampton, tinha sido preso por causa de convicções religiosas em 1675, exatamente o ano do nascimento do filho. Aos vinte e poucos anos, Watts e família frequentavam uma capela congregacional onde se cantavam hinos. Lá, o ministro lia em voz alta, um por um, os versos da mais recente composição de Watts, que eram repetidos pelos fiéis. Na época da Primeira Guerra Mundial, a maior parte dos habitantes da Grã-Bretanha, Austrália e Nova Zelândia com mais de dez anos de idade conhecia pelo menos o primeiro verso de *Our God, Our Help in Ages Past* (*Oh Deus, Eterno Ajudador*), e de *When I Survey the Wondrous Cross* (*Quando Contemplo a Cruz Maravilhosa*), este um hino de Páscoa – duas composições de Watts. O metodismo mal começava a espalhar-se, quando Watts morreu, em 1748.

Os irmãos Wesley, ainda mais do que Watts, compunham hinos que cativavam a imaginação do público. John Wesley produziu a primeira coleção de hinos – traduções do alemão – para sua igreja na Geórgia em 1737. Ele compôs alguns outros hinos como veículos de sua teologia, mas o compositor realmente prodigioso foi Charles, seu irmão. Alguns dos hinos de Charles celebravam o canto. O hino *Oh for a Thousand Tongues to Sing My Great Redeemer's Praise*, traduzido para o português como *Oh, para Milhares de Línguas Cantarem o Louvor do meu Grande Redentor*, seria citado em dois romances de sucesso da autoria de Thomas Hardy e George Eliot.

Whitefield também organizou um hinário para seus seguidores. Houve tanta procura, que foram necessárias 35 edições antes do fim do século. Ele não hesitava em alterar a letra ou mesmo a mensagem de hinos compostos por outros autores. Uma de suas ideias mais felizes foi alterar drasticamente os primeiros versos de um popular hino de Natal da autoria de Charles Wesley: *Hark! The Herald Angels Sing (Ouça! Os Anjos Mensageiros Cantam)*.

Nessa vigorosa versão do protestantismo, homens e mulheres ocupavam alas independentes, e às vezes cantavam os versos dos hinos separadamente, para depois unirem as vozes. De início sem o acompanhamento de um órgão, o canto era chamado de *swift*. Os grupos evangélicos e calvinistas, em sua maioria, ainda não tinham decidido se permitiam ou não que violinistas e organistas acompanhassem o canto.

O credo e os métodos de Wesley, que ele não pretendia servissem de base a outro credo, acabaram por levar a uma nova seita que se espalhou pelo mundo. Embora a princípio ele organizasse tudo minuciosamente – ou ditatorialmente – como se fosse a única pessoa capaz de fazer isso, a seita cresceu mais depois de sua morte. Em um século, a metodista era a maior Igreja dos Estados Unidos, e provavelmente a segunda na Inglaterra e no País de Gales, pela quantidade de fiéis presentes ao serviço de domingo. Na Austrália e na Nova Zelândia a Igreja ocupava o quarto lugar, e destacava-se em muitas outras regiões.

Aos olhos de um renomado historiador, Wesley pode ser comparado a Napoleão ou Gandhi, como formador da História moderna.

Outros historiadores talvez não compartilhem dessa opinião, mas poucos negariam sua influência. O poeta Robert Southey fez a Wesley uma homenagem incomum: "Considero Wesley a pessoa mais influente do século em que viveu – o homem cujas ações produzirão os maiores efeitos daqui a séculos ou milênios. Se a humanidade sobreviver tanto."

CAPÍTULO **25**

TURBULÊNCIA EM PARIS

Em 1780, a França era o país mais populoso e a vitrine da civilização da Europa, além de ocupar o posto de nação mais poderosa em terra e, talvez, no mar. Uma das duas vigorosas potências coloniais, suas possessões se estendiam das Índias Ocidentais e de Louisiana, no continente americano, à costa leste da Índia. O idioma francês era especialmente apreciado como a linguagem da democracia, e seus melhores *chefs* e arquitetos despertavam admiração em toda parte.

A IGREJA NA FRANÇA: UMA CARRUAGEM COM ÓTIMOS CAVALOS

Com tudo isso, a década de 1780 foi tumultuada. A monarquia, a nobreza, a Igreja Católica, a agricultura e as finanças estavam sob pressão. As dívidas do monarca e do país, difíceis de separar, tinham crescido de maneira alarmante por causa do apoio oferecido aos Estados Unidos durante a guerra pela independência. Em nenhum outro país ocidental viviam mais intelectuais influentes do que na França, e eles tinham entre seus alvos a Igreja e os sacerdotes do próprio país.

O rei Luís XVI e sua Igreja eram praticamente uma coisa só. Se o rei caísse, bispos e padres poderiam cair também. E o cristianismo na França poderia ir junto. Diferentemente, a Igreja da Inglaterra e dos Estados Unidos era mais diversificada. Nos dois países não havia uma religião única, mas várias religiões. No caso, a desunião fazia a força. Se a Igreja da Inglaterra caísse, outras seitas cristãs sobreviveriam e poderiam crescer.

Às vésperas da Revolução, havia mais cristãos vivendo na França do que em qualquer outro país. A vida profissional de um grande número de franceses foi toda dedicada à Igreja Católica, para quem eles trabalhavam como funcionários, sacerdotes, monges, freiras e empregados.

Os padres de paróquia – cerca de 30 mil ao todo – provavelmente cumpriam suas obrigações, e muitos gozavam de alta estima. Assim, em junho de 1762, um padre que comemorasse 50 anos na mesma paróquia podia dizer humildemente: "Vivi e vivo sem problemas, em paz com todos. Mas tenho todas as razões para temer o terrível julgamento de Deus, que a mim confiou milhares de almas por tão longo período, em uma tarefa perigosa." De modo geral, o clero francês "se comportava melhor e era mais preparado", escreveu um historiador. Muitos padres ofereciam conselhos em questões ligadas à agricultura e à medicina, em vilarejos nunca visitados por cientistas ou médicos. Embora a maioria dos padres se dedicasse com afinco ao cumprimento de suas obrigações, alguns precisavam ser repreendidos pelo bispo, por beberem demais – nas festas, em especial – perderem tempo em caçadas, empregar palavras grosseiras e emprestar dinheiro a altos juros.

> ÀS VÉSPERAS DA REVOLUÇÃO, HAVIA MAIS CRISTÃOS VIVENDO NA FRANÇA DO QUE EM QUALQUER OUTRO PAÍS.

Dois séculos antes, o Concílio de Trento tinha estabelecido que os bispos deviam visitar as paróquias sob sua jurisdição pelo menos uma vez a cada dois anos. Alguns, no entanto, por doença, cansaço, preguiça ou preferência por atividades mais agradáveis, delegavam ou simplesmente ignoravam a tarefa. Em 1778, o novo bispo de Le Mans chegou a uma pequena cidade que tinha recebido um bispo pela última vez fazia 30 anos. Em outra cidadezinha, ele confirmou que mais de

1,6 mil pessoas tinham chegado de paróquias próximas para receber o importante sacramento que nunca lhes fora oferecido.

Quando o bispo era rico, viajava em um estilo digno da aristocracia, com uma comitiva de cavalos para montar ou puxar carruagens e vários ajudantes, inclusive um cozinheiro exclusivo. O bispo pobre viajava em carruagem puxada por duas mulas e ficava satisfeito em voltar ao palácio episcopal, onde dispunha do que necessitava.

Em 1683, tinha sido explicado que um bispo, para ser respeitado, devia empregar dois criados, um cirurgião, um capelão particular, um administrador do palácio, um homem para cuidar dos estábulos e outro para a adega. Isso para não falar dos garçons uniformizados, do cozinheiro para preparar pão e refeições, e de um rapaz cuja tarefa era virar o espeto da carne. Aos empregados cabia também distribuir comida pelos necessitados que regularmente apareciam em busca de ajuda, já que a fome assolava a França. Finalmente, era preciso um carpinteiro para fazer a manutenção de estábulos, cercas e da casa do bispo. Parece incoerente, tanto conforto em nome de outro carpinteiro – o fundador da religião seguida pelo bispo.

A Igreja Católica da França tinha muitas virtudes. O que se discute é se entre as principais estavam o zelo e a efetividade na pregação do evangelho. Sua enorme riqueza – a Igreja era dona de um sexto do território francês – certamente lhe permitiu atuar como patrocinadora generosa de muitas artes. Os mais belos corais da França podiam ser ouvidos aos domingos nas catedrais e grandes igrejas. Desde 1725, um dos eventos musicais da Semana Santa e dos domingos seguintes, em Paris, era o Concerto Espiritual. Compositores franceses, bem como o talentoso italiano Pergolesi, criaram músicas para tais ocasiões. Até o jovem Mozart foi à França uma vez para participar.

Em um ponto, antes controverso, praticamente todos os católicos concordavam: os protestantes, a maioria vivendo no sul da França, tinham deixado de representar uma ameaça. As leis os mantinham sob controle. Em 1700, eles eram proibidos de reunir-se em público com propósitos religiosos, de casar-se em Igrejas Católicas e de fazer viagens, ainda que breves, a Genebra, à Holanda ou à Inglaterra, para serem batizados por pastores ou bispos protestantes. Em 1750, essas leis já não eram aplicadas, a não ser que as autoridades locais fossem muito rígidas.

A EXPULSÃO DOS JESUÍTAS

O cristianismo estava entrincheirado na França, embora mais no meio do povo do que dos governantes. Intelectuais poderosos, especialmente os jesuítas, também defendiam o cristianismo.

Em questões religiosas, a Companhia de Jesus abrigava os mais capacitados debatedores. Depois de recrutar garotos talentosos para servirem a ordem pela vida toda, os jesuítas os preparavam em seus excelentes colégios e seminários, procurados também pela elite, inclusive pelos filhos de nobres e de altas autoridades. Segundo o censo oficial de 1749, os colégios jesuítas somavam 133 na Itália, 105 na Espanha e 89 na França. Quando monarcas ou mesmo papas se deparavam com questões diplomáticas complicadas, às vezes recorriam aos jesuítas. Se naquela época já existisse o Prêmio Nobel, eles provavelmente receberiam muitos, em especial na área do conhecimento. Talvez não alcançassem o Nobel da Paz, por agitarem com vigor excessivo o caldeirão político. Os jesuítas tiveram importância vital para uma Igreja cada vez mais combatida.

O sucesso dos jesuítas foi em parte responsável pelos ataques disparados contra eles. Invejados, eram vistos como mágicos capazes de abrir portas trancadas em palácios remotos. Assim, infiltraram-se no palácio do imperador chinês e, com habilidade e conhecimento, tornaram-se quase indispensáveis. Os jesuítas aconselhavam o imperador em assuntos ligados à Astronomia, e eram capazes de prever com razoável precisão as datas de eclipses da Lua e do Sol. Em Mecânica e Matemática, eram provavelmente os melhores consultores e professores de Pequim. Eles adaptaram algumas doutrinas cristãs a preferências locais, como a veneração dos ancestrais e a admiração por Confúcio, intensificando assim sua influência sobre o povo chinês. Era isso exatamente que os missionários mais eficientes faziam havia muito tempo na Ásia e nas Américas, mas a estratégia dos jesuítas, chegados de tão longe, despertou nos rivais fortes ressentimentos.

Em Portugal, os jesuítas foram acusados de utilizar sua influência em proveito próprio e da monarquia.

O Marquês de Pombal, que governou Portugal com o consentimento do rei, rompeu com os jesuítas e, sem hesitação, expulsou-os de Portugal e do Brasil em 1759.

Na França, os jesuítas também foram combatidos. Criticados pelas atividades comerciais que exercem na colônia francesa de Martinica, nas Índias Ocidentais, e pelas dívidas que contraíram, foram alvo em Paris de uma investigação oficial, não completamente imparcial. Em 1762, a investigação considerou os jesuítas "prejudiciais a todos os princípios da religião, e até da honestidade". Logo suas propriedades foram confiscadas, e eles banidos da França. Seus principais pecados eram óbvios: talentosos e poderosos demais, representavam mais a voz de Roma do que a de Paris.

> EM PORTUGAL, OS JESUÍTAS FORAM ACUSADOS DE UTILIZAR SUA INFLUÊNCIA EM PROVEITO PRÓPRIO E DA MONARQUIA.

Na Espanha, seu verdadeiro berço, os jesuítas passaram a ser considerados uma ameaça à monarquia. Tendo feito um voto especial de obediência ao papa, eram vistos como estranhos e intrusos por muitos espanhóis. Outras ordens religiosas, em especial a dos dominicanos, ficaram desconfiadas ou enciumadas. Em uma população total de 10 milhões de habitantes, havia na Espanha 200 mil religiosos, contando-se padres, monges, frades e freiras. Os jesuítas eram minoria. Falou-se que um tumulto em Madri, no ano de 1766, tinha sido incentivado por eles. No ano seguinte, os jesuítas foram formalmente expulsos da Espanha e de suas colônias.

Nos doze anos seguintes, a redução continuou. Das costas do Mar Báltico ao interior da América do Sul os jesuítas foram expulsos, embora alguns monarcas não católicos tenham consentido sua presença. Finalmente, em 1773, o papa Clemente XIV, pressionado pela França, pela Espanha e por vários estados italianos, dissolveu a ordem dos jesuítas. "Foi o momento mais vergonhoso do pontificado", um historiador escreveu.

Ao punir os jesuítas, a Igreja Católica puniu a ela mesma. Foi como se uma nação expulsasse seus generais mais experientes às vésperas de uma grande guerra. Os jesuítas continuaram seu trabalho em alguns locais onde o papa não exercia influência, como Prússia, Rússia, Inglaterra e outros países. Eles só foram readmitidos em terras católicas em 1814, pelo papa Pio VII.

FILÓSOFOS, ATEÍSTAS E OUTROS CÉTICOS

Certas crenças básicas dos cristãos sempre foram alvo de críticas. No dois séculos seguintes à morte de Lutero, numerosos padres e pastores devem ter nutrido ideias perigosas e heréticas. Os estudiosos que duvidavam da divindade de Cristo, referindo-se a ele como um homem santo, e não o filho de Deus, tinham o cuidado de não falar muito alto. Os filósofos, que se sentiam à vontade ao lidar com ideias abstratas, expressavam suas dúvidas em termos difíceis de entender, mesmo pelos mais cultos. Nos países católicos, pode ser que alguns padres tenham revelado suas incertezas diante de uma comunidade rural que não percebesse claramente as implicações. Pode ser também que, em círculos protestantes, algum pastor unitariano corajoso tenha levantado dúvidas sobre a existência do Espírito Santo.

A Reforma tinha realmente preparado o terreno sobre o qual caminhariam ateístas e outros tipos de céticos. Ao atacar a autoridade da Igreja Católica, a Reforma inspirou outros pensadores a atacar as novas Igrejas Protestantes. Ao incentivar a discussão sobre o significado de muitos trechos da Bíblia, os protestantes indiretamente favoreceram o debate acerca de princípios básicos do cristianismo. Cristo era mesmo filho de Deus? Ele realmente ressuscitou? Deus intervém continuamente na vida diária ou, pela maior parte do tempo, apenas observa? Os principais líderes protestantes, embora acreditassem piamente na ocorrência e na força de milagres surpreendentes durante a vida de Cristo, viam com reservas os milagres supostamente acontecidos no momento presente. Assim, abriram caminho para outros pensadores criticarem – caso tivessem coragem – o conceito de milagre.

O deísmo, uma doutrina formulada por céticos, cresceu em influência, no século 18, na França, Prússia e Inglaterra. Segundo eles, Deus existe, mas supervisiona o universo, sem influir. Os deístas tendiam a prescindir de um Deus individual. Embora alguns deístas fossem ateus disfarçados, a maioria era religiosa, e pelos padrões atuais, seria considerada crente. A maioria acreditava que Deus criou o universo em toda a sua beleza e majestade, distribuiu oceanos e terras, lançou o Sol e a Lua em trajetórias estabelecidas, determinou os climas dos vários continentes, criou a humanidade e afastou-se. Deus não morreu; foi apenas descansar. Ou talvez tivesse mantido o poder, mas preferisse observar a maravilha do Universo e a humanidade, um pouquinho menos maravilhosa.

Copernicus na Polônia, Galileu na Itália, Newton na Inglaterra, Descartes na França, Huygens da Holanda, e outros cientistas e matemáticos, descobriram importantes leis naturais que, de certa maneira, confirmaram o deísmo. Essas descobertas sugeriam que o mundo natural obedece a leis e ritmos próprios, sem necessidade de intervenção da mão de Deus. Assim, não seria justo esperar que Deus salvasse os passageiros de uma embarcação durante uma tempestade no mar, ou uma cidade ameaçada por uma inundação ou epidemia fatal. Tal doutrina desafiava o conceito de oração.

Embora não rendessem grande número de conversões, as várias versões do deísmo influenciaram a forma tomada por algumas partes do mundo intelectual e político. Na década de 1770, quatro dos notáveis fundadores dos Estados Unidos – George Washington, Thomas Jefferson, Benjamin Franklin e Tom Paine – eram deístas. O deísmo afetou até quem pouco entendia das novas correntes da Teologia. Em agosto de 1770, o capitão James Cook explorava a costa leste da Austrália a bordo do navio *Endeavor*, e estava a ponto de colidir com a Grande Barreira de Corais. No momento de maior perigo, porém, uma breve rajada de vento desviou o rumo da embarcação. Cook registrou no diário de bordo: "Deus mandou o vento soprar em um momento crítico." Depois de algum tempo, ao comentar o episódio, ele se desmentiu, negando que a salvação fosse obra de Deus. Era como se o deísmo tivesse afetado seu pensamento.

A ideia básica do cristianismo era que o ser humano pecador precisa da graça de Deus para se redimir. Jean-Jacques Rousseau, originariamente um calvinista de Genebra, desafiou a tese de que a humanidade carrega a mancha do pecado desde o Jardim do Éden. Segundo Rousseau, o ser humano nasce bom, e é corrompido pela civilização. A mesma civilização na qual o cristianismo representava um aspecto vital. Em 1762, Rousseau escreveu: "O homem nasce livre, mas encontra grilhões em toda parte." Removidos os grilhões, não haveria necessidade da religião.

Críticos e racionalistas, conhecidos na França como "filósofos", descartavam a ideia de vida após a morte. Segundo eles, ainda que houvesse outra, a vida na Terra seria mais importante e enriquecedora. Existe verdade na ousada afirmativa de que "a maior invenção do século 18" foi a ideia de que a humanidade pode e deve ser feliz na Terra. A França, mais do que qualquer outro lugar, foi o berço dessa invenção. E a Igreja francesa foi sua primeira vítima.

VOCÊ ACREDITA EM MILAGRES?

Na segunda metade do século 18, alguns autores talentosos escreviam uma versão da História não aprovada nas catedrais. Eles afirmavam que os seres humanos, a geografia e outros fatores eram os principais responsáveis pela estruturação do passado. Segundo eles, o entusiasmo religioso representava uma paixão perigosa, em nada semelhante ao que pregavam Francisco de Assis e Bunyan de Bedford. Alguns desses contestadores ridicularizavam a fé depositada por muitos cristãos – católicos, em especial – em milagres.

O filósofo e historiador francês David Hume foi um desses contestadores. Hume conferiu a Edimburgo a reputação de reduto do ateísmo. É difícil imaginar hoje em dia o terror e a perplexidade que o ateísmo causava nos cristãos fervorosos. Nas semanas que precederam a morte de Hume, em 1776 – de câncer, provavelmente – especulava-se com ansiedade sobre seu estado de espírito. Ele se arrependeria no leito de morte? Enfrentaria a morte calmamente? Muitos afirmavam que ele se converteria, voltando a ser cristão. Outros acreditavam que ninguém, nem mesmo David Hume, ousaria enfrentar com tranquilidade o Criador, levando nos lábios a nódoa do ateísmo ou da blasfêmia.

> EM QUASE TODAS AS REGIÕES DA EUROPA HAVIA UMA RELIGIÃO DOMINANTE OU ÚNICA.

Na hora do sepultamento, um pequeno grupo hostil se juntou aos amigos de Hume. Durante oito noites, então, um vigia montou guarda junto ao seu túmulo, na colina de Calton, por medo de alguma demonstração de violência ou ato de vandalismo.

NOTÍCIAS DE UMA UTOPIA AMERICANA

Em quase todas as regiões da Europa havia uma religião dominante ou única. Antes de começar a guerra pela independência americana, em 1775, a maior parte das colônias britânicas ao longo da costa do Atlântico havia conquistado um grau de independência desconhecido na Europa. Das 13 colônias norte-americanas, Rhode Island, Nova Jersey, Pensilvânia e Delaware já haviam garantido a seus habitantes a liberdade religiosa e a igualdade entre as várias seitas. Durante a guerra, quase todas as outras colônias fizeram o mesmo.

Quando as 13 colônias se uniram em uma federação, sob o nome de Estados Unidos da América, aprovaram o princípio da liberdade religiosa. Uma lei federal de 1786 confirmou que qualquer indivíduo, independentemente de religião, podia tornar-se presidente da nova república. Um *quaker* ou um católico podiam ser legisladores ou juízes. Mesmo um ateísta, desde que tivesse nascido nos Estados Unidos e não fosse escravo, podia tornar-se chefe das Forças Armadas. Segundo a constituição federal, nenhuma denominação cristã podia receber tratamento diferenciado do governo central. A nação que afirmava o valor da liberdade religiosa representou uma experiência ousada.

Mais tarde, uma teoria popular explicou que tal liberdade resultava do fato de os primeiros imigrantes chegarem à América do Norte fugindo "da espada incansável da perseguição religiosa" na Europa, e desejarem criar um novo baluarte da liberdade. Essa interpretação faz sentido, mas não deve receber muita credibilidade. As pessoas que fogem de perseguições geralmente implantam um regime que persiga os antigos inimigos. A Nova Inglaterra, primeiro reduto desses refugiados, não foi, no início, uma fortaleza de liberdade.

> AS PESSOAS QUE FOGEM DE PERSEGUIÇÕES GERALMENTE IMPLANTAM UM REGIME QUE PERSIGA OS ANTIGOS INIMIGOS.

A explicação para o surgimento da liberdade religiosa no novo país passa por pelo menos dois fatores de importância vital. Primeiro: em 1750, uma ampla variedade de seitas e Igrejas tinha se estabelecido nas 13 colônias que formaram os Estados Unidos, trazida pelos imigrantes, mas nenhuma delas era frequentada por mais de um quarto da população total. Isso levou a uma política de viver e deixar viver. Segundo: igualmente importante foi o fato de os católicos serem pouco numerosos, a princípio, o que facilitou sua aceitação pelos protestantes. Ninguém então imaginaria que, no ano 2000, os católicos alcançariam o lugar de maior Igreja independente dos Estados Unidos, como resultado de sucessivas levas de imigrantes vindos da Irlanda, da Itália, da Polônia e do México. Outro fator de peso favoreceu a pouco usual política de tolerância religiosa: se as colônias americanas queriam separar-se da Inglaterra para formar uma nação patriótica, deviam tratar com respeito todos os grupos étnicos e religiões. Enquanto isso, alguns governos estaduais ainda impunham suas preferências religiosas. O último a aderir à política de tolerância foi Massachusetts, que somente em 1833 deixou de considerar o congregacionismo como Igreja oficial.

O que aconteceu na América na década de 1780 foi uma revelação para os europeus radicais. Os Estados Unidos demonstraram que os políticos, por meio de discussões e votações, podem moldar o destino de uma nação. Estava ali um exemplo de igualdade de oportunidades e liberdade religiosa não encontrado na Europa. Os franceses radicais, determinados a transformar o país, não perderam a lição. O fascínio se intensificou pelo fato de as Forças Armadas Francesas terem ajudado a criar a nova nação.

O MARTELO DA REVOLUÇÃO ENTRA EM AÇÃO

Na França, o primeiro estágio da revolução começou em 1789. Leis e regulamentações se seguiram às discussões. No ano seguinte, iniciava-se a reformulação da Igreja Católica francesa. Eram tantos os adversários e os indiferentes, que de nada adiantaria apelar à opinião pública, para desviar os golpes do martelo.

Sob o novo regime, a Igreja nacional da França não mais se curvaria ao rei nem ao papa. Os bispos seriam eleitos pelos habitantes de cada distrito. Na Igreja Católica reformada, uma seleção de protestantes, judeus e ateístas participaria da eleição dos bispos. Até então, os protestantes eram apenas tolerados na França; somente em 1787, os sacerdotes protestantes receberam permissão para celebrar casamentos.

Várias dessas mudanças radicais chamaram a atenção do baixo clero católico, pelas promessas de salários mais altos e segurança no cargo. Os bispos já consagrados não tinham motivos de satisfação. Seu prestígio, *status* e renda diminuíram. Eles pensavam que o bispado seria vitalício, com o direito de se ausentarem de seu território quando e pelo tempo que quisessem. Em vez disso, teriam de conquistar um eleitorado secular e pouco simpático.

A Assembleia Nacional, que passou a governar a França, desafiou os religiosos contrários às novas ordens. Em novembro de 1790, eles tiveram de jurar que obedeceriam à nova constituição para não perderem as posições na Igreja. Os bispos franceses – com sete exceções – pediram dispensa, e muitos deles saíram do país. De início, talvez a metade dos padres de paróquias e outros religiosos tenham tentado adaptar-se às mudanças que prometeram cumprir.

O tradicional direito de receber o dízimo – uma taxa em benefício da religião – foi abolido, e as vastas propriedades da Igreja Católica foram confiscadas. Os padres remanescentes se arriscavam a ser deportados ou receber outras punições. Bastava uma queixa feita por seis cidadãos, contra "comportamento incivil" de um padre, para que se iniciasse uma investigação que podia resultar em prisão. No fim do ano de 1792, três navios transportaram 550 padres condenados ao exílio em um local afastado, na costa africana do Atlântico.

O rei Luís XVI estava disposto a fazer concessões, mas não em religião. Por não demonstrar lealdade à nova França, sua vida estava em perigo. Em janeiro de 1793, ele foi decapitado. Quando a notícia chegou a Roma, o papa Pio VI considerou Luís XVI mártir da fé católica.

De quem era a culpa por tal revolução naquele que, durante séculos, tinha sido o mais populoso país católico do mundo? O papa acusava os racionalistas e os "calvinistas facciosos", mas em sua Igreja também havia facções. A conclusão de que a Igreja como um todo tinha falhado, embora não completamente, seria dolorosa demais para ele.

O ateísmo se apossou do pedestal da França revolucionária na década de 1790. O altar da Catedral de Notre Dame foi convertido em monumento à razão. Na Catedral de Reims, um recipiente histórico guardava o óleo santo com o qual foram ungidos muitos reis franceses, mas o óleo passou a ser considerado veneno, e ele desapareceu durante os atos de terror de 1792 – 1793. O casamento não era mais visto como evento religioso essencial: o sacerdote deixou de ser necessário. Por ordem dos revolucionários, o antigo calendário cristão foi abolido, inclusive o dia chamado domingo. Passou a ser adotada semana de dez dias, na qual o último dia – *décadi* – ficava reservado ao descanso.

Monges e freiras receberam a ordem de abandonar os mosteiros e conventos, deixando para trás construções e terrenos, que foram tomados pelo governo francês, com a intenção de obter dinheiro para pagar a dívida nacional. Em Cluny, a igreja imponente, antes a mais espaçosa do mundo cristão, foi quase toda destruída, e as pedras da construção, saqueadas.

Em 1801, o novo governante da França, o brilhante soldado Napoleão Bonaparte, resolveu fazer uma restauração simples e devolver as construções. As terras confiscadas não foram devolvidas, apesar do acordo formal assinado por ele e pelo papa Pio VII. O próprio papa foi convidado a presidir a cerimônia em que Napoleão seria coroado imperador. Mas Napoleão mostrou a quem caberia a autoridade suprema, ao aceitar das mãos do papa a coroa coberta de joias e colocá-la ele mesmo sobre a cabeça.

Os bispos que tinham sido depostos ou escolhido o autoexílio – os vivos, é claro – retornaram à França. A vida religiosa recuperou a vitalidade. No entanto, numerosos franceses afastados do cristianismo permaneceram assim ou iniciaram hostilidades que se prolongaram por várias gerações.

CAPÍTULO 26

A ERA DO VAPOR E DA PRESSA

Aqueles acontecimentos poderosos – o rápido avanço da Revolução Francesa e o lento avanço da Revolução Industrial – transformavam mental e materialmente a Europa e as Américas. A máquina a vapor reduziu as distâncias na terra e no mar. Abriam-se novos campos de conhecimento, em especial na ciência. A nova mentalidade e a ênfase no materialismo espalhavam o medo entre os cristãos, e ainda assim, sob certos aspectos, aquele foi um dos mais dinâmicos períodos de sua longa história.

OS PROFETAS DO NORTE

Antigas igrejas eram recuperadas, e credos se multiplicavam, embora alguns só tenham exercido mais forte influência décadas depois da morte do fundador. Foi o que aconteceu à seita fundada por Emanuel Swedenborg, nascido em Estocolmo no ano de 1688. Muito versátil, ele recusou um convite para dar aulas de Matemática em Uppsala, interessado que estava em Fisiologia, Zoologia, Mineralogia e Metalurgia, Cálculo Diferencial e Economia. Aos 60 anos, porém, seu maior interesse eram as questões espirituais.

Swedenborg era um dos poucos protestantes de seu tempo a se preocupar com o dia a dia no céu. Um bom passatempo seria ouvir os sermões maravilhosos de um pregador que falasse voltado para a congregação. A assistência numerosa se organizaria assim: os mais inteligentes no centro da igreja e os menos inteligentes nas laterais. Ao que parece, no céu se aplicavam testes de inteligência.

Na imaginação, Swedenborg viajava pelo espaço cósmico. Ele afirmava conversar com almas que viviam na Lua e ter contatos frequentes com pessoas mortas há muito tempo. Acreditava que o cristianismo tinha cumprido suas funções e daria origem a uma nova religião, da qual era guardião e mensageiro.

Quando Swedenborg morreu, em 1772, contava com poucos seguidores, mas logo uma seita foi criada em seu nome. A chamada Nova Igreja, Igreja Swedenborgiana ou Igreja de Nova Jerusalém atraiu escritores e intelectuais. Entre seus admiradores estava a poeta Elizabeth Barrett Browning, que comentou com amigos pouco antes de morrer, em Florença, haver poucas pessoas tão inteligentes quanto ele. Decorridos dois séculos da morte de Swedenborg, sua Igreja continuava viva – embora respirasse com dificuldade – em cidades tão distantes quanto Boston e Adelaide.

> A CHAMADA NOVA IGREJA OU IGREJA DE NOVA JERUSALÉM ATRAIU ESCRITORES E INTELECTUAIS.

Nas grandes cidades do mundo protestante, as igrejas de seitas menos conhecidas ficavam relegadas às ruas de menor movimento. A grande e bonita igreja pertencente à London University, em Gordon Square, era originalmente o lar da seita criada por Edward Irving, amigo íntimo de Thomas Carlyle, o profeta secular admirado na Inglaterra e em partes da Alemanha. Irving, um escocês alto e atraente, pretendia ser missionário na Pérsia, mas acabou se tornando uma espécie de missionário em Londres. Assim que chegou lá, tornou-se ministro de uma pequena Igreja Caledoniana em Hatton Garden, onde previu que Cristo logo voltaria à Terra. O jeito sedutor e a grande inteligência ampliaram seu círculo de amigos, e celebridades londrinas acorriam para ouvi-lo na igreja apinhada, especialmente depois que ele começou a "falar em línguas", assim que o Espírito Santo descia sobre ele. Sua fama se espalhou.

Depois que Irving morreu de tuberculose, aos 41 anos de idade, seus discípulos fundaram uma seita formalmente denominada Igreja Católica Apostólica – às vezes chamada de irvingista – embora havia muito tempo ele estivesse afastado do catolicismo. A seita combinava a liturgia na religião nacional e intervenções espontâneas dos fiéis, em línguas desconhecidas. Aos domingos, só se via o altar através de uma nuvem de fumaça de incenso e brilhantes luzes.

Atraindo famílias prósperas e talentosas, inclusive a família Earl, de Northumberland, a seita inaugurou uma série de templos em cidades grandes, estendendo-se de Manchester e Birmingham a cidades norte-americanas e ao Hemisfério Sul. Em Melbourne, instituições influentes, como Wesley College e Hawthom Football Club, começaram com uma forte herança irvingista. Com o tempo, os irvingistas se tornaram mais fortes na Alemanha do que na Grã-Bretanha.

Os irvingistas estavam de tal modo convencidos da proximidade da segunda vinda de Cristo, que não se preocuparam com a sobrevivência da seita. No início, indicaram doze

> O IRVINGISTAS [...] NÃO SE PREOCUPAVAM COM A SOBREVIVÊNCIA DA SEITA.

"apóstolos", sem plano para a sucessão. Cada "apóstolo" tinha a seu cargo uma "tribo", em referência às doze tribos de Israel. Quando o último dos doze apóstolos morreu, já em idade avançada, a 3 de fevereiro de 1901, a Igreja quase acabou. Os fundadores tinham acreditado que àquela altura Cristo já estaria reinando na Terra.

Uma das previsões irvingistas seria lembrada daí a muito tempo. Winston Churchill recebeu pela primeira vez um sinal de que poderia haver uma grande guerra, graças a um comentário de seu jovem amigo invingista Lorde Percy, por volta de 1902 – a doze anos, portanto da eclosão da Primeira Guerra Mundial. Aliados políticos na Câmara dos Comuns, eles conversavam, quando Percy começou a falar francamente sobre a religião que praticava, mencionando a morte recente do último apóstolo, que havia previsto "com estranha certeza o advento de uma era de guerras assustadoras". Churchill, que não podia ser considerado um homem religioso, tinha fortes razões para lembrar a previsão irvingista, pois era o chefe político da Marinha britânica em 1914, quando começou a terrível guerra contra a Alemanha.

O PROFESSOR CHALMERS E O CARDEAL NEWMAN

Em matéria de influência, Irving perde para Thomas Chalmers, de quem foi assistente em Glasgow. Atualmente esquecido fora da Escócia, Chalmers foi um dos gigantes da pregação, no tempo quando a oratória era equivalente à televisão na nossa era. Nascido em 1780 – cerca de doze anos antes de Irving – Chalmers sustentava uma combinação de opiniões. Sob a influência da avalanche de ideias que atravessou o Mar do Norte, vindo da França revolucionária, ele se tornou por algum tempo uma espécie de racionalista, mas aos 23 anos era ministro de uma Igreja Presbiteriana em Kilmany, na área rural de Fife. De início, Chalmers exerceu pouca influência sobre os fiéis. Tal como muitos jovens recrutados para o ministério, aceitara a função por tratar-se de uma carreira útil e segura, e não porque se dispusesse a empreender uma aventura espiritual.

Um livro religioso da autoria do antiescravagista inglês William Wilberforce contribuiu para dar sentido à vida de Chalmers. Embora o livro tivesse o complicado título de *A Practical View of the Prevailing Religious System of Professed Christians* (publicado em português sob o título *Cristianismo Verdadeiro – Discernindo a Fé Verdadeira da Falsa*), serviu para convencer Chalmers – então com 30 anos de idade – de que tinha o dever de mudar o mundo. A partir de então, seus discursos ganharam paixão e urgência.

As pessoas que o ouviam pela primeira vez se perguntavam por que ficavam tão arrebatadas. Henry Cockburn, um advogado escocês, disse que ouviu cada palavra "com o coração disparado e os olhos marejados". No entanto, quando leu o mesmo sermão, percebeu que o efeito vinha mais da personalidade de Chalmers do que das palavras.

Chalmers pregou em Londres por quatro semanas, onde um futuro primeiro-ministro, George Canning, "se debulhou em lágrimas", pela sinceridade do discurso.

Thomas Chalmers combinava o evangélico ao racional. Sua grande inteligência respeitava o iluminismo e sua ênfase na razão – a Escócia era um dos baluartes do iluminismo – mas acreditava que razão e lógica não mudam o coração das pessoas. Segundo ele, só se vive uma vida plena quando se aceita totalmente Cristo como salvador. Enquanto a meta de Chalmers era reformar o indivíduo, seus oponentes preferiam reformar primeiro o ambiente social, ao qual o indivíduo responde. Essa continua a ser uma das principais controvérsias em Ciências Sociais, tribunais e prisões.

Na cidade de Glasgow, que se desenvolvia rapidamente, comerciantes ricos viviam junto a regiões de extrema pobreza. Chalmers se mudou para lá em 1815. Ele tivera contato com católicos em áreas rurais da Escócia, mas em Glasgow conheceu muitos que haviam deixado a conturbada Irlanda para buscar trabalho nas fábricas de algodão e fundições. Ele se aproximou, foi recebido em algumas casas e ficou satisfeito ao ver tantos católicos comparecerem ao serviço noturno. Aos 42 anos de idade, Chalmers foi indicado para ocupar a cadeira de Filosofia Moral na St. Andrews University, e lá organizou sua teologia: como as pessoas são naturalmente pecadoras, devem apoiar-se no despertar da própria consciência. Ele chamava isso de "autoridade da consciência".

O governo inglês pagava os salários de mais de mil ministros da todo-poderosa Igreja Escocesa e, indiretamente, a administrava, já que aprovava a teologia e determinava os procedimentos. Chalmers e seus seguidores preferiam que os ricos donos de terras tivessem o poder reduzido, enquanto os membros da congregação seriam fortalecidos, adquirindo o direito de escolher os sacerdotes a quem estariam subordinados. A disputa, chamada de "rompimento", chocou a Igreja Escocesa. Famílias se dividiram, e religiosos que eram amigos de longa data se separaram.

Em 1843, Chalmers e seus seguidores resolveram fundar uma seita própria, a Igreja Livre da Escócia. Seria um grande esforço, já que teriam de construir igrejas e, de algum modo, arrecadar fundos para pagar os salários dos sacerdotes. Dos 1.203 sacerdotes da Igreja Escocesa, 474 se desligaram, para participar da nova seita. Nos três séculos de história do protestantismo, não se encontra relato de uma evasão como aquela, de 4 em cada 10 sacerdotes. A Escócia viu iniciar-se uma febre de construção de igrejas. As próprias congregações ergueram os prédios, das cidades enfumaçadas às ilhas no oeste, enquanto outras viajavam para o estrangeiro, como a que chegou à Nova Zelândia e ajudou a fundar a cidade de Dunedin, cujo porto conserva o nome de Chalmers.

Embora Chalmers tivesse dividido a Escócia em duas facções e granjeado uma legião de inimigos, conquistou dos seguidores uma admiração intensa, dedicada a poucos compatriotas. Estima-se que 100 mil pessoas tenham ocupado a margem da estrada para assistir à passagem de seu funeral em Edimburgo, em um dia triste e nublado de 1847. Lojas e escritórios cerraram as portas por algumas horas, em homenagem a ele, enquanto inúmeros admiradores se reuniam em silêncio nos arredores do cemitério de Grange.

> Na Inglaterra, wesleyanos e metodistas sofriam com as próprias rupturas.

Na Inglaterra, wesleyanos e metodistas sofriam com as próprias rupturas. John Wesley acreditava na união, e tinha desejado continuar a fazer parte da Igreja Inglesa. Depois de sua morte, porém, houve a separação, e a Igreja Wesleyana adotou características e teologia próprias. Um grande grupo, politicamente radical, adotou a denominação de metodistas primitivos. De suas fileiras saíram líderes do Partido Trabalhista, então em ascensão. Outro grupo, concentrado em Cornwall, adotou a denominação de Cristãos Bíblicos. Muitos se mudaram para os novos campos de mineração australianos, onde suas capelas somavam grande quantidade. Em 1930, na Grã-Bretanha, todos os grupos se reuniram, repetindo uma fusão australiana anterior.

Os anglicanos também atravessaram períodos de agitação, nas décadas de 1830 e 1840. Um grupo de jovens brilhantes da Oxford University tentou devolver à Igreja o esplendor medieval. Eles queriam que a arquitetura, a disposição e os rituais reproduzissem as tradições católicas de séculos atrás. Os jovens sacerdotes foram instruídos a jejuar e manter o celibato. O grupo era altamente espiritualizado e procurava viver com santidade. Sua personalidade afável em muito se diferenciava da solenidade de alguns setores do puritanismo. A princípio, sua influência se concentrou nas camadas mais instruídas da população. Seus panfletos (*tracts*, em inglês) e folhetos impressos, procurados avidamente e comentados à mesa do jantar, fizeram com que os leitores ficassem conhecidos como tractarianos. O professor Edward Pusey, um dos jovens líderes do movimento de Oxford, assim comentou o enorme interesse despertado: "Os panfletos encontram eco em toda parte. Amigos se apresentam para participar. Só receio ficarmos populares demais."

> OS ANGLICANOS TAMBÉM ATRAVESSARAM PERÍODOS DE AGITAÇÃO, NAS DÉCADAS DE 1830 E 1840.

Os receios de Pusey foram prematuros. Os textos curtos não chegaram à maioria das cidades da Inglaterra, mas o movimento reformista ganhou força. Meio século mais tarde, percebia-se sua influência na arquitetura interna e externa das novas igrejas, na crescente preferência pelo cerimonial, por velas e incenso, e pela disposição dos jovens sacerdotes anglicanos em trabalhar nos bairros pobres e favelas – áreas onde a atuação da Igreja tinha sido fraca até então.

O reverendo John Harry Newman era o astro do movimento de Oxford. De ascendência francesa e holandesa, filho de calvinistas, desde muito cedo interessou-se por questões ligadas ao espírito e ao conhecimento. Vencendo a timidez, tornou-se um homem público. Sempre às 16 horas, seus sermões e palestras na Igreja de Santa Maria eram considerados os mais instigantes de Oxford. Tal como os outros, sua intenção era recuperar a essência dos primeiros tempos do cristianismo, escondida atrás dos vitrais da Igreja formal. Sobre a Igreja Anglicana, ele escreveu a uma amiga: "Perdi a esperança." Na verdade, sua esperança se voltava para o catolicismo, e Newman cada vez mais deixava transparecer isso. Seu comportamento confirmava as acusações de tentar induzir a nação a unir-se a Roma.

Afinal, Newman assumiu publicamente o catolicismo. Sua conversão, em 1845, provocou forte comoção, já que ele se destacara como líder da Reforma, pregador elegante e autor do hino *Lead kindly light, amid the encircling gloom* ("Guia-me, bondosa luz, em meio às trevas", em tradução literal). A conversão de um líder protestante ao catolicismo era um evento raro. Em termos atuais, foi como se o mais famoso intelectual ateu se tornasse um eloquente pastor da Assembleia de Deus. O ato de rebeldia praticado por Newman foi seguido por vários religiosos da Igreja Inglesa.

Fazia 300 anos que a Inglaterra não contava com um cardeal ou bispo católico. Em 1850, o papa concedeu a Londres um arcebispo, o cardeal Wiseman, que sustentava discussões teológicas com os rivais anglicanos e costumava superá-los na habilidade de combinar ciência e religião. A simples ideia de um alto prelado católico oficiar no reduto do protestantismo e ocupar a posição de arcebispo ecoou em centenas de igrejas e capelas protestantes, de Cornwall a Yorkshire. Na década de 1870, não se podia prever nem imaginar que, no ano 2000, o número de católicos praticantes na Grã-Bretanha ultrapassaria o número de anglicanos praticantes.

Os católicos criaram organizações que se espalhariam pelo mundo; os inovadores, como sempre, tentavam atuar dentro da Igreja. Entre as ordens mais importantes que surgiram então, inclui-se a Companhia de Maria, fundada em Lyon, em 1824 – os popularmente chamados "maristas"– que assumiu a cristianização da parte ocidental da distante Oceania. Na década de 1830, foi fundada na França a Sociedade de São Vicente de Paulo, que defendia as doutrinas católicas dos ataques dos livres pensadores, que se multiplicavam na França mais do que em qualquer outra grande nação.

Em 1859, em Turim, formou-se uma congregação de padres e professores, a Pia Sociedade de São Francisco de Sales – os salesianos – especializada no resgate e na educação de jovens, na esperança de que se tornassem padres ou irmãos leigos. Essa seria uma das principais organizações missionárias do mundo. Na década de 1870, os salesianos passaram a apoiar uma congregação irmã, as Filhas de Nossa Senhora Auxiliadora dos Cristãos. Outras ordens católicas que se destacaram na educação foram as Irmãs da Caridade, as Irmãs da Misericórdia, os Irmãos Cristãos e as Irmãs de Loreto. Uma característica de várias das novas ordens católicas era a convocação de fiéis para trabalhar pela Igreja nas horas de folga, mantendo as atividades profissionais.

SEITAS E SANTOS DE REGIÕES AFASTADAS

Em religião e em comércio, os Estados Unidos produziram uma torrente de empreendedores. Em Dresden, no estado de Nova York, William Miller leu ansiosa e atentamente o Antigo Testamento, e foi influenciado pela crença, poderosa nas primeiras décadas do século 19, de que Cristo logo voltaria à Terra, provocando um dramático abalo. O livro de Danie, com referência à purificação do santuário, confirmava a ideia de Miller. O jornal *The Midnight Cry*, de sua propriedade, serviu de veículo para a divulgação de suas conclusões: Cristo voltaria à Terra em 22 de outubro de 1844.

A não confirmação das ideias de Miller não desestimulou seus seguidores. Cristo viria, eles insistiam, a seu tempo, para reinar por mil anos. Determinados a se purificarem antes da segunda vinda do Senhor, eles tratavam o corpo como um templo sagrado. Não bebiam álcool nem fumavam, e muitos aboliram chá, café e carne. A ênfase em uma dieta vegetariana levou à fabricação de alimentos à base de cereais. O desjejum ocidental é seu monumento.

Depois de uma conferência em Battle Creek, Michigan, em 1860, quando decidiram guardar o sábado a partir do pôr do sol de sexta-feira, eles adotaram a denominação de Adventistas do Sétimo Dia. De início restritos aos Estados Unidos, eles logo conseguiram tal penetração em outros países, que o número de adeptos chegou a vários milhões.

Os primeiros mórmons saíram da mesma geração de jovens americanos. Joseph Smith Junior, seu carismático fundador, vivia em uma fazenda falida da Nova Inglaterra, e estava descontente com as Igrejas existentes. Segundo dizia, elas nada ofereciam aos que sofrem.

A religião de Joseph Smith se destacava das outras que surgiam nos Estados Unidos, ao combinar crenças cristãs estabelecidas à nova ideia de que o país fazia parte da longa história registrada no Antigo e no Novo Testamento. Smith afirmava haver descoberto, na década de 1820, o "Livro de Mórmon" – escritos antigos preservados em placas de ouro – que revelava verdades até então ocultas. Era mencionada uma tribo perdida de Israel instalada nos Estados Unidos em 600 a.C. e contava-se como Cristo, logo depois da ressurreição, tinha percorrido as terras que eles então cultivavam. Cristo voltaria em futuro próximo, não para a Palestina, mas para a cidade de Deus, que Smith pretendia fundar, em ocasião e local a serem anunciados.

> CRENTES NO PODER TRANSFORMADOR DE CRISTO, OS MÓRMONS ESPERAVAM SENTAR-SE AO LADO DELE NO DIA DO JUÍZO.

No primeiro ano de existência dos mórmons, Smith arregimentou 190 seguidores. Depois de se mudar para Ohio, então para Missouri e afinal para Illinois, já eram pelo menos 10 mil. Crentes no poder transformador de Cristo, eles esperavam sentar-se ao lado dele no dia do juízo. A denominação formal da seita era Igreja de Jesus Cristo dos Santos dos Últimos Dias.

Em 1847, muitos dos fiéis se mudaram, na companhia do novo líder, Brigham Young, para Salt Lake City, na distante Utah, onde em relativo isolamento implantaram seu estilo de vida e, por décadas, permitiram a poligamia. Foram advertidos de que, quando afinal a ferrovia transcontinental chegasse a Utah, seu reduto seria invadido pelos recém-chegados, e seu credo se enfraqueceria. Mas seu credo não se enfraqueceu.

O PAPA RESISTE

Nos poucos territórios onde havia liberdade, tudo e todos podiam ser analisados e criticados. Assim, o papa era alvo fácil, mas Pio IX, eleito em 1846, parecia capaz de resistir às críticas. De certo modo, ele conhecia o mundo. Ainda como um jovem padre italiano, tinha visitado o Chile, o que provavelmente fazia dele o primeiro papa a pôr os olhos no Oceano Pacífico, o maior do mundo. Logo depois de assumir o papado, ele deu sinais de ser um liberal moderado, o que foi saudado na Itália por inscrições nas ruas. Ideias revolucionárias enchiam o ar. Talvez ele as ouvisse.

> O PAPA PIO IX VIA O LIBERALISMO E O AVANÇO DA DEMOCRACIA COMO INIMIGOS PERIGOSOS.

Naquele tumultuado ano de 1848, em que as revoluções iam do Mediterrâneo ao Báltico, o papa ficou ainda mais firme. Ele tinha medo de que a onda revolucionária estourasse, varrendo as catedrais e os palácios dos bispos, e corroesse as fundações do catolicismo.

O papa Pio IX via o liberalismo e o avanço da democracia como inimigos perigosos. Enquanto muita gente considerava a democracia um rojão fulgurante de esperança, o papa enxergava ali uma exibição barulhenta de fogos de artifício, prenúncio de confusão. Ao atacar a democracia em dezembro de 1864, chamando-a de "relação de erros" – a *Syllabus Errorum* – ele criticou também outro movimento moderno, na época em ascensão: o nacionalismo, de que a recentemente unida Itália era um expoente. Como chefe da corporação quase certamente mais universal do mundo, Pio IX preferia o internacionalismo e, como voz da autoridade tradicional, sentia-se apreensivo acerca das novas ideias políticas em partes da Europa, e quanto à crescente hostilidade contra os padres e a Igreja Católica. Essa situação foi descrita por uma palavra cunhada na década de 1860: anticlericalismo.

O desconforto do papa aumentou com a ascensão de Garibaldi e sua cruzada para unificar a Itália. E o governo da nação unida acabaria com o direito então concedido ao papa de controlar os estados papais, que se estendiam pelo centro da Itália. Durante séculos, o Papado vinha atuando como um poder secular, o que incluía um contingente próprio de cobradores de impostos, de tribunais e de tropas para guardar a fatia substancial de terras e cidades da Itália que lhe cabia. Em 1860, havia fortes indícios de que os habitantes dos estados papais queriam fazer parte da Itália, em acelerado processo de unificação. Depois de uma breve campanha militar, quase toda a área governada pelo papa – do porto de Roma ao Adriático – tinha sido capturada pelas forças armadas italianas. Restou apenas uma parte da cidade de Roma.

O pior ainda estava por vir. Em agosto de 1870, os soldados franceses que guardavam o Vaticano foram chamados de volta a casa: a Prússia tinha invadido seu país. No mês seguinte, as forças do rei Vítor Emanuel da Itália cercavam o Vaticano. Eram forças invasoras, e não defensoras como as da França. O papa continuou a ser o principal chefe espiritual do mundo, mas perdeu os direitos de governante civil. O Vaticano deixou de ser uma nação. Pelos 50 anos seguintes, nem a cúpula da Catedral de São Pedro estava em território papal. Em círculos católicos, temia-se que o papa perdesse o poder espiritual, já que não era mais um monarca independente protegido pelo próprio território.

Naquela crise inédita, Pio IX percebeu uma oportunidade de aumentar seu prestígio e a autoridade de todos os papas que o sucedessem. Para isso, declarou que suas bulas e pronunciamentos eram "infalíveis". Reconhecidamente, os pronunciamentos do papa sobre "a fé e a moral" sempre estiveram perto da infalibilidade, já que ele era um servo de Cristo na Terra e considerado seu porta-voz "para todos os cristãos". Em uma era mais democrática, lançava mão de uma voz diferente para conquistar mais obediência e respeito.

A convocação de um concílio fez acorrerem a Roma muitos bispos e arcebispos que tinham uma questão a resolver: o papa é supremo e também infalível? A resposta esperada era "sim". Em resumo, eles deviam afirmar que o papa "possui a infalibilidade com a qual o divino redentor quis investir sua Igreja." Em 17 de julho de 1870, um dia antes da votação, cerca de 60 bispos se retiraram, para não demonstrar publicamente sua discordância. Ficaram apenas dois oponentes. A contagem final foi de 533 votos a 2.

O papado representava uma longa tradição de conservadorismo. A tradição, uma fonte de força, pode tornar-se um obstáculo quando o mundo se transforma rapidamente. Para muitos católicos, o erro da Igreja foi atacar as tendências modernas. Em 1878, o papa condenou o comunismo e aspectos do socialismo, e no início do ano 2000 criticou aspectos do capitalismo e o controle da natalidade.

Alguns católicos fervorosos se queixaram de que a Igreja cometia um erro ao isolar-se intelectualmente, em uma era de mudança e rapidez. No entanto, a firmeza de posição pareceu contribuir para manter, pelos cem anos seguintes, uma proporção de fiéis maior do que a das seitas protestantes que alteraram o curso durante a jornada.

A CRUZ VERMELHA E O BASQUETEBOL

Movimentos sociais criados por jovens para jovens são essencialmente modernos. Foi em Londres, em 1844, que George Williams, aos 20 e poucos anos, criou talvez o mais bem-sucedido movimento de jovens que o cristianismo tinha visto até então.

Filho de um fazendeiro, Williams foi um dos moços que trocaram cidades pequenas por cidades grandes, na Europa, em busca de empregos no mundo dos negócios, tais como balconista ou auxiliar de escritório. De início, ele morou com outros 140 rapazes nos grandes dormitórios oferecidos pelo empresário londrino do ramo de tecidos que os empregava. Como muitos daqueles jovens vinham de lares profundamente religiosos, a maior parte das empresas gostava de empregá-los. George Williams não encontrou dificuldade em formar um pequeno clube religioso onde pudessem discutir assuntos sérios, ler a Bíblia, orar e cantar. Uma empresa de tecidos emprestou a sala na qual nasceu a *Young Men's Christian Association* (YMCA), a Associação Cristã de Moços – ACM. Os doze fundadores se dividiam igualmente entre congregacionistas, wesleyanos, anglicanos e presbiterianos. Em ocasiões normais, aquela não seria a fórmula do sucesso.

Quando já não cabiam mais na sala original, alugaram um prédio grande no qual reservaram espaço para uma biblioteca e uma sala de reuniões, onde se discutiam questões evangélicas. Cursos de línguas estrangeiras foram oferecidos. Sofás e poltronas criavam um ambiente de relaxamento. Aos domingos, das 17 às 20 horas, funcionários do clube serviam xícaras de chá e chocolate quente, e bandejas de petiscos. A atmosfera amigável e o conforto atraíam outros rapazes solteiros.

> UMA EMPRESA DE TECIDOS EMPRESTOU A SALA NA QUAL NASCEU A ASSOCIAÇÃO CRISTÃ DE MOÇOS – ACM.

Em suas viagens a trabalho para outras cidades britânicas, os membros londrinos da ACM perguntavam "Por que vocês não têm uma ACM?", e ensinavam como fazer. Jovens alemães já envolvidos com o mundo dos negócios fundaram clubes. Os escoceses já possuíam organizações semelhantes, mas com outro nome, e acabaram por unir-se à associação inglesa. Em 1850, o sul da Austrália contava com dois clubes, e no ano seguinte Montreal e Boston seguiram o exemplo. Até jovens escriturários da tropical cidade de Calcutá criaram uma ACM, em 1854.

No ano seguinte, Paris sediou uma interessante feira industrial, em que foram apresentadas invenções patenteadas, máquinas modernas e inovações para o comércio. Como era certo o comparecimento de numerosos jovens envolvidos com o mundo empresarial, as várias filiais da ACM combinaram um encontro em Paris, na mesma época.

Lá, 99 delegados vindos de ambos os lados do Atlântico decidiram criar uma organização mundial para administrar a ACM. Eis sua declaração: "Nosso objetivo é unir estes rapazes que, reconhecendo Jesus Cristo como seu Deus e salvador, de acordo com as sagradas escrituras, desejam ser seus discípulos na fé e na vida."

Como ainda não havia mulheres empregadas em grandes lojas e escritórios, elas ficavam fora do âmbito da nova ACM. Em um ou outro lugar, porém, moças sentiam necessidade de formar associações na mesma linha cristã. No sul da Inglaterra, em 1855, *Miss* Roberts formou um grupo de oração, e *Lady* Kinnaird montou casas onde as jovens que se iniciavam na vida profissional podiam encontrar-se e conversar nas horas de folga ou até morar, se quisessem. Mais tarde, os dois grupos femininos se uniram para formar a *Young Women's Christian Association* – Associação Cristã de Moças – que também se tornou mundial.

A antiga ACM só para homens demonstrava uma visível energia, embora puritana em espírito. Nos Estados Unidos, que se tornaram o baluarte da associação, muitos apreciavam atividades atléticas. Em 1891, na filial de Springfield, Massachusetts, foi inventado o jogo de basquetebol, enquanto em uma filial vizinha criava-se, quatro anos depois, o voleibol. A leste da Ásia, em cidades que se situavam entre Tóquio e Cingapura, as ACMs se tornariam um campo de treinamento para líderes nacionais e para praticantes de esportes em ambientes fechados.

A Cruz Vermelha foi outro fruto daquele dinâmico movimento global. Henry Dunant, oriundo de família calvinista, era líder de um pequeno grupo evangélico em Genebra, que acabou se unindo à ACM. Foi Dunant quem sugeriu a realização em Paris da primeira conferência internacional da associação, no período da feira de 1855.

> A ANTIGA ACM SÓ PARA HOMENS DEMONSTRAVA UMA VISÍVEL ENERGIA, EMBORA PURITANA EM ESPÍRITO.

Daí a quatro anos, ele visitava, a trabalho, a cidade italiana de Solferino, bem ao sul do lago Garda. Lá, por infelicidade, assistiu à matança provocada pelo mais violento combate ocorrido na Europa desde a batalha de Waterloo, 44 anos antes. Quando o curto combate estava quase acabando, milhares de combatentes austríacos, franceses e italianos se espalhavam pelo chão, feridos, e Dunant procurou organizar a ajuda. De volta a Genebra, sua terra natal, uniu-se a alguns amigos da ACM e de outros grupos, para criar uma pequena organização chamada Cruz Vermelha, que se tornaria a maior organização humanitária do mundo.

Aquele grupo formado em Londres por George Williams, que começara humildemente em meio ao cheiro dos fardos de linho e algodão, era como uma lojinha que crescera até se transformar em um empório gigantesco. Assim, a associação voltou a atenção para os estudantes universitários, cada vez mais numerosos. Novamente a ação foi global. Em 1895, John Raleigh, um jovem metodista norte-americano que ocupava o importante posto de secretário itinerante da ACM, uniu-se a líderes estudantis da Suécia e de outros países para formar a Federação Cristã Mundial de Estudantes, sob a bandeira da "evangelização do mundo na nossa geração" – certamente uma das propostas mais ambiciosas da história do cristianismo. Seus líderes sustentavam a ideia amplamente divulgada antes da Primeira Guerra Mundial, de que podiam alcançar o impossível.

John R. Mott, primeiro-secretário do novo grupo, mais tarde organizou a primeira Conferência Missionária Internacional, realizada na cidade de Edinburgo, em junho de 1910. Mais de um terço de século depois, ele foi o maior incentivador do Conselho Mundial de Igrejas, a mais eficaz tentativa de unir os cristãos, havia tanto tempo divididos. Eis aí outro resultado notável do encontro de alguns balconistas saudosos de casa, em Londres, no século anterior.

AS MULHERES PREGAM

Se jovens do sexo masculino podiam ser líderes cristãos, talvez as mulheres – mais jovens ou mais velhas – também pudessem. A reivindicação feminina do direito de pregar tinha sido incentivada por alas radicais da Reforma. O primeiro livro escrito em inglês justificando esse direito foi *Women's Speaking Justified* (*As Mulheres Falam – Justificadas pelas Escrituras*), de Margaret Fell – uma *quaker* que mais tarde se casaria com George Fox – publicado em 1667. Presume-se que os leitores tenham sido poucos, já que na época as próprias mulheres rejeitavam a ideia de uma pregadora, que consideravam "fora de propósito" e "desnecessária".

Decorrido um século, a visão de uma mulher pregando ainda causava desconforto e divertimento, em certos círculos. No ano de 1763, em Londres, o dr. Samuel Johnson comentou, ao saber que uma mulher tinha sido vista recentemente pregando em público: "Mulher pregadora é como cachorro andando nas patas traseiras. O resultado não é perfeito, mas você se surpreende ao ver que ele consegue."

Nos Estados Unidos, meio século mais tarde, o resultado era bom, em especial no caso de uma seita chamada *shakers*, mas nem sempre. Em 1835, no sul dos Estados Unidos, outra pregadora popular era Jarena Lee, que sempre protegia o rosto negro e o pescoço com boné e um xale brancos. Àqueles que diziam para ela parar de pregar, Jarena respondia prontamente: "Se um homem pode pregar porque o Salvador morreu por ele, por que não as mulheres?" Na mesma época, crescia nos Estados Unidos uma cruzada inteiramente masculina contra a escravidão, até que as irmãs Angelina e Sarah Grimké, membros de uma respeitada família da cidade de Charleston, resolveram aderir à campanha. A surpresa está no fato de a família Grimké possuir escravos em sua propriedade. Elas provavelmente foram as primeiras americanas a publicar sistematicamente argumentações a favor dos direitos da mulher.

A abolição da escravatura nos Estados Unidos, em 1865, deveu muito a campanhas conduzidas por mulheres. O movimento cada vez mais forte pela redução do consumo de álcool apoiava-se em especial na atuação de mulheres – palestrantes e escritoras. Elas faziam parte, principalmente, dos batistas, metodistas, presbiterianos, congregacionais, discípulos de Cristo, exército da salvação e outras denominações evangélicas.

A partir da década de 1880, a União Cristã Feminina pela Temperança deixou sua marca entre os protestantes no universo de falantes da língua inglesa. O grupo defendia a tese de que, se as mulheres tivessem o direito de voto, elegeriam políticos dispostos a aprovar leis restritivas à venda de álcool. Vozes femininas unidas ajudaram a Nova Zelândia, em 1893, a ser o primeiro país a conceder às mulheres o direito de voto, e a Austrália, nove anos depois, a garantir a elas o direito de votarem e de se candidatarem ao Parlamento. As mulheres se orgulhavam de haver contribuído para a proibição total da venda de álcool nos Estados Unidos, na década de 1920. Só que isso não criou o paraíso que elas imaginavam.

> MULHERES PODIAM PREGAR AO AR LIVRE OU EM SALÕES. SUBIR AO PÚLPITO DA IGREJA ERA UMA QUESTÃO MAIS REVOLUCIONÁRIA.

Mulheres cristãs podiam pregar ao ar livre ou em salões. Subir ao púlpito da igreja era uma questão mais revolucionária. Somente as seitas menores – *quakers*, unitarianos e a dissidência metodistas primitivos – incentivavam as mulheres a serem pregadoras. Mas os wesleyanos permaneciam quase tão relutantes quanto os católicos. Na Austrália, em 1890, eles explicaram publicamente por que as mulheres não deviam pregar nas igrejas: "1. Porque a maioria do nosso povo se opõe; 2. Porque sua pregação não parece necessária." No entanto, se alguma mulher entre nós sentir um chamado extraordinário de Deus para falar em público – e o chamado deve ser realmente extraordinário, para justificar a decisão – nossa opinião é a de que ela deve, de modo geral, dirigir-se apenas às mulheres."

UMA VOZ FEMININA VEM DA SOMBRIA INGLATERRA

Na Grã-Bretanha, a sra. Catherine Booth, do novo exército da salvação, tornou a pregação feminina quase aceitável – se não desejável. Fundada por ela e por seu marido, William Booth, a nova seita teve a sabedoria de agregar o novo ao familiar. Filha de um operário da indústria de carrocerias, Catherine era – pelos termos de seu tempo – "respeitável e refinada". Ela conheceu William em 1848, em uma congregação wesleyana no subúrbio londrino de Brixton. Ele era três meses mais novo, trabalhava como penhorista e vinha de uma família pobre de Nottingham. Sua formação teve altos e baixos, a não ser pela Bíblia, que leu atentamente. Desde muito jovem, William demonstrava determinação, simpatia por quem atravessava dificuldades e uma voz que expressava as emoções com empatia e força. Quando pregava, às vezes evidenciava certa ferocidade. Como era bastante alto, sua figura intensificava o efeito causado pelas palavras.

> WILLIAM BOOTH CONVIDAVA OS FIÉIS A CONFESSAR OS PECADOS E AFIRMAR PUBLICAMENTE SUA CONFIANÇA EM DEUS.

Ao desligar-se dos wesleyanos, William Booth aderiu a uma seita recém-criada: nova conexão metodista, quando se tornou pregador em tempo integral. Ele e Catherine tinham 26 anos de idade ao se casarem. Tiveram oito filhos. Enquanto moravam em Gateshead, um porto industrial no norte da Inglaterra, Catherine às vezes se adiantava, ao final dos formidáveis sermões de William, para fazer as orações finais, com voz delicada e atitude reverente. Não demorou muito e, diante do marido ainda relutante, ela fazia os próprios sermões. Em 1860, ao ouvir de um pastor congregacionista que mulheres não deviam pregar, respondeu delicadamente por meio de um panfleto. Na verdade, não havia necessidade de resposta. Ela já havia demonstrado o talento que possuía.

William Booth adotou a prática de, ao fim de seus sermões carregados de emoção, convidar os fiéis a confessar os pecados e afirmar publicamente sua confiança em Deus. Na entrada da igreja, havia um banco onde as pessoas podiam sentar-se, para depois se ajoelharem arrependidas e serem acalmadas pelo Espírito Santo.

Atendendo a uma sugestão de Catherine, ele se desligou da seita metodista e criou uma nova Igreja, no subúrbio pobre de Whitechapel. Mais tarde, deu à nova seita a denominação de exército da salvação. Seus membros se destacavam pelos impecáveis uniformes em estilo militar e pelo extremo asseio, já que William detestava sujeira. As igrejas receberam o nome de "cidadelas", e os oficiais – homens e mulheres, pois havia igualdade – adotaram patentes militares. Para insatisfação dos soldados do Exército britânico, William passou a ser chamado de general Booth.

Uma inovação era a coleta de doações em bares e *pubs* – locais cada vez mais considerados pecaminosos pelos protestantes. Outra ideia surpreendente foi o uso de instrumentos de metal, em vez de órgão, para acompanhar os serviços religiosos nas cidadelas. Por não necessitar de amplificadores – ainda não inventados, na época – as bandas, então no auge da popularidade, eram ideais para desfiles pelas ruas, o que o exército da salvação fazia muito bem. Nos primeiros tempos, os métodos de publicidade empregados pelos salvacionistas pareciam bastante exóticos aos cristãos.

Em 1880, nos domingos ou nas noites da semana, o som de cornetins, tambores, pandeiros e pratos podia ser ouvido pelas ruas ou nas cidadelas, em milhares de locais que se estendiam de Adelaide à Cidade do Cabo e Cardiff. Em 1910, as bandeiras vermelhas e as bandas marciais eram vistas e ouvidas em lugares tão distantes quanto Argentina e Japão. O exército da salvação combinava sinceridade e espetáculo, mas os metodistas tradicionais não se sentiam seguros quanto ao seu filho pródigo. Afinal, William Booth parecia John Wesley ressuscitado, viajando de trem ou automóvel, e não a cavalo, pregando ao ar livre para os rejeitados e excluídos, a quem os metodistas, então de expressão respeitável, raramente conseguiam chegar.

William Booth não tinha tempo para jogar críquete ou futebol, nem para atividades simples de lazer. Ele se incomodava com a pobreza, que considerava desnecessária. Seu livro *In Darkest England and the Way Out* ("Na Sombria Inglaterra e o Caminho de Saída", em tradução literal), publicado em 1890, era uma exposição sensata da extensão da pobreza, para quem se interessasse. William e Catherine tinham prática de ajudar pessoas desempregadas a quem faltavam roupas e alimentos adequados. A distribuição de sopa e as refeições a preço baixo tornaram-se marcas registradas do "exército".

A cerimônia do funeral de Catherine Booth, em 1890, em Londres, na arena do estádio Olympia, reuniu 36 mil pessoas e numerosas bandas. Muitos dos presentes relatavam terem sido salvos da pobreza pelo trabalho e incentivo de Catherine. Lá estavam operárias de fábricas de fósforos, os quais recebiam na ponta a aplicação de um produto químico perigoso cuja utilização foi combatida por ela – o fósforo amarelo. Se vivesse mais, Catherine teria sucedido William na liderança da seita global. Ela foi provavelmente a mulher mais importante, até então, na história das Igrejas Protestantes.

A SRA. EDDY E A IGREJA DE CRISTO, O CIENTISTA

Uma das poucas Igrejas grandes fundadas por mulheres surgiu nos Estados Unidos, enquanto o exército da salvação crescia, na Inglaterra. Conhecida como ciência cristã, teve como fundadora Mary Baker Eddy, que apresentava uma característica pouco comum, na época: tinha sido casada três vezes. Insatisfeita com a medicina ortodoxa, que não encontrava solução para suas dores na coluna, ela concluiu que a fé cristã, se aplicada corretamente, representava uma força curativa mais segura do que os remédios mais modernos. Aos 50 e poucos anos, em 1875, ela completou um livro, *Science and Health* (publicado em português como *Ciência e saúde com a chave das Escrituras*), que aos olhos de seus poucos seguidores constituía um complemento vital à leitura da Bíblia. Daí a quatro anos, sua nova seita nascia em Boston.

O prédio simples onde foi instalada – logo substituído por um maior – foi chamado Primeira Igreja de Cristo, o Cientista. As mulheres, em especial, sentiam-se atraídas pela religião, e muitas se tornaram líderes das centenas de novas congregações que rapidamente se espalharam pelas cidades norte-americanas.

A ciência cristã sobreviveu à morte da fundadora, em 1910. Mary Baker Eddy descansa em uma sepultura no cemitério-parque de Boston. Contava-se que ela havia sido sepultada tendo ao lado um telefone, para poder se comunicar, caso acordasse. O telefone provou ser um dos mitos que a acompanharam, na vida e na morte. Com o tempo, o jornal diário de sua igreja, o *Christian Science Monitor*, fundado em 1908, tornou-se talvez a primeira publicação semiglobal. Os cientistas cristãos já possuíam 1,9 mil congregações nos Estados Unidos, e 300 mais na Inglaterra, Canadá, Alemanha e outros países. Seus membros trabalhavam ativamente pelo bem-estar social, em prisões, acampamentos militares e, é claro, hospitais, embora não aprovassem totalmente a instituição. Eles acreditavam que as doenças, na verdade, são curadas pela fé e pela oração, e não pelos médicos.

> MARY BAKER EDDY HAVIA SIDO SEPULTADA TENDO AO LADO UM TELEFONE, PARA PODER SE COMUNICAR, CASO ACORDASSE.

Pela primeira vez as mulheres lideravam vários ramos vibrantes – alguns críticos preferiam dizer "excêntricos" – do cristianismo. Eram poucos os sinais, porém, de que elas teriam a oportunidade de exercer o ministério, e muito menos o bispado, nas principais Igrejas.

CÉU E INFERNO REVISITADOS

Lentamente, espalhava-se entre alguns círculos de protestantes a mensagem de que o inferno não existia. Por 1,5 mil anos ou mais, as pessoas que duvidavam da divindade de Cristo, e que ofendiam seus preceitos grave e frequentemente, eram advertidas de que, depois da morte, sofreriam para sempre terríveis tormentos no inferno. Esse destino assustador aparecia em romances, poemas, esculturas e vitrais, em catedrais e igrejas. O inferno era o tema de milhares de conselhos e de inúmeras citações. Em 1900, porém, milhões de protestantes deixavam de acreditar no castigo eterno e na existência do inferno.

O céu, ao contrário, não seria rejeitado tão facilmente, por tratar-se de uma crença consoladora, reconfortante. A crença no céu se fortalecia na ideia, cada vez mais difundida, de que Deus era amor e perdoaria os pecados com facilidade, e praticamente todos os cristãos encontrariam o caminho do céu. Enquanto o calvinismo insistia em afirmar que o ser humano é egoísta, outra crença tinha se tornado prevalente no protestantismo: as pessoas, em sua maioria, tinham bom coração. Então, por que seriam privadas de um lugar no céu?

Deus, aos olhos de quem acreditava, não tinha motivos para julgamentos severos ou demonstrações de raiva. Tornou-se prática comum, diante de uma tragédia inesperada na família, o fiel perguntar por que Deus estava sendo injusto com ele. Os antigos calvinistas teriam ficado pasmos, ao ouvir tal protesto.

> DEUS, AOS OLHOS DE QUEM ACREDITAVA, NÃO TINHA MOTIVOS PARA JULGAMENTOS SEVEROS OU DEMONSTRAÇÕES DE RAIVA.

O crescente otimismo acerca da natureza humana não chegava a ser uma completa surpresa. Materialmente, o século 19 parecia um milagre, para os povos do Ocidente. Os períodos de fome se reduziram, e quando davam sinais de estarem prestes a começar, navios cargueiros eram chamados de portos distantes, por meio do telégrafo, para abastecer os armazéns. O padrão de vida melhorou, e as novas máquinas a vapor encurtavam as horas de trabalho. Até as guerras ficaram mais curtas, em especial as que aconteciam na Europa.

Essa onda positiva atingiu protestantes e secularistas, antes de alcançar os católicos. Era visível também na Alemanha e, em seguida, nos Estados Unidos. Teólogos luteranos, auxiliados pelas novas ciências e pelo estudo linguístico de palavras-chave empregadas na Bíblia, apoiaram a nova atitude. Sua teologia liberal se fundamentava em uma análise otimista da natureza humana, enquanto, na teologia medieval, essa análise ocupava apenas um espaço mínimo. Parecia que a humanidade podia cuidar de si, com pouca ajuda de Deus. Ao interferir raramente – se é que interferia – Deus se tornava o dono ausente do universo.

QUEM VAI À IGREJA?

A história do cristianismo não compreende apenas a vida dos que se tornaram conhecidos por pregar novas doutrinas. A história do cristianismo trata principalmente do dia a dia de quem praticava – ou não – a religião. Muitos encontravam conforto, inspiração e força; outros se diziam cristãos, mas raramente visitavam uma igreja.

Por volta do ano de 1900, em alguns países desenvolveram-se intensas discussões sobre o recente declínio da frequência dos fiéis às igrejas. O que não se percebia era que as igrejas cristãs, praticamente desde o início, apresentavam altos e baixos na admiração e no entusiasmo do público. Em vários outros períodos tinha havido enfraquecimento da Igreja Cristã, e em alguns, mais evidente do que na Europa do início do século 20.

Em muitas cidades, os pobres pouco frequentavam a igreja, bem como seus pais e avós. Londres, então a maior cidade do mundo, se estendera tanto, que faltavam igrejas em muitos bairros novos. A situação se repetia em Paris e Berlim, mas não em Milão. Milhões de habitantes de países cristãos, tanto no campo quanto nas cidades enfumaçadas, pouco sabiam de religião, e não frequentavam a igreja. No início da década de 1840, uma investigação pública feita em cidades recém-surgidas no norte da Inglaterra revelou a extensão de sua ignorância. James Taylor, um garoto de 11 anos, respondendo ao questionário, jurou jamais ter ouvido o nome de Deus, a não ser nas imprecações dos trabalhadores das minas de carvão. Uma moça de 18 anos revelou não saber quem era Cristo. Crianças que tinham aprendido a rezar a oração do Pai-Nosso antes de dormir recordavam apenas estas duas palavras: "Pai nosso".

Em geral, quem mais frequentava as igrejas era a população de classe média, as mulheres mais do que os homens. Irlandeses e portugueses eram mais assíduos do que franceses, poloneses mais do que suecos, e os habitantes do País de Gales e do condado da Cornualha mais do que os de outras partes da Inglaterra. A frequência à igreja era maior no campo – onde representava um evento ao mesmo tempo religioso e social – do que na cidade. Por outro lado, a América do Norte era uma terra de frequentadores habituais das igrejas.

Em muitas cidades grandes, a silhueta da catedral tinha deixado de destacar-se contra o céu. Um sinal do novo desafio imposto ao cristianismo era a cronologia dos prédios altos. Em 1880, as duas construções mais altas do mundo ocidental eram as catedrais de Colônia e de Rouen. Daí a 30 anos, em Nova York e Chicago, a torre de igreja mais alta, quando vista de um arranha-céu recentemente construído, parecia uma casa de boneca.

No início do século 20, certos cristãos adotaram uma atitude firme em relação ao declínio religioso. Eles quase comemoravam o fato, considerando que, em muitas congregações, as pessoas iam à igreja porque era "moda". Outras frequentavam a igreja por hábito, aprendido com os pais e avós. Alguns críticos afirmavam ser melhor haver cristãos em menor número, mas genuinamente fervorosos.

O APOGEU DO DOMINGO

O domingo sempre tivera uma atmosfera solene, e desde a Reforma, Escócia e Inglaterra baixaram leis que estipulavam o que era proibido fazer naquele dia da semana. Um ato de 1677 proibia as viagens a cavalo ou de barco. Daí a 125 anos, uma mulher em visita a Londres ficou surpresa ao descobrir que aos domingos os teatros e lojas fechavam, a dança estava proibida, e mesmo os jogos de cartas em casa eram vistos com má vontade. E ela não sabia que, em famílias mais rigorosas, até os brinquedos das crianças e os livros ficavam guardados. A visitante, porém, reparou que os trabalhadores do continente consideravam o domingo "um dia maravilhoso", quando podiam ir à igreja, à taverna ou ao teatro, e dançar sob as árvores no verão.

O respeito pelo *sabbath* era especialmente intenso nas colônias britânicas de maioria inglesa ou escocesa. O nordeste dos Estados Unidos, Ontário no Canadá, e Christchurch na Nova Zelândia conheciam o silêncio dominical. Melbourne foi provavelmente a primeira cidade do mundo a priorizar os espetáculos esportivos, mas mesmo lá era proibido praticar esportes nos parques aos domingos, bem como em todas as grandes cidades inglesas e escocesas.

> O RESPEITO PELO *SABBATH* ERA INTENSO NAS COLÔNIAS BRITÂNICAS DE MAIORIA INGLESA OU ESCOCESA.

Em muitas cidades protestantes, o transporte público não operava, os jornais não circulavam, e museus e bibliotecas públicas fechavam aos domingos; comprar e vender era pouco recomendável, e até as visitas aos doentes eram desencorajadas, em especial nas horas do serviço divino. Metodistas, entre outros, recebiam o conselho de não viajar aos domingos, a não ser a pé, de modo que pudesse haver a liberação do máximo possível de funcionários das linhas de trens e bondes, que assim aproveitariam para ir à igreja e descansar.

O respeito pelo domingo parece atualmente tão deslocado, em relação ao desejo de liberdade pessoal, que merece uma melhor explicação. Para muita gente, a religião era o centro da vida, e devia receber prioridade máxima pelo menos em um dia da semana. Uma simples razão física também contribuiu para eleger o domingo como dia de descanso. Antes de 1900, e mesmo um pouco depois, as pessoas, em sua maioria, trabalhavam por longas horas de pé, em seis dias da semana. Como o esforço era mais físico do que mental, elas chegavam à noite de sábado exaustas, ansiosas por um dia de descanso, livre de qualquer trabalho braçal.

Em nações protestantes, as igrejas praticamente monopolizavam a diversão nos domingos. Isso só viria a mudar mais tarde. Na segunda metade do século 20, o domingo no mundo ocidental passou a incluir o carro, o passeio e a televisão. Os católicos seguiram a mesma direção, preferindo assistir à missa nos sábados à tarde, e não nos domingos pela manhã.

CAPÍTULO 27

GOSTO PELA TOLERÂNCIA

Os governos tradicionalmente aceitavam o cristianismo, mas apoiavam apenas um ramo da Igreja. Assim, a Espanha e outros países apoiavam a Igreja Católica; a Inglaterra, a Igreja da Inglaterra; a Dinamarca, a Igreja Luterana; a Rússia, a Igreja Ortodoxa; e a Escócia, a principal Igreja Presbiteriana, mais conhecida como Igreja da Escócia. Na maior parte dos países da Europa, a Igreja oficial detinha o direito formal de coroar e abençoar o novo monarca, na cerimônia de coroação. Foram feitas experiências no sentido de dispensar tratamento igual a Igrejas Cristãs e Judaicas. Só não se sabia qual seria o resultado.

DERRUBANDO ALGUMAS CERCAS

Em 1790, a Irlanda não era governada pelos católicos. Os anglicanos representavam apenas 10% da população, mas controlavam o Parlamento em Dublin e eram donos da maior parte do território. Outros 20% eram presbiterianos, e a maioria deles ocupava a região próxima à Escócia. Os restantes 70% eram católicos, a maioria pobre, sem terra nem direito a voto; pelo menos, eram atendidos pelos padres católicos.

As restrições aos católicos foram eliminadas. A partir do início da década de 1790, eles puderam advogar, servir o Exército como oficiais, frequentar a universidade e votar – se tivessem propriedades – nas eleições para a Câmara dos Comuns da Irlanda.

Nas Ilhas Britânicas, a maior parte das seitas protestantes também tinha suas queixas. Até 1800, os protestantes, tal como os católicos, não podiam ocupar o cargo de primeiro-ministro nem comandar a Marinha ou o Exército. Até 1850, tal como católicos e judeus, os protestantes eram proibidos de ingressar nas faculdades de Oxford e Cambridge. Na Inglaterra, por muito tempo, os *quakers*, batistas e outros protestantes não podiam ter os casamentos celebrados nas próprias igrejas nem pelos próprios pastores. A maior parte dessas formas de discriminação religiosa foi banida das Ilhas Britânicas bem antes de 1900.

Várias outras nações católicas se encaminharam para a neutralidade religiosa. Na França, em 1905, em meio a discussões acirradas, bispos e padres católicos deixaram de receber o apoio financeiro do governo. Depois da proclamação da República, em 1889, o Brasil separou Igreja e Estado, mas permitiu que as instituições católicas mantivessem suas propriedades, no campo e na cidade. Em Portugal, no ano de 1910, um movimento mais agressivo retirou o apoio à Igreja Católica e deportou os padres que se rebelaram.

JUDEUS E OUTROS EXCLUÍDOS

Em toda a Europa, a tolerância avançava aos poucos. Nos Bálcãs, os dirigentes muçulmanos favoreciam maciçamente a própria religião, embora transigissem em alguns aspectos. Os búlgaros, por exemplo, criaram uma dissidência da Igreja Ortodoxa, em 1870. A Rússia fez concessões cautelosas a outros cristãos, e praticamente nenhuma aos judeus, mas permitiu que administrassem as sinagogas, em seus populosos territórios. Em 1830, a França e a maior parte dos principados da Alemanha concederam cidadania aos judeus. A Itália, terra de muitos governos, carecia de uma política uniforme em relação a protestantes e judeus, ambos em pequeno número. Na década de 1840, a universidade de Florença era a única a admitir protestantes. Com o novo anseio italiano de liberdade, os judeus eram vistos com olhos mais amigáveis, especialmente no Piemonte.

A crescente onda de tolerância – saudada como a característica do mundo ocidental nos últimos 150 anos – não é facilmente diagnosticada. Por boa parte de sua história, a Igreja Cristã foi intolerante, bem como suas várias divisões foram intolerantes entre si. Isso refletia o fato de os cristãos considerarem a religião a matéria mais importante do mundo. Eles acreditavam que os credos rivais, por não possuírem a chave correta do céu, privavam os seguidores da oportunidade de compartilhar o dom mais importante de todos: a comunhão com Cristo e a participação no que chamavam de "vida eterna". Eis aí por que, na opinião dos cristãos, tais credos não deviam ser tolerados.

A intensificação da tolerância representa, em parte, um sinal de enfraquecimento das convicções religiosas. Enquanto a humanidade sobreviver, porém, alguns povos sustentarão certezas inabaláveis sobre determinadas questões e ideologias, e essas convicções serão acompanhadas de intolerância.

CRUZADA CONTRA A ESCRAVIDÃO

Por milhares de anos a escravidão foi aceita pelos moralistas. Para os primeiros cristãos, a escravidão fazia parte da condição humana e, pelo que sabiam, sempre havia existido. O Império Romano mantinha milhões de escravos. Santo Agostinho de Hipona afirmou que aqueles escravos tinham vida mais confortável do que muitos pobres. A maior parte das regiões do mundo em algum momento adotou a escravidão. Em 1800, porém, a escravidão branca já não era comum.

Os *quakers* foram provavelmente o primeiro grupo religioso da Europa a condenar abertamente a escravidão, em 1774. John Wesley também condenou a escravidão, afirmando que "o africano não é inferior ao europeu em aspecto algum." Daí a seis anos, do outro lado do Atlântico, a conferência metodista realizada em Baltimore deu um pequeno passo em direção ao repúdio da escravidão, ao decretar que os pregadores itinerantes não deviam possuir escravos. Até então, alguns pregadores usavam um escravo para cuidar do cavalo, que usavam como único meio de transporte.

Os navios que cruzavam o Atlântico carregados de escravos, ligando o oeste da África à costa leste da América, formavam a linha de longa distância para transporte de passageiros mais movimentada do mundo. Em 1820, tinham chegado aos Estados Unidos mais escravos africanos do que imigrantes europeus livres. De maneira semelhante, o Brasil tinha recebido oito vezes mais escravos da África do que imigrantes livres da Europa. Embora provavelmente aqueles escravos tivessem sido capturados por muçulmanos, no continente africano, eram comprados lá por europeus e transportados em navios pelos donos e pelos capitães que se diziam cristãos, e às vezes mostravam-se intensamente religiosos.

Os escravos, em sua maioria pagãos, tornavam-se cristãos nos Estados Unidos. Seu conhecimento da Bíblia se comparava ao do típico americano branco. Em geral, eles preferiam integrar-se aos batistas, metodistas ou a alguma outra seita evangélica em que se adotasse o novo estilo de culto que se expressava pelas batidas dos pés, pelas palmas, pelo balançar do corpo e pelos gritos espontâneos, aos quais o pregador frequentemente respondia. Esse estilo era encontrado em congregações de escravos e em igrejas independentes com pastores negros livres. Provavelmente, a primeira dessas congregações livres foi a Igreja Episcopal Metodista Africana, fundada na Filadélfia em 1816. Os detalhes acrescentados ao metodismo, como os hábitos dos bispos, teriam deixado Wesley satisfeito.

> Os escravos, em sua maioria pagãos, tornavam-se cristãos nos Estados Unidos.

Fanny Kemble era uma das melhores atrizes dos países de língua inglesa, no final da década de 1830, quando visitou pela primeira vez as plantações de algodão mantidas pelo marido na Geórgia. Ao saber que acabara de morrer um rapaz chamado Shadrack, um nome bíblico encontrado no Antigo Testamento, ela foi procurar a família do morto. Encontrou o caixão sobre cavaletes, fora da casa, e um escravo que atendia pelo nome de London, "um pregador metodista bastante inteligente, que parecia exercer influência sobre o grupo" à espera, para conduzir a cerimônia. Os acompanhantes iniciaram o canto com uma nota triste, lamentosa. Então, o próprio London passou a cantar, provavelmente verso a verso, e as pessoas repetiam. Fanny Kemble relatou que a emoção causada pela cena "percorreu todos os meus nervos". Depois de uma oração, durante a qual todos permaneceram ajoelhados sobre a terra batida, o cortejo seguiu em direção ao local do sepultamento por um caminho iluminado apenas pelas tochas e pela luz da maravilhosa lua, que despontava.

Havia algo de profundamente impressionante na cerimônia e na atitude das pessoas. Fanny escreveu a uma amiga: "Como rezei e chorei por aqueles com quem eu rezava!" Não se passou muito tempo, e ela se integrou à cruzada contra a escravidão.

UMA CRUZADA CONTRA A ESCRAVIDÃO

Na década de 1780, alguns anglicanos evangélicos e um grupo de *quakers* inspiraram o movimento que, afinal, aboliu a escravidão no Império Britânico. Eles formaram em 1787 a Sociedade Abolicionista, e sua campanha no Parlamento inglês teve a liderança do jovem William Wilberforce. Daí a 20 anos obtiveram uma vitória importante, com a lei que proibia o transporte de novos escravos para as Índias Ocidentais e outras colônias britânicas, onde dezenas de milhares já trabalhavam em grandes plantações de açúcar, algodão e outras culturas. Estes continuariam, mas não poderiam ser substituídos por outros trazidos da África.

Aos olhos dos abolicionistas, a escravidão ainda representava uma situação vergonhosa, e a cruzada continuou. Possuir e comercializar escravos "é o maior crime que uma nação pode cometer", afirmou T. Fowell Buxton, casado com uma *quaker* e fortemente influenciado pela família dela. Em 1823, em pronunciamento na Câmara dos Comuns, ele disse que "nação alguma sobre a face da Terra foi tão profundamente maculada" pelo crime da escravidão quanto a Grã-Bretanha. Segundo

Buxton, muitos britânicos tremeriam "no dia em que fossem revelados todos os segredos e toda a culpa" – no dia do juízo.

Em 1833, finalmente a escravidão foi abolida nas colônias britânicas, em um triunfo das igrejas Protestantes, mais do que de qualquer outro grupo. O fato pressionou outros países escravagistas. Em 1848, a França acabou com a escravidão em suas colônias, mas navios franceses conservaram a permissão de transportar escravos. Portugal tinha banido a escravidão na maior parte das colônias, mas ainda permitia que seus navios abastecessem de escravos africanos o Brasil, já independente.

Os Estados Unidos haviam eliminado a importação de escravos, que então representavam somente uma pequeníssima fração da força de trabalho, e, em 1865, aboliram a escravidão definitivamente. Em Cuba e no Brasil, a escravidão persistiu até a década de 1880. Em muitas regiões da África e da Ásia, em especial nos países de religião muçulmana, ainda se encontravam escravos, mesmo no século 20.

DEUS ESTARIA SUMINDO OU MORRENDO?

A dúvida representava a maior preocupação, em quase todas as Igrejas. Era como se a razão tivesse subido ao púlpito, agarrado e tentado rasgar a Bíblia.

Os alemães, hoje líderes no campo da Teologia e da Filosofia, comandaram as forças da razão, que foram acrescidas, em 1836, do trabalho de David Friedrich Strauss sobre a vida de Jesus. No livro, Strauss analisava uma por uma as histórias e parábolas do Novo Testamento, em especial as que tratavam de milagres. Como um tornado, ele arrancou árvores dos dois lados de uma estrada antes segura. O livro, traduzido para vários idiomas, impressionou mais os círculos intelectuais do que os congregados reunidos no domingo. Os católicos também pouco se impressionaram.

Pesquisas incansáveis, realizadas por geólogos e biólogos, cada vez mais lançavam dúvidas sobre a consistência de importantes trechos da Bíblia. A crença cristã tradicional era de que todas as criaturas foram feitas por Deus exatamente com a mesma aparência que mostravam então.

O Antigo Testamento descrevia explicitamente a criação do mundo e do ser humano em um período de seis dias de atividade febril. O arcebispo Ussher, um anglicano irlandês, elaborou a cronologia exata da criação. O mundo teria sido criado por Deus em 23 de outubro de 4004 a.C. Na sexta-feira seguinte, Adão e Eva – o primeiro homem e a primeira mulher – apareceram no Jardim do Éden, que se imaginava estar situado em algum ponto do Oriente Médio.

De acordo com essa cronologia, o mundo tinha apenas 6 mil anos. No entanto, pesquisas realizadas por sir Charles Lyell, um cristão, e por outros geólogos britânicos, demonstraram que a configuração de montanhas, mares e planícies sedimentadas tinha evoluído por muito, muito tempo. Em resumo, o Antigo Testamento registrava apenas uma fração da longa história da humanidade.

> O MUNDO TERIA SIDO CRIADO POR DEUS EM 23 DE OUTUBRO DE 4004 A.C.

A essa descoberta somou-se outra, atribuída a Charles Darwin: a humanidade não tinha sido criada em um dia. Na verdade, os seres humanos não surgiram diretamente das mãos de Deus; era mais provável que tivessem evoluído de maneira incrivelmente lenta. E não eram únicos entre as criaturas vivas, mas parentes próximos dos macacos.

Até 1850, essas ideias céticas tinham chegado apenas a uma minoria. A dúvida acerca da história exata da humanidade não passava de uma informação incidental. Além disso, os cientistas céticos desafiavam apenas as primeiras páginas do Antigo Testamento, e não a essência do Novo Testamento. Se o Livro de Gênesis não tinha entrado em detalhes, afirmando simplesmente que Deus tinha criado a Terra e nela introduzido vida, não se justificava tanta discussão sobre a precisão literal da Bíblia.

Havia mais uma questão: versículo a versículo, a Bíblia não era considerada inviolável pela maioria dos teólogos ortodoxos. Havia centenas de anos ela era questionada, sutil ou claramente. A própria Reforma representava um questionamento. Santo Agostinho, por meio das palavras que ditava febrilmente para seus secretários, no norte da África, cerca de 1,5 mil anos antes, tinha desafiado o Livro de Gênesis e sua sequência de eventos. Na Europa, século após século, mais esforço mental foi dedicado a debates minuciosos sobre aspectos do cristianismo, do que a qualquer outro tópico. Para os cristãos, em especial, o caminho da salvação, indicado no Novo Testamento, era infinitamente mais merecedor de atenção do que a história da Terra e de seus habitantes conforme descrita em uma expressiva página do Antigo Testamento.

O cristianismo tinha dominado por tanto tempo todas as áreas do conhecimento – quase todas as primeiras universidades foram criadas por eles – que seus líderes custaram a perceber que, nos novos campos de pesquisa, não dispunham de uma vantagem natural. Os cristãos provavelmente não fizeram questão de enfrentar as bem equipadas forças da ciência. Afinal, os sérios equívocos na cronologia da história da Terra não eram suficientes para abalar suas crenças.

> É TAL O PRESTÍGIO DA CIÊNCIA ATUALMENTE, QUE SUAS FALHAS FORAM ESQUECIDAS.

Cientistas de renome também cometeram erros lamentáveis, ao traçar confiantemente a evolução da natureza. Eles avaliaram muito por baixo a idade da vida na Terra, além de afirmarem que a temperatura global cairia a ponto de o planeta não sustentar a vida. No entanto, é tal o prestígio da ciência atualmente, que suas falhas foram esquecidas, enquanto os equívocos dos líderes cristãos são contados e recontados.

A nova ciência sofria de excesso de confiança. O cristianismo também tinha sido excessivamente confiante, e seus líderes custaram a se convencer de que o terreno onde pisam com segurança é o reino espiritual e invisível, e não o reino físico e palpável.

"CAPITÃO DA MINHA ALMA"

Nem sempre foi a pesquisa científica a causa das incômodas dúvidas que acometiam os intelectuais acerca das doutrinas cristãs tradicionais. Céticos e ateístas já existiam muito antes do nascimento de Darwin. Alguns, porém, hesitavam em revelar sua descrença, por acreditarem que as pessoas comuns devem ser encorajadas a acreditar em céu e em inferno, para que a humanidade não se destrua. A Revolução Francesa tinha demonstrado que a anarquia ressoa logo abaixo da superfície.

Algumas das inteligências mais admiradas das Ilhas Britânicas, da Alemanha e da França disseram abertamente o que pensavam do cristianismo. Entre essas figuras destacam-se os poetas ingleses Matthew Arnold e William E. Henley, cujas poesias já foram reproduzidas até em livros escolares. Foi Henley quem anunciou:

Sou o dono do meu destino,
Sou o capitão da minha alma.

Aos olhos de britânicos e alemães, o cético mais destacado era Thomas Carlyle, um escocês de Ecclefechan, perto da fronteira da Inglaterra. O pai, um profissional talentoso, trabalhava como pedreiro e construtor. A mãe, quando não estava cuidando das crianças, infundia no filho favorito seus pontos de vista sobre a Bíblia. Eles pertenciam à seita *New Light Burghers*, um braço de outra seita, que havia se desligado da poderosa Igreja da Escócia. A congregação se reunia em um prédio simples – de início coberto de palha – que acomodava 600 pessoas, em uma cidadezinha cujo número de habitantes mal chegava ao dobro disso. Muito depois de ter deixado a Escócia, Carlyle ainda se lembrava do pastor Johnstone e da atmosfera devota da igreja simples, mas sempre cheia. Segundo Carlyle, todos os fiéis – provavelmente ele também – foram "iluminados pela autêntica chama, em línguas que vieram do céu".

Expressando seus pensamentos em palavras vigorosas, Carlyle chegou a pensar em ser pastor, mas depois de passar por uma crise religiosa, resolveu tornar-se professor e, buscando o isolamento nas regiões afastadas da Escócia, um autor sério. Ele e a mulher, Jane, se mudaram para uma casa no centro de Londres, a apenas alguns minutos das margens do rio Tâmisa.

O céu não existia mais, mas Carlyle imaginou uma cadeira onde todos teriam de sentar-se e encarar a própria consciência. Embora os textos que escreveu durante sua longa existência tendessem a intensificar a descrença em relação a questões religiosas, Carlyle manteve o respeito pelo espírito da religião. Ele nutria simpatia pelos muçulmanos, que tal como os escoceses simples de Ecclefechan, mantinham uma fé inabalável: "Estes árabes acreditam em sua religião e procuram viver de acordo com ela!"

AS MURALHAS DA DÚVIDA

Hoje é opinião geral que, entre os mais destacados cientistas, muitos nutrem dúvidas religiosas. No entanto, em 1850, a maioria dos cientistas provavelmente acreditava em Deus. Gregor Mendel foi quase tão importante quanto Charles Darwin no estudo das angustiantes questões ligadas à origem e à evolução de novas espécies. A maior parte de suas experiências foi feita com ervilhas, no jardim de um mosteiro perto de Brno, na Europa central. Como monge agostiniano, ele não perdeu a fé.

Ninguém contribuiu mais para desvendar os princípios da eletricidade do que Michael Faraday, e alguns observadores consideram o efeito de suas descobertas mais decisivo do que o efeito causado pelas descobertas de Einstein. Aos domingos, em Londres, ele assumia a posição de ancião em uma seita pouco conhecida – os sandemanianos – que tinha surgido na Escócia pouco antes de Wesley iniciar sua cruzada. Aquela não parecia o tipo de seita capaz de atrair os maiores cientistas do mundo, pois exigia unanimidade de pensamento em questões religiosas, proibindo até que seus seguidores orassem ao lado de seguidores de outras seitas. Sempre exercendo posição de liderança nos círculos religiosos que frequentava, Faraday morreu em 1867, quando as ideias de Darwin já provocavam debates acalorados.

No ano da morte de Faraday, ainda eram pouquíssimas as pessoas dispostas a afirmar em alto e bom som que Deus não existe. Era preciso coragem para fazer isso, e muitos escondiam o fato até da própria família. Para os intelectuais, ficava mais fácil assumir uma posição na relativa segurança de uma universidade alemã ou francesa ou da publicação de um livro em uma grande cidade – o ateísmo era contra a lei, em alguns locais – onde parecia menos provável que se empreendesse uma perseguição.

> A OUSADIA DE REVELAR O PRÓPRIO ATEÍSMO PODIA SIGNIFICAR A NÃO INDICAÇÃO PARA CARGOS PÚBLICOS OU PRIVADOS.

Em alguns países europeus, a ousadia de revelar o próprio ateísmo podia significar a não indicação para cargos públicos ou privados, apesar da capacidade do indivíduo.

Observadores dedicados concluíram que havia um amplo espaço vazio entre o ateísmo e o cristianismo – uma terra de ninguém. Intelectualmente, um lado não conseguia destruir o outro. Os cristãos, fundamentados na fé, na intuição, na imaginação e em um senso de admiração e mistério, costumavam prevalecer em debates sobre o tema em que se sentiam à vontade: religião. Os cientistas, com sua insistência em evidências e avaliações, e sua busca por teorias gerais, por certeza e previsibilidade, em geral se destacavam nas discussões sobre ciência. Quanto à questão mais séria – a existência de Deus – intelectuais cristãos não conseguiam provar que sim, e cientistas não conseguiam provar que não.

O jesuíta francês Teilhard de Chardin descreveu muito bem esse impasse, que parecia eterno. Seu livro *O fenômeno humano*, publicado postumamente em 1959, sustentava que ciência e religião são dois lados do mesmo fenômeno, ambos de importância vital: a busca do conhecimento perfeito. Ainda assim, os dois lados insistiam em que só existe uma verdade, que pode ser enxergada com clareza – desde que se utilize a lente indicada.

Na Inglaterra de 1900, as livrarias demonstravam que o cristianismo continuava a despertar interesse intelectual. Metade dos livros publicados a cada ano tratava de religião. A Igreja Cristã gozava de boa saúde em quase todos os aspectos, mas as verdades nas quais se baseava o cristianismo – que Jesus era filho de Deus, que se levantou do túmulo e que voltaria à Terra para julgar os vivos e os mortos – eram desafiadas cada vez mais frequentemente.

Durante séculos, em um fluxo incessante, pessoas dotadas de ambições ou talentos intelectuais tinham procurado ingressar na Igreja, fazendo dela uma profissão para a vida toda. Na ocasião, porém, muitos jovens que pensavam em fazer o mesmo enfrentaram momentos ou meses de dúvida. O fluxo já não era tão intenso.

CAPÍTULO 28

A VINDA DA LUZ E DAS TREVAS

Muitos observadores que perceberam indícios de declínio no cristianismo em 1900 olhavam mais para a própria nação, o próprio distrito ou o próprio bairro. Se fizessem um passeio pelo mundo, mudariam de opinião. Na História, poucas invasões de ideias se comparam à disseminação global do cristianismo, durante o período de 1780 a 1914, quando se tornou pela primeira vez a maior religião do mundo.

No esforço de conquistar os povos de terras longínquas, os protestantes tinham ficado atrás dos católicos. Naquela época, porém, eles ganhavam a corrida em muitas regiões. Enquanto em 1600 as duas potências coloniais de longo alcance, Espanha e Portugal, eram católicas, 300 anos mais tarde, Grã-Bretanha, Alemanha e Holanda se incluíam entre as mais vigorosas potências coloniais, e os Estados Unidos se preparavam para entrar no grupo. Os quatro eram predominantemente protestantes, e apoiavam seus missionários.

O MUNDO INTEIRO PODE SER CONVERTIDO?

Dezenas de igrejas, seitas e ordens religiosas se uniram no esforço para converter asiáticos e africanos. Parecia a corrida do ouro, e o primeiro a chegar geralmente vencia. As ilhas de Fiji e Tonga, no Oceano Pacífico, foram virtualmente invadidas pelos wesleyanos, enquanto as primeiras visitas à Nova Zelândia couberam a Samuel Marsden, um pastor muito enérgico e severo, estabelecido em Sydney. A Igreja Reformada da Holanda aumentou sua força-tarefa nas ilhas indonésias, e por isso a cidade javanesa de Semarang ostenta uma elaborada igreja calvinista da década de 1750, com seu teto delicado e seu púlpito imponente. É interessante que os morávios, de língua alemã, conquistaram tantas conversões na tropical Guiana Holandesa, que em 1900 formavam o maior grupo religioso de lá.

Várias regiões do leste da Ásia havia muito estavam fechadas aos missionários estrangeiros. Somente em 1858, graças ao Tratado de Tianjin, eles tiveram acesso ao interior da China, que recebeu uma torrente de norte-americanos. Na década de 1870, o Japão foi reaberto a missionários europeus e americanos, que logo foram autorizados a viver permanentemente na Coreia, onde alcançaram mais sucesso do que em qualquer outra região da parte oriental do continente asiático. Os missionários não entendiam por que, em setores da África e da Ásia, eram vistos como cúmplices das potências europeias dominantes, o que fazia voltar-se contra eles um ressentimento disfarçado. Na Coreia, os missionários foram recebidos como aliados contra os japoneses invasores.

Aqueles cristãos dispostos a buscar uma adaptação a terras e povos desconhecidos tinham muito mais possibilidade de ser bem-sucedidos. Hudson Taylor chegou à China em 1866, para instalar a celebrada Missão Interna da China em uma época na qual pastores e padres, em sua maioria, viviam na segurança de Xangai e de outras cidades costeiras. Taylor viajou ao longo dos canais acompanhado da mulher, de quatro filhos, de uma enfermeira inglesa e de pelo menos seis "senhoritas missionárias". Acreditando que missionárias encontrariam mais facilidade para converter as mulheres, ele as aconselhou a vestir roupas chinesas e a adotar costumes chineses. Taylor acreditava no advento de uma era na qual pastores e professores se dirigiriam aos chineses na língua do país e construiriam edifícios de acordo com o estilo nativo de arquitetura, convertendo, assim, todos os chineses.

Essa política foi empregada no oeste da África, onde em 1865 um negro, Samuel Adjai Crowther, se tornou o primeiro bispo anglicano.

A Igreja da Inglaterra demonstrou menos hesitação em apontar um bispo negro do que em indicar um bispo *gay*, o que só aconteceu cerca de um século e meio depois.

Atualmente, muitos povos que vivem nos trópicos se dividem quanto aos méritos da aceitação de uma religião e de outros aspectos da cultura europeia. Nas ilhas do estreito de Torres, entre a Austrália e a Nova Guiné, a chegada de missionários congregacionistas ainda é conhecida como "a vinda da luz" e considerada um ponto de destaque em sua longa história. Antropólogos modernos, porém, veem naquele ponto de destaque a "vinda das trevas", pois lançou uma sombra sobre a cultura local. A discussão vai se estender por muito tempo.

Em 1900, pregadores e professores cristãos tinham alcançado quase todos os territórios habitados do mundo, exceto regiões afastadas da África e trechos das montanhas da Nova Guiné. No Ceilão e em alguns outros locais, eles conseguiram muitas conversões nas classes mais abastadas, mas não no povo. Em partes da Ásia e da África, foram convertidos mais de 5% da população, como resultado dos esforços realizados ao longo do século 19. As Filipinas se mantiveram o país mais cristianizado de todo o sul e leste da Ásia, como um tributo ao trabalho de padres, freiras e monges espanhóis dos primeiros séculos.

> EM 1900, PREGADORES E PROFESSORES CRISTÃOS TINHAM ALCANÇADO QUASE TODOS OS TERRITÓRIOS HABITADOS DO MUNDO.

Em meio a toda essa atividade protestante, os católicos continuaram em suas incursões. A França, cada vez mais presente na África, na Indochina e nas ilhas do Pacífico, no século 19 enviou mais missionários do que todos os outros países católicos reunidos. Heróis católicos continuaram a surgir. Joseph de Veuster, um jovem no final da adolescência, viajou da Bélgica a Honolulu para tornar-se missionário. Ordenado padre em 1864, ele sentia profunda simpatia pelos doentes da ilha Molokai, atacados pela hanseníase. Tendo adotado o nome de

Pai Damião, ele assumiu as funções de padre e líder dos habitantes da ilha. Lá reformou as casas simples da colônia para enfermos, perfurou poços e escavou o solo, para a plantação de vegetais. Chegou até a cavar sepulturas. Sua morte aos 49 anos, causada pelo mal de Hansen, fez dele quase um santo. No período de um ano depois de sua morte, três livros sobre a vida de Joseph de Veuster foram publicados na Europa.

ARMAGEDON

Muitos observadores concluíam, satisfeitos, que o mundo estava encolhendo. Realmente, a primeira década do século 20 tinha assistido à transmissão de mensagens a longa distância sem a utilização de fios e ao voo do avião. Intensificava-se a crença de que as nações se aproximariam e haveria mais diálogo, reduzindo as chances de uma grande guerra. Um conceito mais animador da natureza humana – diferente da tradição católica predominante – era quase a marca registrada do século 19 e da primeira década do século 20.

> AS GRANDES NAÇÕES QUE PRIMEIRO SE ENGAJARAM À PRIMEIRA GUERRA MUNDIAL ERAM CRISTÃS.

Essa foi uma das razões que tornaram tão arrasadora, para as esperanças das pessoas, a guerra que veio em seguida.

As grandes nações que primeiro se engajaram à Primeira Guerra Mundial eram cristãs, com as exceções de Japão e Turquia. Significativamente, protestantes e católicos em grande número lutavam lado a lado, mas também em lados opostos. Eram acompanhados nas batalhas, em terra e no mar, por pastores e padres – os capelães – muitos mortos por estarem na linha de fogo.

A Primeira Guerra Mundial foi também um sinal da franca divisão da cristandade. Em algumas frentes, nações cristãs enfrentavam outras nações cristãs. Nas montanhas do Tirol, católicos italianos lutavam contra católicos austríacos. Na frente ocidental, ao norte da França, protestantes alemães e protestantes britânicos se matavam. Nos Bálcãs e na Europa oriental, um exército de soldados ortodoxos lutou contra outro exército composto sobretudo por soldados ortodoxos.

Alguns líderes cristãos tentaram impedir a guerra. O arcebispo de Canterbury, Randall Davidson, destacado religioso inglês, se mostrara preocupado, cinco anos antes, com a possibilidade de alemães e ingleses se enfrentarem em uma grande guerra. Ele apoiara o envio de uma delegação formada por quatro bispos anglicanos à Alemanha, para encontrar o imperador, o Kaiser Guilherme II, em 1909. Dois anos mais tarde, Londres recebia a visita do famoso teólogo berlinense Adolf Von Harnack, que foi formalmente apresentado por Davidson ao novo rei, Eduardo VII, no palácio de Buckingham. Davidson enfatizou que uma guerra entre Grã-Bretanha e Alemanha, países de longa tradição religiosa, seria "impensável". Em 1914, o impensável aconteceu.

O Vaticano permaneceu neutro. Um mês depois do início da guerra, o papa Bento XV incentivou os católicos de todo o mundo a "fazer tudo o que for possível para dar um fim a esta calamidade". Perto do fim do ano, ele insistiu para que as principais potências envolvidas no conflito declarassem trégua durante o Natal, mas não foi atendido.

Em 1917, Bento XV ainda persistia em seus apelos pelo fim da guerra.

Ao terminar, em novembro de 1918, a Primeira Guerra Mundial deixou 6 milhões de mortos, por enfermidades ou ferimentos. A esmagadora maioria – mais de 90%, provavelmente – se declarava cristã. Diferentemente, quando a Segunda Guerra Mundial terminou, a maioria dos mortos em ação não se incluía entre os cristãos. Muito se criticou o papa, por não ter exigido que Hitler interrompesse a matança de judeus durante a Segunda Guerra. Os críticos talvez não soubessem da inutilidade dessas intervenções papais. Na Primeira Guerra, muitas foram as tentativas feitas pelo papa, de diminuir o sofrimento dos seres humanos, com resultados praticamente nulos.

Na década de 1920, o cristianismo invadiu silenciosamente a vida diária de boa parte da Europa. Até a partida final da copa de futebol, o evento mais importante – enquanto não foi criada a Copa do Mundo – do esporte inglês, foi afetada. No ano de 1923, em Londres, antes do início do jogo entre Arsenal e Cardiff, a multidão de 91 mil espectadores uniu-se para cantar o hino *Abide with me*.

> *Habita em mim;*
> *A noite cai depressa;*
> *A escuridão aumenta;*
> *Senhor, habita em mim.*

A escolha recaiu sobre esse hino por ser o preferido do rei George V, que naquela tarde ocupava a tribuna de honra. A tradição se estabeleceu, e o hino passou a ser cantado todos os anos, década após década, mesmo depois que a maioria dos espectadores deixou de sentir a magia e a melancolia da letra e da música, passando a preferir a movimentação do *rock and roll*.

Em 1923, quando o hino foi cantado pela primeira vez no estádio, um verso deve ter parecido perfeito aos que percebiam o mundo mais frágil do que antes:

> *A vida passa depressa;*
> *Os encantos da Terra se enfraquecem, as glórias desaparecem;*
> *Vejo em volta destruição e ruína.*

Os 150 anos anteriores tinham sido uma idade de ouro para a Europa, que se tornara a parte mais rica do mundo, quase inteiramente dominado pelos europeus. A expansão global do cristianismo deveu muito àquela idade de ouro. A Primeira Guerra Mundial, porém, na verdade uma competição suicida para a Europa e a supremacia global, terminou com dois derrotados: de um lado, a Europa, e, de outro, sua frágil civilização cristã.

CAPÍTULO 29

GUERRA E PAZ

As revoluções de 1917 representaram um golpe desferido nos cristãos russos. Lenin, o primeiro líder da Rússia revolucionária, classificou o cristianismo como "uma das coisas mais odiosas da face da Terra". A Igreja Ortodoxa Russa, conhecida formalmente como Igreja Católica Ortodoxa, era aliada dos czares e do regime czarista, e começou a ser perseguida assim que Lenin assumiu o poder. Em 1918, todos os seminários foram fechados, impedindo a formação de novos padres. Doutrinar menores de 18 anos passou a ser crime. Muitos padres rebeldes foram presos ou mortos. Milhares de igrejas foram transformadas em museus, templos do ateísmo ou depósitos. Na primavera, aves migratórias eram vistas fazendo ninhos e criando os filhotes nas enormes cúpulas arredondadas dos templos vazios.

LEVANTANDO BANDEIRAS CONTRA OS CRISTÃOS

Uma onda de propaganda soviética se voltou contra o cristianismo. Em 1923, proibiu-se a comemoração da Páscoa e do Natal. Grupos de padres foram enviados para campos de trabalhos forçados no litoral do Mar Branco.

Em 1942, depois que a Alemanha invadiu a Rússia, o governo soviético relaxou a campanha contra o cristianismo, na esperança de obter a unidade nacional. A Igreja Ortodoxa Russa foi beneficiada por uma trégua temporária; não haveria incentivos nem perseguições.

Terminada a Segunda Guerra Mundial, mensagens ateístas voltaram a ser disparadas por todo o país e retransmitidas para os novos países comunistas da Europa oriental, inclusive Polônia, Hungria e Lituânia, onde os líderes católicos que não se submetessem ou não ficassem calados eram acusados, humilhados publicamente ou presos.

Em toda a história do cristianismo, houve poucos reveses tão sérios quanto o rápido declínio do catolicismo na Rússia da primeira metade do século 20. Moscou, tendo substituído Constantinopla, herdara uma longa lista de credos e instituições, fruto das divisões da Igreja Ortodoxa.

A agressiva disseminação do ateísmo na União Soviética deixou alarmados muitos cristãos alemães. O que aconteceria a eles e a suas igrejas, se tivessem a terra natal invadida por socialistas radicais ou comunistas? Em meados da década de 1920, o recém-criado partido político de Hitler tornou-se o principal oponente do comunismo, além de expoente do nacionalismo alemão. No final de 1932, em meio a uma grave crise de desemprego, o partido de Hitler obteve 37% dos votos nas eleições nacionais, tornando-se o maior partido independente. Por apreciarem seu nacionalismo, muitos cristãos votaram nele, embora condenassem sua ambição excessiva. Na opinião de Hitler, "ou se é cristão ou se é alemão". Os dois ao mesmo tempo seria impossível.

> A AGRESSIVA DISSEMINAÇÃO DO ATEÍSMO NA UNIÃO SOVIÉTICA DEIXOU ALARMADOS MUITOS CRISTÃOS ALEMÃES.

Depois de assumir o total controle da Alemanha e fechar o Parlamento, Hitler rompeu o acordo e demonstrou seu desprezo pela Igreja Católica, na qual tinha sido criado. Em seguida, provocou a divisão dos protestantes, incentivando os fiéis simpatizantes do nazismo a estabelecerem um ramo do luteranismo. Um grupo de pastores luteranos, que atualmente poderiam ser chamados de "fundamentalistas", rebelou-se contra Hitler, pagando um alto preço por isso.

Os alemães pertencentes a uma seita nascida nos Estados Unidos – as testemunhas de Jeová – também foram declarados inimigos.

Na Alemanha, em apenas cinco anos, o nazismo tinha substituído o cristianismo como credo dominante. Mas o altar do nazismo não ficava dentro de templos. Seus altares eram o povo alemão e a própria Alemanha, com suas florestas, seu idioma e suas tradições. Hitler era o novo Messias.

Na Itália, Benito Mussolini, outro ateu, tomava posse em 1922, com uma demonstração de força, mas sem carregar em volta da cabeça o mesmo halo que iluminava a cabeça de Hitler. Mais pragmático, permitiu que se ensinasse religião nas escolas italianas e aproximou-se do papa. O Vaticano voltou a ser uma cidade-estado, com política exterior própria – sob sérias restrições.

O professor R. H. Tawney, anglicano e socialista, ao estudar as razões da reduzida frequência às igrejas, na Europa, nas décadas entre as duas grandes guerras, chegou a uma conclusão peculiar: "A alternativa à religião raramente é a ausência de religião." Segundo ele, para ocupar o "trono vago", deixado pelas religiões combatidas, o comunismo e o fascismo implantaram uma versão moderna da Inquisição, muito mais ativa e mortal.

SINAIS DA UNIDADE CRISTÃ

Havia a esperança de que, diante da crise, todas as Igrejas falassem a uma só voz. Na década de 1920, a antiga palavra grega "ecumenismo", virtualmente desconhecida da maioria das pessoas religiosas, reapareceu. Referindo-se ao mundo todo ou à Igreja inteira, o termo havia sido empregado 15 vezes no Novo Testamento; tinha história, portanto. Um ferrenho defensor do movimento ecumênico foi Randall Davidson, arcebispo de Canterbury, que em 1922 liderou um ataque ao ateísmo russo. Depois da prisão do patriarca Tikhon, chefe da Igreja Ortodoxa Russa, Davidson organizou protestos que reuniram praticamente todas as denominações britânicas, além de católicos e judeus. Naquela que foi uma das maiores demonstrações de solidariedade cristã vista na Europa desde o início da Reforma, o movimento talvez tenha livrado o patriarca russo de uma longa temporada na prisão.

Se era complicado reunir as Igrejas europeias uma vez, como não seria fazer isso regularmente? Em 1921, um cardeal francês organizou uma conferência com outros cristãos, e, em 1925, aconteceu em Estocolmo uma conferência mundial de Igrejas Protestantes. Outros encontros se seguiram, mas o avanço era difícil, com a Europa religiosa e politicamente dividida.

Um notável gesto de fraternalismo cristão abraçou os judeus. O patrono foi Arthur James Balfour, filósofo nascido em uma rica família escocesa e que, por três anos, exercera o cargo de primeiro-ministro. Combinando conhecimento profundo a uma prosa agradável e brilhante, ele escreveu *Foundations of Belief* ("Fundamentos da Crença", em tradução literal), uma defesa convincente do cristianismo. Em 1917, ele usou a posição de ministro das relações exteriores para convencer colegas a permitirem que a Palestina, uma vez retomada em segurança ao Império Otomano, se transformasse em pátria dos judeus. Com esse plano, Balfour esperava também persuadir os judeus, que considerava influentes no governo revolucionário da Rússia, a manter o apoio à Grã-Bretanha nos últimos estágios da guerra.

A ideia de Balfour representou o lento começo para o estabelecimento da atual nação de Israel, embora não fosse inteiramente prática. Quando ele morreu, em março de 1930, recebeu dos judeus homenagens extraordinárias. Eles precisariam de um refúgio, quando a turbulência se espalhasse pela Europa.

A SEGUNDA GUERRA MUNDIAL E O HOLOCAUSTO

A guerra começou em setembro de 1939, quando Hitler invadiu a Polônia. Em 1940, a maior parte da Europa ocidental estava ocupada, e em junho de 1941 ele entrou na União Soviética. Em dezembro, forças japonesas começaram a rápida conquista das colônias britânicas, francesas e holandesas do sudeste da Ásia. Ao mesmo tempo, os Estados Unidos entravam na guerra, depois de sofrerem os ataques aéreos dos japoneses a Pearl Harbor e às bases norte-americanas nas Filipinas. Tratava-se de uma guerra global, que se estenderia até 1945.

Ao intensificar-se, a guerra se tornou um espelho na natureza humana. O que o ser humano tem de melhor e de pior vinha à tona, mas o pior ficava incrivelmente nítido.

Em 1941, Hitler, que havia muito nutria um ódio terrível pelos judeus, resolveu aproveitar a oportunidade para eliminar os que ainda viviam na Europa. Ele acreditava equivocadamente que os judeus eram responsáveis pela derrota e pela ruína da Alemanha na Primeira Guerra Mundial. O extermínio foi uma das decisões mais cruéis já tomadas.

> O CRISTIANISMO NÃO ESCAPARIA DE UMA RESPONSABILIZAÇÃO INDIRETA PELO TERRÍVEL HOLOCAUSTO.

As crianças, os adultos, os muito velhos e os muito jovens – ninguém foi poupado. Foram massacrados não somente os judeus habitantes da Alemanha, que eram relativamente poucos, mas também os que viviam na Polônia, Áustria, França, Holanda e em outras nações. Ao todo 5 milhões de judeus foram assassinados com eficiência científica.

Para a civilização ocidental, representou uma autoflagelação. Os judeus, proporcionalmente à sua população, tinham quase com certeza provado ser o povo mais criativo e talentoso do mundo, nos cem anos que separam 1840 e 1940. Ali estava uma civilização que se mutilava em meio a uma guerra terrível.

O cristianismo não escaparia de uma responsabilização indireta pelo terrível Holocausto. Judeus e cristãos tinham sido rivais – e às vezes inimigos – por longos períodos. Além disso, alguns cristãos tradicionalmente acusavam líderes judeus pela crucificação de Cristo, embora evidências tenham sugerido que os dirigentes romanos foram os maiores responsáveis. Ao mesmo tempo, os cristãos estavam plenamente conscientes de suas dívidas em relação aos judeus. Os cristãos consideravam igualmente santo o Antigo Testamento, o livro sagrado das sinagogas. As duas religiões tinham muito em comum. No entanto, sempre vai pesar a acusação de que católicos e protestantes de muitas nações, bem como os judeus que viviam nos Estados Unidos, podiam ter prestado mais ajuda e conferido mais visibilidade aos judeus durante seu flagelo na Europa de Hitler.

A lição foi aprendida. Nos 40 anos seguintes, cristãos e judeus estariam tão próximos como provavelmente nunca estiveram em qualquer outro tempo, desde o meio século que se seguiu à morte de Cristo.

As duas guerras mundiais e o papel desempenhado pela Alemanha nos dois eventos chocaram quem tentava analisar com imparcialidade a civilização ocidental. Um século de visível progresso terminava em destruição, mortes e atrocidades em uma escala jamais imaginada. Aos olhos de muitos observadores neutros, em 1900 a Alemanha era a nação mais civilizada do mundo. Na música, os alemães mantiveram por vários séculos a liderança no Ocidente, e estavam entre os melhores nas áreas de Literatura, Arquitetura, Pintura, Ciências Sociais e, em especial, na área de Ciência e Tecnologia.

> AOS OLHOS DE MUITOS OBSERVADORES NEUTROS, EM 1900 A ALEMANHA ERA A NAÇÃO MAIS CIVILIZADA DO MUNDO.

Em religião, os alemães haviam estabelecido uma tradição impressionante. A Reforma começou na Alemanha, e no século 19 os teólogos alemães assumiam novamente a dianteira. O dr. Albert Schweitzer, uma das mentes mais capazes do século 20, afirmou que, quando a poeira e a comoção baixassem, "a teologia alemã vai se destacar como um notável e único fenômeno na vida material e espiritual do nosso tempo." Segundo ele, somente o temperamento alemão possuía a combinação de forças intelectuais e emocionais – inclusive senso crítico e sentimento religioso – capaz de produzir tais resultados. Essa era a mesma Alemanha que, menos de um quarto de século depois, começaria a revelar, pela própria conduta, como era frágil a civilização europeia, e como eram delicados os fundamentos cristãos sobre os quais ela se assentava. Talvez a Segunda Guerra Mundial tenha sido menos uma acusação ao cristianismo do que um meio doloroso de nos fazer lembrar sua mensagem básica.

O MUNDO ENCOLHE

O cristianismo nasceu em uma era na qual comunicação e transporte eram coisas simples. Cristo e os discípulos iam a pé a toda parte. Montar um cavalo ou sentar-se em uma carroça eram experiências raras para eles. Jesus nunca atravessou um oceano, embora chegasse a entrar em um barco de pesca. Durante cerca de 1,9 mil anos, sem a ajuda de recursos eletrônicos, os professores deram aulas e os pregadores discursaram, se bem que estes últimos sabiam projetar a voz a longa distância. De repente, um atrás do outro, surgiram cinema, rádio, gramofone, microfone, televisão, transmissão a cabo, satélite.

Os novos portadores de mensagens ajudaram o cristianismo, mas favoreceram ainda mais os seus oponentes, ao espalhar a mensagem do consumismo.

Por influência do rádio e da televisão, muita gente se sentia mais inclinada a tomar um refrigerante do que a receber a santa comunhão.

O primeiro avião verdadeiro foi inventado por dois irmãos, nascidos em uma família americana muito religiosa – a família Wright. Filhos de um bispo da irmandade, eles não imaginavam como sua invenção afetaria o cristianismo, bem como a praticamente todas as instituições que existem. Talvez o primeiro pastor cristão a utilizar sistematicamente uma aeronave tenha sido John Flynn, um presbiteriano, fundador da Missão Interna Australiana. Sua intenção era levar a mensagem cristã aos criadores de gado em regiões distantes e aos trabalhadores das minas. De início, Flynn viajava sobre camelos, e mais tarde em veículos motorizados muito simples, até que, em 1928, alugou uma pequena aeronave da Qantas, uma empresa de aviação australiana, para lançar o *Flying Doctor* (Médico Voador), um serviço médico que atualmente cobre mais da metade do continente australiano. Assim se falou dele em 1951, ano de sua morte: "Em lugares isolados da Terra ele plantou bondade."

Os líderes protestantes sabiam que o mundo estava cada vez menor, e queriam tirar proveito disso. O trem, o navio, o avião permitiam o transporte entre lugares remotos e grandes cidades. Em agosto de 1948, eles se encontraram em Amsterdã, para a criação do Conselho Mundial de Igrejas. Seu lema saiu das sombras da guerra: "A desordem do homem e o projeto de Deus". Compareceram representantes de 44 países. Juntos, eles caminharam sobre as pegadas de Lutero, Zuínglio e outros protestantes rebeldes que concordaram em se reunir – mas não aceitaram um segundo encontro – em Marburg, menos de uma década depois de iniciada a Reforma.

De início, os católicos não participaram do Conselho Mundial de Igrejas nem mandaram observadores oficiais. Já que ocupavam o posto de maior Igreja do mundo, não viram necessidade de correr para fechar uma brecha aberta pelos outros. Algumas seitas cristãs fundamentalistas, em especial aquelas estabelecidas nas Américas, também se recusaram a participar, mas os alemães pareciam satisfeitos em estar ali, embora carregando, em nome do povo, um sentimento de culpa pela guerra. As Igrejas Ortodoxas demonstravam atitudes diversas. Com a intensificação da Guerra Fria, os debates revelavam tensões entre os delegados da Europa oriental e da América. Destes últimos, um dos palestrantes era o presbiteriano John Foster Dulles, que cinco anos mais tarde se tornaria secretário de Estado norte-americano, e um feroz inimigo da Guerra Fria.

Embora simbolizasse uma união mediana, a conferência de Amsterdã foi uma experiência enriquecedora para os que dela participaram. O relatório final mostrava humildade de espírito: "Começamos o trabalho no Conselho Mundial de Igrejas, em penitência pelo que somos e com esperança no que vamos ser." Os participantes não esperavam apenas a unidade futura, mas um renascimento do verdadeiro cristianismo. "A unidade só é válida quando se apoia na verdade e na santidade."

O LESTE VERMELHO

Se os primeiros anos depois do fim da Primeira Guerra Mundial registraram a rápida disseminação do ateísmo na nova União Soviética, a disseminação foi ainda mais rápida depois do término da Segunda Guerra Mundial. Em 1945, as forças russas ocupavam o leste europeu, onde permaneceriam por quase meio século.

Naquela vasta extensão do território ocupado, a maior parte das Igrejas Cristãs foi transformada em instituições menores. Os prédios de quase todas as escolas e de muitos templos foram fechados, perdendo o tradicional papel nas grandiosas cerimônias públicas. Os jovens, em especial os mais ambiciosos, perceberam que o caminho do sucesso estaria bloqueado para eles, na profissão ou em cargos públicos, caso se tornassem fiéis ardorosos. Além disso, as escolas ensinavam os méritos do ateísmo.

> EM 1949, A VITÓRIA FINAL DOS COMUNISTAS NA GUERRA CIVIL DA CHINA EXPANDIU BASTANTE A ZONA ANTICRISTÃ.

Na Lituânia, os padres, em sua maioria, estavam presos ou tinham sido deportados. Na Hungria, em 1949, o cardeal Mindszenty foi condenado à prisão perpétua, e na antiga Tchecoeslováquia o arcebispo foi confinado em local não revelado. Em determinada ocasião, 8 mil monges e freiras ocupavam as prisões. Na Polônia, um dos países mais católicos da Europa, o governo comunista e a Igreja discordavam frequentemente, mas a Igreja conservou o apoio público.

Em 1949, a vitória final dos comunistas na guerra civil da China expandiu bastante a zona anticristã, que passou a ir de Berlim a Xangai, e da foz do rio Danúbio à foz do rio Pérola.

A China tinha sido objeto de intensa, mas não vitoriosa, atividade cristã. Em 1949, as escolas católicas atendiam cerca de 5 milhões de estudantes chineses, enquanto hospitais e médicos católicos cuidavam de 30 milhões de pessoas, mais ou menos. Quando escolas e hospitais passaram para as mãos do governo, e a maior parte das igrejas foi fechada, padres, pastores, freiras e médicos missionários regressaram ao país de origem. Em sua maioria, eram americanos e canadenses, que partiram tristes.

Em todo o mundo, os cristãos tinham razões para se perguntarem por que a idade de ouro tinha chegado ao fim. Além de terem deixado de ser uma religião global, novas vitórias comunistas em breve os excluiriam da Coreia do Norte e da Indochina.

VATICANO II

Até a década de 1940, a Igreja Católica reunia mais povos e terras do que qualquer outra instituição na história. Apesar de controlada por europeus, no início da década de 1960, metade de seus 2,8 mil bispos viviam fora da Europa, e a maioria era constituída de latino-americanos, africanos e asiáticos.

Como administrar uma enorme instituição global como aquela, em um mundo que passava por mudanças drásticas? Era preciso mudar, mas o excesso de transformações prejudicaria a continuidade, que era uma força secreta da Igreja.

No Concílio Vaticano II, que se reuniu entre 1962 e 1965, foram feitas mais mudanças do que em qualquer outra conferência, desde o Concílio de Trento, quatro séculos antes. O latim foi eliminado da liturgia, substituído pela língua local ou nacional, repetindo na Santa Sé a reforma implementada por líderes protestantes e ortodoxos. A decisão agradou aos fiéis que não entendiam latim, mas para os tradicionalistas foi um choque.

Na missa, o padre passou a ficar de frente para as pessoas; até então, ele ficava de costas para a assistência e de frente para o altar. Foi admitido um novo tipo de música, mais leve; muitos lamentaram que o som das guitarras tomasse o lugar do órgão de tubos, e que as canções interpretadas por entusiásticos adolescentes substituíssem melodias compostas pelos mais nobres músicos italianos e austríacos.

A relação de livros proibidos – uma ladainha de pecados impressa – foi proibida e recolhida aos arquivos. Uma regra que muitos católicos já consideravam estranha e superada – comer peixe em vez de carne toda sexta-feira – foi abandonada. A liberação do casamento entre católicos e protestantes recebeu aplausos, pois deixou de significar a excomunhão dos noivos.

A incômoda questão abordada no século 16 – se os padres devem se casar – voltou a ser debatida. Na África, muitos padres locais constituíram família, a despeito das regras da Igreja. Na Europa e na América do Norte, uma minoria católica fez questão de afirmar que considerava antinatural os padres viverem em celibato. O papa se recusou a ceder. Talvez nunca tenha havido um êxodo tão intenso de padres, monges e freiras da Igreja Católica.

Depois do encerramento formal do Concílio Vaticano II, formou-se uma grande comissão de religiosos e leigos – homens e mulheres – para discutir se casais católicos deviam adotar métodos de controle de natalidade, já liberados pelos protestantes. A comissão católica decidiu recomendar a visão moderna, mas o papa vetou. Na Itália, no entanto, o controle de natalidade é praticado tão rigorosamente, que em 2010 foi uma das primeiras nações europeias a apresentar crescimento zero de população. Essa foi uma das raras ocasiões em que uma decisão papal acerca da vida diária se viu francamente desafiada.

A série de reuniões gerou um acontecimento notável: o encontro de amigos havia muito tempo separados. Em Jerusalém, no ano de 1964, o papa de Roma e o patriarca de Constantinopla – a cidade tivera o nome mudado para Istambul – se encontraram. O último contato pessoal dessas duas autoridades tinha sido em 1439. Foram cinco séculos sem se cumprimentarem.

Em cada século, uma voz se ergueu para conclamar os cristãos a valorizar a unidade. Por outro lado, muito do vigor e da longevidade do cristianismo resultava da vontade de questionar e inovar, bem como da disposição demonstrada pelas novas seitas, de se separarem e caminharem sozinhas.

CAPÍTULO 30

DESAFIOS

Em 1900, ninguém poderia prever o rápido declínio da Europa como coração do cristianismo. Mesmo hoje, é difícil reconhecer esse declínio, apesar das fortes evidências. Um dado estatístico revela o surgimento de um novo mundo cristão: mais da metade das pessoas que receberam o batismo católico em 1999 vivia na América Latina e na África. No protestantismo, nota-se a mesma redução da importância do papel exercido pela Europa.

UMA TORRE DE VIGIA NA ÁFRICA

Na década de 1920, as regiões cristãs da África se tornaram mais dinâmicas espiritualmente. Novos grupos formados por pastores e professores cristãos, médicos e enfermeiras chegaram às colônias alemãs tomadas pela França e pela Grã-Bretanha ao fim da Segunda Guerra Mundial. Dos Estados Unidos e do Canadá chegaram mais missionários católicos e protestantes. Ainda mais influentes foram alguns cristãos nascidos na África: eles simplificaram a teologia que haviam aprendido, acrescentando crenças e costumes tradicionais.

Uma seita surgida nos Estados Unidos sob a denominação de *Watchtower Bible and Tract Society* – mais tarde chamada de Testemunhas de Jeová – entraria com passos firmes no território africano. Fundada em 1872 por Charles Taze Russell, um jovem negociante de tecidos de Pittsburgh, estudioso da Bíblia, a nova seita se apoiava em uma profecia simples, segundo a qual Cristo retornaria à Terra secretamente, e o mundo, tal como era então conhecido, chegaria ao fim em 1914. Só se salvariam os seguidores da seita. Esses seguidores apresentavam muitas características encontradas em religiões puritanas menores: crença na veracidade de todas as palavras da Bíblia, opção pelo batismo na idade adulta e nenhuma comemoração especial pelo Natal e pela Páscoa. Eles não participavam da sociedade civil, recusando-se a votar nas eleições e a cumprir obrigações militares quando a nação participasse de uma guerra. Segundo eles, os governos pertencem ao reino de Satã.

A crença na segunda vinda de Cristo e a previsão de que ele logo chegaria atraíram muitos seguidores no centro e no sul da África. Ninguém contribuiu mais do que Joseph Booth, um inglês, para levar àquele povo a mensagem da *watchtower* (torre de vigia). Booth era um itinerante, tanto na vida quanto nas opiniões religiosas. Filho de unitariano e anglicana, ele emigrou para a Nova Zelândia, e daí para Melbourne, onde em um bairro atualmente de predominância batista, debatia semanalmente com um ateu. De volta ao hemisfério norte, em 1906 sentiu-se atraído pela instigante mensagem de Russell – Cristo vai voltar – levando-a para a Cidade do Cabo.

> As Testemunhas de Jeová chegaram a um nível de prestígio e influência jamais alcançado.

Como os líderes da torre de vigia eram contra todo tipo de governo, atraíram africanos descontentes com ingleses, franceses e outros colonizadores, que representavam trabalhos forçados e pagamento de impostos. O próprio Booth criou o lema "A África para os africanos", que os habitantes locais logo adotaram, acrescentando outros. Durante a Primeira Guerra Mundial, os líderes religiosos tomaram parte em rebeliões contra o governo britânico, em Naiassalândia e Zâmbia, embora sem resultado.

As Testemunhas de Jeová, cada vez mais independentes, chegaram a um nível de prestígio e influência jamais alcançado pela seita em qualquer estado americano.

DOWIE E SUA ZION

John Alexander Dowie foi, indiretamente, rival de Booth. Mais ou menos com a mesma idade, ele havia emigrado da Escócia para a Austrália, tornando-se ministro congregacional em duas cidades pequenas na planície de Adelaide. De lá, em rápida sucessão, chegou às igrejas e aos tabernáculos de Sydney e Melbourne. Enérgico e instigante, baseava seus sermões em um vasto conhecimento da Bíblia e na força da voz. Depois de se mudar para os Estados Unidos na década de 1890, fundou perto de Chicago sua cidade de Zion, junto ao lago. Lá não se permitiam cervejarias, tabacarias, salões de jogos nem hospitais: fé e oração eram os verdadeiros remédios. Também não havia teatros, pois Dowie não os considerava necessários; sob o nome de Elijá, ele mesmo instruía e divertia a enorme congregação. A mídia ficava fascinada. Ele foi traído pelo próprio carisma.

Em 1904, Dowie causou comoção, ao afirmar que via com bons olhos o casamento de brancos e negros. Isso tornou sua seita ainda mais aceitável na África do Sul, onde foi inaugurada a primeira igreja ao estilo Dowie. Os africanos responderam bem, em especial nas cidades, e as igrejas independentes de Zion surgiram às centenas.

> A IGREJA CRISTÃ DE ZION FOI FUNDADA EM 1910 COMO RESULTADO DE UM SONHO.

Daquelas, a mais influente – a Igreja Cristã de Zion – foi fundada em 1910 por Ignatius ou Engenas Lekganyane, como resultado de um sonho. O templo e a cidade sagrada instalados por ele ao norte de Transvaal viriam a tornar-se a meta de uma das maiores peregrinações do mundo. Os ônibus e carros – entre eles o Rolls-Royce do fundador – que transportavam cerca de 1 milhão de fiéis causavam enormes engarrafamentos na época da Páscoa.

O pastor Lekganyane copiou boa parte de sua teologia e algumas estratégias de *marketing* da cidade de Zion, e aprendeu também com o movimento pentecostal. Seu desprezo pelo álcool, pelo fumo e pela liberdade sexual eram tipicamente puritanos. Preocupado com a violência, era simpático ao povo judeu e a Nelson Mandela em sua luta política. O ritual de domingo incluía manter portas e janelas da igreja fechadas, até o momento de começar o sermão.

William Blake, poeta e artista, despertou a imaginação do povo inglês, ao descrever uma possível visita de Cristo à Inglaterra:

> *Teriam aqueles pés, em tempos antigos,*
> *Caminhado sobre as verdes montanhas da Inglaterra?*
> *Teria o Cordeiro de Deus*
> *Sido visto nos belos campos ingleses?*

Tal como os mórmons na América do Norte, os líderes da Igreja Cristã de Zion, na África do Sul, acreditavam que "aqueles pés, em tempos antigos," tinham pisado o solo de sua terra natal. Acreditavam também que seu líder supremo na África era um canal espiritual através do qual os fiéis podiam chamar a atenção de Deus. No início do século 21, um quarto da população negra da África do Sul pertencia às várias seitas de Zion.

OUTROS MESSIAS AFRICANOS

Na terça parte mais ao norte do território africano, os muçulmanos dominavam, mas os cristãos, com mais liberdade para fazer adaptações, eram mais fortes no sul. Simon Kimbangu, filho do líder de uma religião tribal no Congo Belga (atual República Democrática do Congo), foi convertido ao cristianismo por missionários batistas ingleses em 1915. Ele fundou uma religião própria, mas passou muito tempo preso, por causa de questões políticas. Atualmente, sua "Igreja de Jesus Cristo na Terra" conta com cerca de 4 milhões de seguidores, sobretudo no Zaire e em Angola, e faz parte do Conselho Mundial de Igrejas.

Perto das minas de cobre, um missionário belga chamado Placide Tempels estudou atentamente as religiões locais, e começou a traduzir, fazendo adaptações, as ideias franciscanas para a cultura da África central. Logo depois da Segunda Guerra Mundial, milhares de africanos se uniram ao movimento, chamado *jamaa*, que significa "família" no idioma do povo suaíle. No Quênia, cristãos recentemente convertidos, no intuito de preservar antigos costumes, inclusive a poligamia, criaram seitas próprias. Quando missionários tradicionais argumentavam com os nativos, dizendo que não poderiam manter três mulheres e, ao mesmo tempo, um relacionamento especial com Cristo, a resposta era firme: "Damos conta de tudo."

Em muitos campos missionários, duas versões do cristianismo disputavam espaço: uma tentava manter costumes, símbolos, rituais, regras, hinos, interpretações bíblicas e comportamentos sociais levados por padres e freiras da Europa, e pastores dos Estados Unidos; a outra procurava adaptar o cristianismo à cultura de cada região africana. Centenas de seitas e igrejas independentes surgidas na África combinavam religiões tribais e movimentos políticos locais a preceitos do Novo Testamento. Afinal, os primeiros cristãos na Europa tinham adotado a mesma estratégia para adaptar a festa de Natal.

LÍNGUAS DE FOGO

Na América Latina, o protestantismo começou a desafiar o catolicismo, por tanto tempo dominante. No início do século 20, um grupo de jovens dinâmicos estiveram nos Estados Unidos, onde entraram em contato com o movimento pentecostal, que surgia em Los Angeles. Os jovens se sentiram revivendo a cena em que o Espírito Santo desceu sobre os apóstolos em Jerusalém, no dia de Pentecostes, levando-os a falar em línguas até então desconhecidas para eles.

No porto de Valparaíso, em 1908, no lugar de uma capela recentemente destruída por um terremoto, foi inaugurada a maior igreja metodista do Chile, com capacidade para mil pessoas. Willis Hoover, pastor daquela igreja, em uma visita aos Estados Unidos, quatro anos antes, tinha conhecido o novo movimento pentecostal, que levou para o Chile. Na véspera do Ano Novo, como de hábito, a congregação se reuniu na igreja recém-inaugurada cerca de uma hora antes da meia-noite. Na ocasião, Hoover incentivou os fiéis a se ajoelharem e rezarem em voz alta, um por um. "Mas não foi o que aconteceu daquela vez", ele contou. "Todos começaram a rezar ao mesmo tempo em voz alta, como se tivesse sido combinado." Ao contrário, Hoover insistiu, não havia plano algum. Quase todos os presentes concordaram que tinha sido obra do Espírito Santo.

O culto emocionante se espalhou para as congregações menores que havia por perto. As pessoas começaram a falar em línguas que pareciam estranhas ou inventadas, e não apenas durante a oração, mas também no canto, que é uma das atividades mais disciplinadas dos metodistas. Meninos, meninas e mulheres normalmente tímidas "falavam com uma força impressionante". Quem estava por perto às vezes chorava ou tremia. Para os fiéis mais tradicionais, era o caos emocional. Eles não se conformavam, nem mesmo diante da explicação de que talvez se tratasse de uma versão mais barulhenta das reuniões de Wesley e Whitefield.

> O BRASIL ATRAIU SUA COTA DE PREGADORES PENTECOSTAIS, EM ESPECIAL DA ASSEMBLEIA DE DEUS.

Dezenas de Igrejas Pentecostais foram fundadas no Chile. A espontaneidade e o vigor da oração, da pregação e do canto atraíam os fiéis. O novo movimento às vezes apelava ao patriotismo, e a palavra "nacional" frequentemente integrava os nomes das igrejas. Quando as pessoas migravam de regiões rurais para as cidades populosas e indiferentes, as igrejas pentecostais ofereciam solidariedade e orientação.

Como o mais populoso país da América Latina, o Brasil atraiu sua cota de pregadores pentecostais, em especial da Assembleia de Deus, uma seita que então surgia.

Os cidadãos brasileiros logo aceitaram o movimento. A partir da década de 1960, as conversões aconteciam com uma frequência impressionante. Era fácil abrir uma Igreja Pentecostal. Aquela versão espartana do cristianismo não precisava de cruzes, altares, tapetes, assentos confortáveis nem instrumentos musicais. Para os assentos, 50 caixas de madeira e 20 cadeiras simples de plástico. Até o púlpito ou a estante eram opcionais, pois a maioria dos pastores falava sem consultar anotações. Centenas dessas igrejas foram instaladas na sala da frente das casas, em lojas e cinemas desativados, pequenos depósitos e galpões para reparos mecânicos em veículos. Os pobres se sentiam à vontade em templos improvisados, onde não era preciso vestir roupas boas. Que eles talvez nem tivessem.

Milhões desses novos fiéis se convenceram de que Cristo estava por perto todos os dias da semana, da manhã à noite. Os que liam os relatos dos apóstolos acreditavam em um tempo – que podia ser enquanto estivessem vivos ou daí a séculos – quando "o sol escureceria", e Cristo voltaria a reinar na Terra. Eles se sentiam parte de um dinâmico movimento de massa que conquistaria o mundo. Os pentecostais provavelmente acrescentaram ao protestantismo mais seguidores do que a Reforma original tinha atraído durante o meio século dominado por Lutero, Zuínglio, Calvino e Henrique VIII da Inglaterra. Na era do jato, os estudiosos europeus, de olhos voltados apenas para a região onde viviam, inclinavam--se a imaginar os protestantes perdendo terreno, em igrejas meio vazias. A América Latina e a África, no entanto, provaram o contrário.

> OS PENTECOSTAIS ACRESCENTARAM AO PROTESTANTISMO MAIS SEGUIDORES DO QUE A REFORMA ORIGINAL TINHA ATRAÍDO.

OS JESUÍTAS E A TEOLOGIA DA LIBERTAÇÃO

Na América do Sul, na década de 1960, muitos católicos transmitiam a nova mensagem. Eles afirmavam que os pobres – a principal preocupação dos ensinamentos de Cristo – estavam negligenciados pela Igreja. Em nome da "Teologia da Libertação", eles releram as mensagens dos santos, descobrindo palavras esquecidas e significados ocultos. Chegaram até a perceber no elegante Erasmo de Roterdã um amigo dos pobres no século XVI.

Liderados sobretudo por jesuítas, muitos padres e professores católicos expressaram simpatia pelos negros, cujos ancestrais chegaram ao Brasil e ao Caribe como escravos. A distância entre ricos e pobres, e a dolorosa miséria dos muito pobres, representavam um terreno fértil para os comunistas, mas também para os padres radicais. Na Colômbia, o padre Camilo Torres se juntou às forças de guerrilha, "como sinal de verdadeiro amor cristão", segundo as palavras de um jesuíta. Em 1966, Torres foi morto em combate.

Dois anos mais tarde, em uma conferência realizada em Medellin, na Colômbia, bispos católicos acusaram as nações ricas do Ocidente de roubarem as populações pobres, não alfabetizadas e doentes do Terceiro Mundo. Eles apontaram como problemas da América Latina a violência, as tensões sociais, as doenças, as grandes diferenças entre ricos e pobres, e a falta de direito ao voto. "A América Latina parece viver sob o trágico pecado do subdesenvolvimento". Com uma mistura de ideias marxistas e jesuítas, o relatório convoca o povo e suas Igrejas a libertarem as nações. A mensagem contrariava Roma, que por mais de meio século tinha combatido o comunismo na Europa.

A revolução na Nicarágua, no ano de 1979, foi alimentada por mensagens marxistas e liberalistas. Quando o novo governo sandinista assumiu, padres católicos ocuparam cinco ministérios do gabinete. Na vizinha El Salvador, o arcebispo Romero criticou severamente os governantes militares. Em 24 de março de 1980, ele fazia um discurso reivindicando "justiça e paz para o nosso povo", na capela de um hospital, na capital São Salvador, e preparava-se para rezar missa, quando foi morto por um homem armado. Tanto sua morte quanto seu funeral ficaram marcados na memória do povo. Uma multidão acompanhou o cortejo, e 40 pessoas morreram pisoteadas.

Católicos liberalistas nicaraguenses instituíram um credo radical: "É imperativo que se revolucione a sociedade, qualquer que seja o sistema ou regime. É imperativo também revolucionar constantemente a própria Igreja, para que se torne cada vez mais evangélica." O Brasil, na posição de país mais populoso da América Latina, em vias de se tornar a segunda maior nação cristã do mundo, representava a chave do sucesso daquele credo. Um de seus teólogos radicais, o bispo Pedro Casaldáliga, estava disposto a desafiar Roma. Em 1988, ele foi chamado ao Vaticano, em uma situação ligeiramente análoga à da convocação de Martinho Lutero a Worms para encontrar o imperador romano.

Ao deixar Roma, depois de cortesmente interrogado, o bispo fez uma breve peregrinação a Assis, um dos santuários dos liberalistas. "Em Assis, fui coberto de luz", ele relatou em carta enviada ao Brasil. Encantado diante dos pássaros e das flores, ele se emocionou no pequeno jardim de Clara, onde São Francisco tinha recitado o "Cântico das Criaturas". Pensando no santo, frequentemente invocado pelos liberalistas, o bispo se viu dirigindo os pensamentos a ele, naquele dia de verão: "Quanto bem nos fazes, e como todos nós, seguidores do senhor Jesus, sentimos a tua falta!"

A tradição católica de trabalhar abnegadamente em meio aos pobres floresceu, ao final do século 20. Madre Teresa de Calcutá estava entre esses abnegados. Nascida nos Bálcãs e educada na Irlanda, ela fundou em 1950 as Missionárias da Caridade, para ajudar "os famintos, os despidos, os sem-teto, os mutilados, os doentes, e quem quer que se sinta excluído, rejeitado, abandonado." Durante seus últimos anos de vida, cerca de 4 mil freiras, além de um grupo menor de frades e leigos, espalhavam seu trabalho por muitas terras.

Embora não desejasse publicidade, madre Teresa era perseguida pelas câmeras de televisão. Ela não se permitia receber os cumprimentos dispensados aos astros da mídia. Só aceitava beijos de seus doentes. Segundo um racionalista, madre Teresa era uma raridade: alguém que seguira as palavras de Jesus, abrindo mão de tudo.

UM MOSAICO DE CRESCIMENTO E DECLÍNIO RELIGIOSO

A vitória comunista na China foi vista pelos cristãos, em especial dos Estados Unidos, como um desastre religioso. O mais populoso país do mundo estava fora do alcance de novos e antigos missionários. Na década de 1960, os Guardas Vermelhos fecharam todas as igrejas cristãs, e muitos padres e pastores foram presos.

Depois que a revolução cultural acabou, chineses cristãos começaram a se reunir discretamente nas casas. No início da década de 1980, algumas congregações protestantes retomaram as reuniões, aproveitando para isso antigos prédios de grandes igrejas, que pareciam trazidos diretamente das ruas principais de Hamburgo, Manchester ou Chicago.

Os católicos chineses, mais numerosos do que os protestantes, eram olhados não oficialmente com mais suspeita. Em 2002, o Vaticano estimou que 8 milhões de chineses católicos rezavam "escondidos", em vez de se arriscarem a rezar em público. Alguns observadores acreditam que esteja ocorrendo aos poucos na China um despertar religioso, ao lado da recuperação econômica, e falam em 50 milhões a 70 milhões de cristãos, no mínimo.

> EM 2002, O VATICANO ESTIMOU QUE 8 MILHÕES DE CHINESES CATÓLICOS REZAVAM "ESCONDIDOS".

Na Índia, o segundo país mais populoso do mundo, os cristãos respondem por pouco mais de 2% da população, mas o relativo fracasso da evangelização tem sido exagerado. Existem mais cristãos do que *sikhs*, na Índia. O número de cristãos supera o número de budistas, em plena terra natal de Buda. Em três pequenos estados indianos, os cristãos são maioria. Em Nagaland, estado próximo à fronteira nordeste, nove em cada dez habitantes são cristãos – batistas, na maioria. É o estado mais batista do mundo.

A Europa deixou de ser o coração da cristandade. Em 2010, metade dos bebês da Grã-Bretanha e França não era batizada. E os nomes escolhidos para esses bebês vêm mais frequentemente de personagens de novelas do que da Bíblia. No sepultamento de cristãos, muitas vezes o caixão é envolvido por uma bandeira com o emblema de um time de futebol ou alguma outra insígnia seguramente descrita como não religiosa.

Na Europa oriental, a maioria das pessoas na maior parte das nações não frequentava igreja. Na Polônia, uma perfeita exceção, mais de nove em cada dez habitantes diziam ser cristãos e frequentar a igreja. Na França e na Bélgica, cerca de quatro em cada dez entrevistados afirmavam não ter religião, e, na Holanda, Itália e Espanha, a proporção dos que diziam possuir algum instinto religioso era levemente mais alta. No ano 2000, uma pesquisa feita na Itália apresentou um resultado surpreendente: 92% das crianças eram batizadas no catolicismo, mas seus pais raramente iam à igreja. Os europeus que afirmam com segurança serem ateístas vêm se multiplicando rapidamente.

OS ESTADOS UNIDOS DA AMÉRICA
OU DEUS E OS DOIS OCEANOS

Nos Estados Unidos, a religião floresceu na década de 1950 e no início da década de 1960. John F. Kennedy, eleito em 1960, foi o primeiro presidente católico do país. No entanto, havia poucos indícios de que o catolicismo pudesse tornar-se predominante. Por outro lado, as Assembleias de Deus – uma seita do século 20 que pregava uma mensagem pentecostal – mais que triplicou o número de fiéis, em um sinal de que as igrejas Fundamentalistas cresciam mais depressa do que as grandes igrejas.

O dr. Martin Luther King Jr., pastor de uma igreja batista em Montgomery, Alabama, começava a chamar atenção, em sua cruzada pelos direitos civis dos negros "do sul". Uma visita à Índia, em 1959, convenceu-o das virtudes da tática empregada por Gandhi: "persistir nos protestos, evitando a violência." Depois de assumir o posto de pastor ao lado do pai na Igreja Batista Ebenézer em Atlanta, na Geórgia, o dr. King pacientemente continuou com os protestos passivos e boicotes que ajudaram a modificar ou eliminar a prática, adotada nos estados do sul, de segregar negros e brancos em ônibus e restaurantes. Várias vezes foi preso por isso. Daí a quatro anos, ele fez um discurso do alto dos degraus do Lincoln Memorial, em Washington. Buscando palavras no Antigo Testamento, assim se dirigiu à multidão diante dele: "Eu tenho um sonho... Eu sonho que, um dia, todo vale será exaltado, e todas as colinas e montanhas se abrandarão. Os lugares acidentados serão aplainados, os caminhos tortuosos se endireitarão, e a glória do Senhor se revelará."

Foi o presidente Lyndon B. Johnson, mais conhecido como político atuante do que como seguidor da grande seita chamada Discípulos de Cristo, quem assinou as leis federais corrigindo formalmente alguns dos erros que provocaram as queixas de Martin Luther King Jr. Em 4 de abril de 1968, King foi assassinado em Memphis, aos 39 anos.

Quando, nos Estados Unidos, começou a declinar a frequência às igrejas, o fato não causou tanta surpresa quanto na Europa. Ao fim do século 20, nove de cada dez norte-americanos acreditavam em Deus, e mais da metade dizia pertencer a um dos 200 grupos cristãos do país. O presidente da República costumava ir à igreja aos domingos, e a maioria dos eleitores sabia se ele era batista, metodista ou presbiteriano. O fato de quase todos os presidentes ainda pertencerem àquelas seitas, que na Grã-Bretanha seriam chamadas de dissidentes ou não conformistas, representa um legado do começo da história religiosa da América.

O que mantém o cristianismo, em toda a sua variedade, como marca registrada dos Estados Unidos? No desbravamento daquela terra tão vasta, as congregações cristãs, especialmente em novos distritos rurais, cumpriam um papel social, além do papel religioso: serviam de local de reunião e centro social. Nos Estados Unidos, a religião adquiriu algumas características do mundo empresarial. As igrejas, competitivas, buscavam ativamente novos membros. Na história do cristianismo, nunca se viu tal energia na criação de novos credos e seitas, a não ser, talvez, na chegada à África.

Conforme uma ideia muito difundida nos Estados Unidos, aquele era um país único, e o cristianismo representava um componente vital da singularidade. Os americanos se orgulhavam de sua longa história de nação forte e independente, que poucas vezes precisou de aliados. É quase como se vissem em Deus seu único aliado. Para eles, a providência divina lhes reservou aquela terra enorme, rica e protegida dos perigos por dois oceanos. A maioria dos americanos acreditava pertencer a uma nação "segura", criada e guiada por Deus.

Até a Basílica de São Pedro, em Roma, foi desafiada pelo título de maior do mundo. A República da Costa do Marfim, o maior produtor de cacau de mundo, apesar de não ser um país rico, conseguiu levantar fundos para construir uma enorme basílica. Inaugurada em 1989 e abençoada pelo papa um ano mais tarde, ostenta uma cúpula colorida, que pode ser vista a longa distância, a destacar-se da vegetação. Os visitantes ficam maravilhados com as paredes de mármore italiano, os vitrais em violeta, azul e vermelho, e um amplo espaço capaz de acomodar 18 mil pessoas, sendo 7 mil sentadas. Por estar situada na periferia da capital, raramente está cheia.

Chegará o tempo em que o papa, pela primeira vez na história, será um cardeal nascido fora da Europa. Os católicos do Brasil, da Nigéria e das Filipinas provavelmente vão comemorar o fim do longo reinado europeu. A Igreja da Inglaterra, outra instituição global, reflete a mesma tendência. Ao encontro conhecido como Conferência de Lambeth, que aconteceu em Londres, em 1998, compareceram muito mais bispos africanos do que das Ilhas Britânicas. E quem era o típico fiel anglicano, em termos globais? Se todos os anglicanos fossem organizados conforme idade, sexo e nacionalidade, o fiel típico seria uma mulher africana de 24 anos, vivendo ao sul do Saara.

CAPÍTULO 31

"MAIS POPULARES DO QUE JESUS"

Hoje, o papa é uma figura mais influente do que em 1500, às vésperas da Reforma. Naquela época sua influência ficava restrita à Europa ocidental e à Ásia Menor. Hoje, porém, é global, e ele é o chefe espiritual de uma população de católicos que, desde 1500, já se multiplicou dezenas de vezes. Talvez muitos democratas argumentem que tanto poder nas mãos de uma só pessoa – um líder que não pode ser deposto – representa um risco em potencial para a maior das Igrejas Cristãs.

UM PAPA EXTRAORDINÁRIO

O século 20 produziu um dos mais notáveis de todos os pontífices. Daqui a um século, o papa João Paulo II provavelmente será visto como um dos papas mais influentes da história da Igreja. Nascido na Polônia, de família humilde, ele foi operário de uma indústria química e estudante universitário, antes de entrar para o seminário. Nos últimos mil anos, poucos papas vieram de ambientes tão modestos. Aos 38 anos de idade, ele era bispo sagrado, e já se destacava como estudioso e pensador. Daí a 20 anos, foi eleito papa – o primeiro papa não italiano em quatro séculos.

João Paulo II exerceu um importante papel na derrota de um antigo inimigo dos católicos: o comunismo soviético e europeu. Em um tempo de prosperidade sem precedentes, que desviava a atenção das questões religiosas, ele falava contra o materialismo. Uma mensagem bíblica bastante difundida diz que "nem só de pão vive o homem." Atualmente, porém, pela primeira vez na história, bilhões de pessoas tiveram a oportunidade de viver só de pão, e parecem gostar. Ironicamente, enquanto derrubava o comunismo, o Ocidente imitava seu materialismo.

O papa João Paulo II não se furtou a expressar suas ideias sobre teologia e costumes sociais. O tempo que passou sob o nazismo fez com que percebesse o valor da liberdade pessoal, embora não ilimitada. Ele lamentava a indiferença diante da morte, em especial em um mundo que aparentemente desaprovava mortes desnecessárias. João Paulo II se opôs a outras formas de morte – o controle da natalidade e o aborto – em que as vítimas deixam de nascer. Não havia brilho em seus olhos quando observava as vitórias dos teólogos esquerdistas da América do Sul. Ao declarar que sua Igreja tinha um "amor preferencial pelos pobres", ele caminhou sobre as pegadas de São Francisco de Assis. Em boa parte do que fez, agiu sozinho.

> O PAPA JOÃO PAULO II NÃO SE FURTOU A EXPRESSAR SUAS IDEIAS SOBRE TEOLOGIA E COSTUMES SOCIAIS.

Apesar de as agendas políticas destacarem os direitos da mulher, João Paulo II se manteve firme: mulheres não podiam exercer o sacerdócio. O contraste com o protestantismo era nítido. Mais de 30 anos antes de seu pontificado, mulheres protestantes já atuavam como pastoras na Igreja Unida do Canadá, nas igrejas luteranas da Dinamarca e em igrejas presbiterianas e metodistas de vários países. Quando o Conselho Mundial de Igrejas se reuniu pela quinta vez – no Quênia, em 1975 – em cada quatro delegados havia uma protestante. O papa não se impressionou. Segundo essa linha de pensamento, talvez ele tivesse recusado, caso fosse papa nos primeiros tempos do cristianismo, santificar a Virgem Maria, sob a alegação de tratar-se de uma mulher.

Alguns admiradores de João Paulo II se desapontaram, considerando não ter ele dispensado a devida atenção ao escândalo causado pelas acusações de que padres teriam abusado sexualmente de meninos.

Depois de sua morte, a questão tomou vulto ainda maior. Embora pelo menos 99% dos padres em exercício naquela época fossem presumivelmente inocentes, o dano à reputação da Igreja estava feito. E persiste a difícil pergunta: a Igreja Católica deve continuar um domínio eminentemente masculino?

Sem alarde, o papa João Paulo II modificou a teologia da Igreja. O purgatório e o inferno receberam pouca atenção, enquanto se enfatizava a importância do amor. Ele buscou homens e mulheres que viveram em tempos recentes e eram merecedores da santidade. E encontrou muito mais candidatos do que qualquer papa anterior. Segundo ele, um santo do século 20 é muito mais inspirador, para os jovens católicos, do que outro que tenha vivido muito tempo atrás. Uma de suas mensagens sutis foi esta: os santos, tal como os seres humanos, têm suas falhas.

As histórias embaraçosas dos papas que viveram na época da Renascença e em períodos anteriores foram redimidas pelos papas dos últimos 200 anos. Conforme opinião geral, eram homens bons, em sua maioria, e alguns foram grandes seres humanos. O papa João Paulo II reforçou essa impressão com sua fé, sua generosidade, e uma dignidade simples e até meio sem jeito.

Mental e fisicamente corajoso, ele viajou a terras estrangeiras e falou a multidões, mesmo quando o mais indicado talvez fosse descansar ou recolher-se a um hospital. A soma das distâncias percorridas em suas viagens provavelmente excede a soma das distâncias percorridas por todos os outros papas nos últimos mil anos. A antiga ideia das peregrinações sofreu uma reviravolta. Durante séculos, os cristãos peregrinavam a Roma para ver o papa; e então, o papa peregrino visitava seu rebanho em terras distantes.

A morte de João Paulo II em 2005, depois do segundo mais longo pontificado da história, causou tristeza no mundo inteiro. Talvez nenhum papa tivesse conquistado tanto respeito de pastores e padres, protestantes e ortodoxos. Indiretamente, ele promoveu a causa da unidade cristã.

ATEÍSTAS E CIENTISTAS LEVANTAM BANDEIRAS

No século 21, o mundo ocidental assistiu a uma intensificação das atividades e da militância dos ateístas. Muitos expressaram suas ideias com clareza e habilidade, embora fundamentadas essencialmente em argumentos empregados por numerosos cristãos radicais desde o século 18, pelo menos. Entre os críticos mais articulados do cristianismo, estão os cientistas que afirmam que, quando houver mais conhecimento, os princípios da ciência substituirão o cristianismo. Esses cientistas em geral transpiram otimismo quanto à natureza humana, e preveem que o mundo vai se tornar cada vez melhor. Assim, em 2010, o professor Stephen Hawking, um dos cientistas mais bem conceituados do mundo, explicou que "a raça humana vem melhorando tão rapidamente, em matéria de conhecimento e tecnologia, que se as pessoas estivessem aqui há milhões de anos, a humanidade já teria chegado muito mais longe, em sabedoria." Segundo ele, a humanidade só precisa de tempo, para realizar seu enorme potencial. Enquanto isso, ele pergunta: "por que o mundo está tão complicado?" A principal razão, ainda segundo Hawking, é o fato de não utilizarmos de maneira adequada nossa capacidade de raciocínio. "Felizmente vamos melhorar muito", ele afirma, "porque estamos perto de compreender as leis que governam o universo e que nos governam."

Em 1900, um otimismo semelhante percorria os círculos mais intelectualizados. Seria impossível imaginar uma guerra mundial devastadora – duas, muito menos – pois razão e progresso estavam em toda parte. As duas guerras destruíram as previsões. A devastação aconteceu porque ciência e tecnologia estiveram como nunca a serviço da guerra. Além disso, duas das novas ideologias contrárias ao cristianismo – o comunismo soviético e o fascismo alemão – demonstraram dar pouca importância à vida humana, em especial às vidas dos adversários civis. Os combates mais intensos da Segunda Guerra Mundial aconteceram na frente russa, onde dois credos seculares se enfrentaram e foram praticadas atrocidades sem paralelo na guerra anterior.

Muitos cientistas e secularistas tendem a postar-se junto a uma alta parede divisória. São otimistas acerca da natureza humana, e por conseguinte acreditam no progresso do ser humano; afinal, os cientistas fizeram muito para criar progresso material. Do outro lado da parede está a tradição cristã, que combina otimismo e pessimismo. Ali se acredita que o mal, tal como o bem, faz parte da natureza humana. Assim, os cristãos que seguiam a tendência se surpreenderam menos com as calamidades ocorridas no século 20. Mas a visão dos secularistas acerca da natureza humana se destaca mais uma vez, em especial nos círculos intelectualizados. É como se uma fase terrível da história da humanidade, que desmentia as bases daquela posição otimista, tivesse desaparecido da memória coletiva.

MAIS VITÓRIAS PARA O ISLÃ

Como rival do cristianismo, o islamismo teve altos e baixos. Por volta do ano 1000, o islamismo, como religião mais jovem, exercia mais influência do que o cristianismo, e parecia prestes a tornar-se a primeira e única religião mundial. No entanto, quando navegadores portugueses descobriram as rotas marítimas pelos Oceanos Atlântico e Índico, abriu-se um novo campo para os missionários cristãos. A Europa ocidental dominava também na Ciência, nas armas e na vitalidade, e cada vez mais governava terras muçulmanas. Em 1900, o cristianismo estava bem à frente do islamismo, em número de seguidores.

Depois da Segunda Guerra Mundial, o islã cresceu em prestígio e poder político. A Indonésia e o Paquistão, com suas numerosas populações muçulmanas, e a Índia, com uma significativa minoria muçulmana, tinham se tornado independentes. O petróleo, então a principal fonte de energia no mundo, concentrava-se em uma surpreendente proporção no Oriente Médio e em outras regiões de religião muçulmana. Nações pequenas, porém ricas, financiavam atividades ligadas à religião. Milhões de muçulmanos deixaram suas terras, mudando-se para países como França, Inglaterra, Alemanha, Espanha e Holanda, onde se tornaram minorias atuantes, passando a gozar de uma liberdade geralmente não concedida aos poucos cristãos habitantes de terras islâmicas.

As duas religiões rivais se afastaram ainda mais. No período de um século, os países cristãos se tornaram mais democráticos, materialistas, informados e zelosos dos direitos da mulher e da liberdade civil, do que uma típica terra muçulmana. Os cristãos também ficaram menos puritanos. Em 1900, um protestante evangélico possivelmente tinha muito em comum com um muçulmano, em termos de comportamento social. Hoje, nem tanto. Em 11 de setembro de 2001, quando um pequeno braço do Islã disparou um ataque terrorista a duas cidades dos Estados Unidos, as diferenças religiosas pareceram mais intensas.

Nos últimos séculos, a força da fé muçulmana superava a de seus principais rivais. Além disso, no século 20, as populações dos países islâmicos se multiplicaram rapidamente, pois a típica família muçulmana é numerosa. Embora o cristianismo continuasse a ser a maior religião, com mais de 30% da população mundial, o islamismo se aproximava, e já respondia por mais de 20%, em 2011. Talvez chegue o dia em que o islamismo recupere a liderança.

> NO SÉCULO 20, AS POPULAÇÕES DOS PAÍSES ISLÂMICOS SE MULTIPLICARAM RAPIDAMENTE.

O CRISTIANISMO VAI DESAPARECER?

A década de 1960 foi marcada pelas revoltas dos jovens contra tabus e tradições em religião, política, sexo, música, roupas e muito mais. A longa era cristã jamais havia observado tal explosão de valores, exceto talvez nos primeiros anos da Revolução Francesa.

Os quatro rapazes que formaram os Beatles, o grupo musical inglês, ajudaram a liderar a última revolução. Sua história familiar no porto de Liverpool era mais cristã do que pagã, e os líderes, John Lennon e Paul McCartney, se conheceram em um festival de música promovido por uma igreja, em 1957. Em menos de uma década, os quatro rapazes se tornaram os mais festejados do mundo. Milagrosamente, eles dançaram ao longo de uma tênue linha transparente que separava os valores cristãos tradicionais dos valores expostos em discotecas e concertos de *rock*. Em 4 de março de 1966, John Lennon cruzou aquela linha. "O cristianismo vai morrer", ele anunciou. "Vai encolher e desaparecer. Hoje somos mais populares do que Jesus Cristo." Nos círculos nos quais ele transitava, a observação estava correta.

O cristianismo está em declínio nas nações mais prósperas, mais instruídas e mais materialistas, mas não em outros lugares. No entanto, mesmo na Europa, o centro do cristianismo, o declínio ainda não pode ser considerado permanente. No curso de 20 séculos, ele já entrou em declínio e se recuperou várias vezes. No ano 300, estava mais fraco na Europa e na Ásia Menor do que hoje. Em 1600, estava mais fraco no mundo como um todo. A conclusão deste livro é que o cristianismo se reinventou repetidas vezes. Todo renascimento religioso é o reflexo de um estado de declínio anterior. Mas nenhum renascimento – e talvez nenhum declínio – é permanente.

Mesmo quando o cristianismo atravessava uma boa fase, muita gente permanecia indiferente ou pouco interessada, e sua influência em muitos setores da sociedade era fraca ou irregular. Conforme João Calvino confessou, o fato de Genebra ser a vitrine do cristianismo não significava que todos os habitantes do local acreditassem nas principais verdades religiosas. Eles creditavam à sorte, ao acaso e ao destino tudo que lhes acontecia: "Se uma ventania repentina afunda a embarcação; se alguém é derrubado por uma árvore que caiu sobre a casa." Segundo Calvino "essa opinião errônea atravessou os tempos, e é praticamente universal."

Em essência, o mundo ocidental atual não deve ser comparado com muito rigor à supostamente mais cristã civilização que o precedeu. O cristianismo, mesmo no apogeu, para muita gente foi, em parte, só aparência.

SABEDORIA

No mundo ocidental, ao iniciar-se o século 21, a doutrina cristã frequentemente parece um tanto irrelevante. Pela primeira vez na história, várias doenças que tornavam a religião útil ou indispensável são tratáveis ou foram erradicadas. As enfermidades incuráveis, a morte de jovens, a fome e a pobreza extrema não são vistas tão frequentemente. Houve um tempo em que as pessoas morriam aos 50 anos, muito envelhecidas. Hoje, máquinas de várias espécies reduziram a necessidade do trabalho pesado que antes sustentava a economia. Por tudo isso, há menos incentivo para que se recorra à Bíblia nos momentos de dor ou desespero – embora o sucesso material traga novas preocupações.

Nos países que contam com educação formal de melhor qualidade, o cristianismo também tem de enfrentar um estado de espírito menos favorável. Há 300 anos, as pessoas se satisfaziam com explicações baseadas no sobrenatural; hoje, elas se deixam convencer mais facilmente por explicações que apelem – ou pareçam apelar – à ciência, à lógica e à razão. Ciência e tecnologia carregam uma mensagem simples e persuasiva: os problemas do mundo são solucionáveis com o emprego de engenhosidade e inovações materiais; os enigmas do mundo – as origens do universo, por exemplo – podem ser desvendados pela mente científica. No entanto, embora as realizações da ciência tenham sido notáveis, não se pode considerá-las revolucionárias no estudo na natureza humana. De certo modo, os problemas mensuráveis estudados pela ciência e pela tecnologia são mais facilmente analisados do que os problemas humanos. É mais fácil explorar a lua do que explorar o coração e a mente do ser humano.

O conhecimento ocupa um dos primeiros lugares na hierarquia das virtudes mentais. A palavra "sabedoria" é pouco empregada em um século que valoriza mais do que nunca o conhecimento. Até o Livro dos Provérbios trata da sabedoria. Os judeus simples citados no Antigo Testamento – como os pastores e carregadores de água – provavelmente estavam mais empenhados em alcançar a sabedoria do que muitos ganhadores do Prêmio Nobel, decorridos 2,5 mil anos. Sabedoria se refere, em primeiro lugar, aos seres humanos e a suas dificuldades.

O indivíduo tem o direito de dizer que não acredita em Deus. Mas calar-se e fugir à discussão sobre a natureza humana que cerca todo o conceito de "Deus" é não perceber por que o cristianismo faz tanta gente pensar há tanto tempo.

O CRISTIANISMO NA BALANÇA

O cristianismo se reinventou muitas vezes. Provavelmente nenhuma outra instituição na história do mundo demonstrou tal multiplicidade. Se os oito cristãos citados a seguir, todos influentes em seu tempo, se reunissem em torno da mesa de jantar, que conversas surgiriam? São eles: o apóstolo Paulo e o bispo Nestório de Constantinopla, dos primeiros séculos; Francisco de Assis, madre Teresa de Ávila e Martinho Lutero de Wittenberg, dos séculos intermediários; e o sr. George Fox dos *quakers*, o pastor Lekganyane da igreja zionista da África do Sul e o papa João Paulo II. Uma das razões de o cristianismo se manter dinâmico por tanto tempo é sua disposição para discutir e discordar – quase uma questão de vida ou morte.

> O CRISTIANISMO MOLDOU – E ÀS VEZES DESMANCHOU – MUITA COISA NO MUNDO MODERNO.

Não é fácil avaliar uma religião tão antiga e disseminada, cujos seguidores discordam entre si. O cristianismo moldou – e às vezes desmanchou – muita coisa no mundo moderno. Não somente a moral e a ética receberam influência, mas também o calendário, os feriados, a assistência social, os eventos esportivos, arquitetura, idioma e literatura, além das denominações no mapa-múndi. Talvez nenhuma outra instituição – a não ser os governos modernos – tenha cuidado tão diligentemente dos enfermos, dos pobres, dos órfãos e dos velhos. Por muito tempo a Igreja representou a predecessora da assistência oficial, além de assumir o principal papel na educação em boa parte da Europa e de fundar a maioria das primeiras universidades. O cristianismo influenciou o papel social da mulher, o *status* da família e – dizem alguns historiadores – a ascensão do socialismo e do capitalismo. Além disso, tanto favoreceu como prejudicou o avanço da Ciência e das Ciências Sociais.

A moderna democracia, muito diferente da versão praticada na antiga Atenas, muito deve à declaração feita por Paulo, garantindo que todas as almas têm o mesmo valor aos olhos de Deus. A democracia também deve muito àquela ala do protestantismo que, desobedecendo ao papa e ao bispo, conferiu poder à congregação reunida aos domingos.

Desde seu surgimento, o cristianismo participou de muitos eventos lamentáveis e cometeu muito mais erros do que os primeiros apóstolos poderiam imaginar. Boa parte desses erros foi praticada por quem falava em nome de Cristo, mas sem sinceridade. Trata-se de uma difícil e angustiante profissão de fé. Entre os bilhões de indivíduos, hoje mortos, que entenderam e tentaram seguir os preceitos de Cristo, a maioria provavelmente teria admitido falhas em algumas fases da vida – ou em todas. Se o próprio Cristo viesse julgar as respostas do mundo a suas mensagens nestes primeiros 2 mil anos, talvez dissesse: "Eu avisei!" Ele mesmo afirmou certa vez que "muitos são os convidados, poucos os escolhidos."

> MUITO DO QUE NOS PARECE ADMIRÁVEL HOJE RESULTA INTEIRAMENTE OU EM PARTE DO CRISTIANISMO.

O cristianismo provavelmente foi a instituição mais importante do mundo nestes 2 mil anos. Muito do que nos parece admirável hoje resulta inteiramente ou em parte do cristianismo e de seus seguidores. Por outro lado, pode ser que, no ano 2200, estudiosos e analistas que tenham outros valores cheguem a uma conclusão diferente. A análise de importantes mudanças ocorridas no passado, para saber se foram benéficas ou não, raramente leva a um veredito unânime.

É notável como um homem que viveu há 2 mil anos, não ocupou cargo público nem era rico, e nunca visitou um lugar que ficasse a mais de dois dias a pé de distância do local onde nasceu, possa ter exercido tanta influência, com seus ensinamentos, profecias, conselhos e parábolas. "Eu sou o caminho, a verdade e a vida", ele declarou. "Pois onde dois ou três se reunirem em meu nome, lá estarei."

As discussões acerca da mensagem e da influência de Cristo não se esgotaram. Mesmo depois de estarmos todos mortos, e o século 21 ter ficado para trás, o fascínio persistirá, e muitos ainda o verão como um vencedor.

AGRADECIMENTOS

Aqui expresso minha gratidão a dois amigos que leram todos os originais: John Day (de Wangaratta), que entende de sentenças e alegações, e Michael Costigan (antes de Roma e agora de Sydney), que me concedeu o benefício de sua larga experiência e seu vasto conhecimento de questões ligadas à religião. Entre outras atividades, ele estudou o Concílio Vaticano II. Estou profundamente agradecido a quatro especialistas em Teologia e historiadores, que generosamente e em curto prazo leram alguns capítulos e fizeram comentários sinceros: Francis Moloney, que deu aulas de História da Igreja em universidades australianas e americanas; Ian Breward, professor em universidades da Nova Zelândia e da Austrália; Austin Cooper, que há muito faz palestras no Catholic Theological College, em Melbourne; e Dorothy Lee, a nova reitora da Trinity College's Theological School, na University of Melbourne.

É provável que os generosos leitores discordem de mim em algumas suposições e argumentações deste livro. Calculo que existam, nas páginas anteriores, pelo menos 27 mil "fatos" ou inferências. Em algumas, infelizmente, estarei errado. Aceito completa responsabilidade pelos meus erros e pelas interpretações dúbias.

Agradeço a Bob Sessions, da Penguin Books, que me incentivou a escrever este livro, e a Anne Rogan, editora paciente e alerta. Pela orientação sobre livros e outras fontes, agradeço também a Rex Harcourt, Davis Runia, Raymond Flower, Winston Lim, Max Suich, Sir

Rod Carnegie, Rob Nave, Richard Hagen, Mario Panopoulos e Anna Blainey. Sou grato a minha mulher, Ann, que guarda na memória, desde a adolescência, a detalhada História da Teologia, conhecimento que ela expandiu nos últimos três anos, e que me foi muito útil.

Rendo minhas homenagens à biblioteca estadual de Victoria, à Biblioteca Baillieu, na University of Melbourne, e à Biblioteca Mannix, do Catholic Theological College, na mesma cidade. Muito aproveitei também as visitas a várias catedrais, capelas e galerias de arte, bem como a museus históricos e a locais sagrados, de Assis a Zanzibar.

FONTES SELECIONADAS

A literatura sobre a história do cristianismo é extensa, quase esmagadora. Da versão original deste livro constam muitas páginas onde estão listadas as fontes consultadas, em especial as que fundamentam minha narrativa e minha interpretação de eventos e pessoas importantes. Entre as publicações que aparecem em muitos volumes, recomendo aos leitores:

The Cambridge History of Christianity,
Cambridge History of Judaism, e
New Cambridge Modern History.
Como trabalho de referência, veja *Oxford Dictionary of the Christian Church* (3ª edição, 2005).

Entre os muitos livros dedicados à história do cristianismo, cada um com sua interpretação, o leitor pode consultar:

Owen Chadwick, *A HIstory of Christianity* (Londres, 1995),
Martin Marty, *The Christian World: a Global History* (Nova York, 2007), e
Diarmaid MacCulloch, *A History of Christianity* (Londres, 2009).
Para citações do Evangelho, preferi *Holy Bible: Revised Standard Version* (Londres, 1952).

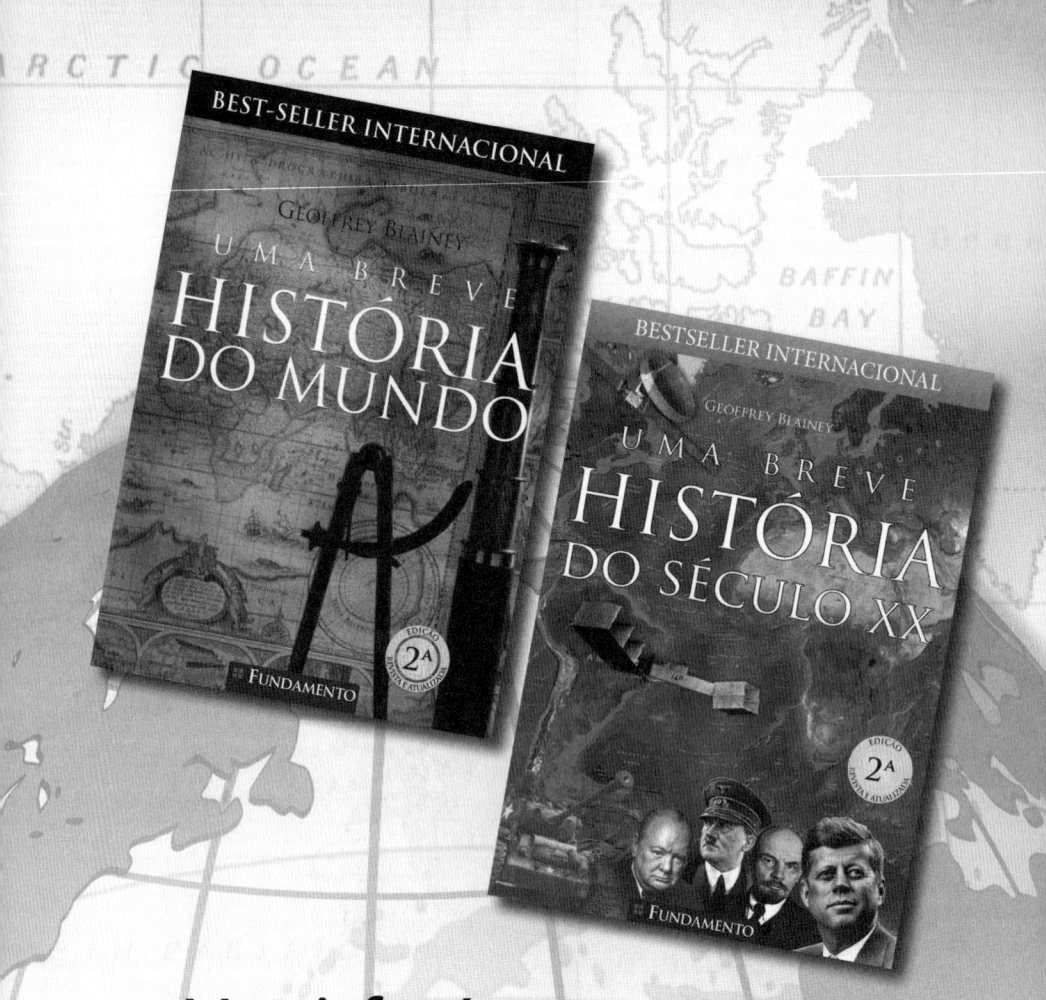

Você fará uma viagem inesquecível nas páginas destes livros.

Editora Fundamento